LE GOÛT DU PARADIS

Julie Balian

Le goût du paradis

la courte échelle

R
Balian

Les éditions de la courte échelle inc.
160, rue Saint-Viateur Est, bureau 404
Montréal (Québec) H2T 1A8
www.courteechelle.com

Révision : Ginette Choinière

Dépôt légal, 4ᵉ trimestre 2011
Bibliothèque nationale du Québec

La courte échelle reconnaît l'aide financière du gouvernement du Canada par l'entremise
du Fonds du livre du Canada pour ses activités d'édition. La courte échelle est aussi inscrite
au programme de subvention globale du Conseil des Arts du Canada et reçoit l'appui du
gouvernement du Québec par l'intermédiaire de la SODEC.

La courte échelle bénéficie également du Programme de crédit d'impôt pour l'édition
de livres — Gestion SODEC — du gouvernement du Québec.

**Catalogage avant publication de Bibliothèque et Archives nationales du Québec
et Bibliothèque et Archives Canada**

Balian, Julie
Le goût du paradis
ISBN 978-2-89651-495-3
I. Titre.

PS8603.A535G68 2011   C843'.6   C2011-941107-5
PS9603.A535G68 2011

Imprimé au Canada

À mes deux mamies,
Rolande Bélanger et Cécile Veillette Lafrance,
avec amour et gratitude

Chapitre 1

Il fallait encore que je gâche tout. Après une semaine exemplaire, après sept bonshommes sourire d'affilée sur le calendrier de janvier aimanté au frigo, il fallait encore que je foute ma vie en l'air. Comme toujours, j'étais parvenue à dégringoler à la case départ en un temps record : je n'avais eu besoin que de trente secondes pour me retrouver ici, agenouillée sur le carrelage, à éponger le dégât en me traitant de tous les noms.

« Félicitations, Clarence, du beau travail. »

La journée avait pourtant bien commencé. La nuit avait été courte, mais j'ai l'habitude, mes insomnies du dimanche datent de la maternelle. Depuis mon emménagement rue Sainte-Ursule, elles sont devenues si fréquentes que je ne me donne même plus la peine d'essayer de dormir en attendant le lundi. Au lieu de m'énerver en regardant les heures s'égrener sur le réveil, je m'installe dans mon lit avec mon *scrapbook*, une pile de magazines et une paire de ciseaux, et je découpe jusqu'à l'aube. La plupart du temps, j'arrive à m'assoupir avant le déclenchement de l'alarme. Ce matin, pas de chance. Au moment où je commençais enfin à sombrer sous ma couette, le cadre accroché au-dessus du placard est encore tombé, et Corneille, qui dormait roulée en boule sur mon ventre, s'est sauvée dans la cuisine en me laissant trois égratignures sous le nombril. Le temps passé à chercher un pansement dans l'armoire de la salle de bain et les miaulements du chat qui réclamait déjà sa boîte de Fancy Feast ont fini par me réveiller pour de bon.

J'avais démarré la cafetière, fait mon lit et arrosé le gigantesque poinsettia que Mamie m'avait apporté pour donner un semblant d'ambiance des fêtes à mon appartement. En constatant la vitesse alarmante avec laquelle la terre absorbait l'eau, j'avais tâté une feuille, qui s'était émiettée comme de la pâte phyllo entre mes doigts.

— Désolée, ma grande, Noël est fini ! m'étais-je excusée en jetant la plante et son emballage métallique dans un grand sac à ordures.

Comme tous les matins, j'avais bu mon café devant l'écran de mon ordinateur, en lisant le blogue collectif des Sœurs d'Ana. Trois billets s'étaient ajoutés au cours de la nuit: un de Lily B., qui avait réussi à perdre deux kilos depuis le 1er janvier avec sa nouvelle méthode des calories négatives, et un de Sarah, qui se désespérait d'en avoir pris cinq depuis son admission à l'hôpital un mois plus tôt. Le troisième message, un extrait vidéo du dernier défilé de Victoria's Secret, montrait Karen Ross qui se déhanchait dans un bikini incrusté de pierres précieuses. Apparemment, le *string* à lui seul pesait trois kilos. Je l'avais regardée trois fois de suite se pavaner jusqu'au bout de la passerelle, plus longiligne que jamais sous l'éclairage bleu des projecteurs: deux fémurs interminables, un torse bronzé tout en côtes et en clavicules, un visage taillé à la serpe. « *The most beautiful woman on the planet* », déclarait le dernier numéro du magazine *People,* dont les coupures s'empilaient maintenant sur ma table de chevet.

Je m'étais dépêchée de finir mon litre de café pour aller étendre mon tapis d'exercice devant la télé. En compagnie de Maya, une animatrice très zen perchée sur un cap rocheux surplombant une plage californienne, j'avais exécuté tous les mouvements de ma vidéo de Pilates et j'étais parvenue, ô miracle, à tenir pendant trente secondes l'éprouvante position du *teaser* : jambes et bras tendus en avant, en équilibre sur les fesses, le ventre qui tremblote de douleur. Si je m'appliquais comme ça tous les matins, j'aurais des abdos comme Maya, assez fermes et plats pour y faire mon repassage.

Après avoir avalé mes vitamines, j'avais préparé mon lunch en pesant chaque légume sur ma nouvelle balance numérique. Cent grammes de laitue romaine, deux cœurs d'artichauts en quartiers, cent grammes d'asperges, cinquante de betteraves, le tout arrosé d'un filet de vinaigre de cidre, pour un total de cent calories. J'avais fourré le contenant de plastique et une fourchette au fond de mon sac à dos et, satisfaite, j'étais allée prendre ma douche en fredonnant. Je sentais mes résolutions se muer tranquillement en habitudes et j'avais déjà hâte au soir pour coller le prochain bonhomme sourire sur la case du 8 janvier.

C'est à sept heures et demie que les choses se sont gâtées. J'étais pourtant prête à partir : cheveux étirés au fer, discret maquillage appliqué, blouse blanche repassée, cahiers tout neufs rangés dans mon sac, nouvel horaire de cours imprimé et plié dans ma poche de jeans. Un matin sous contrôle parfait qui aurait pu gentiment se poursuivre si je ne m'étais pas laissé entraîner dans un autre de mes splendides élans d'autosabotage. En moins d'une minute, j'avais réussi à tout faire débouler comme une rangée de dominos : j'ai bouché la toilette, cassé le miroir, traumatisé le chat et envoyé valser mes résolutions avec le poinsettia au fond du sac à ordures.

Tout ça à cause d'une truffe au chocolat.

Il faut dire que ce n'était pas une truffe ordinaire, mais une merveille de chez Teuscher, fourrée à la crème de Dom Pérignon. Introuvable à Québec, et même à Montréal depuis la fermeture de la chocolaterie rue Maisonneuve, l'hiver dernier. C'est Bruno, mon patron au Château Frontenac, qui m'avait offert la boîte enrubannée le vendredi précédent. J'aime bien Bruno. Depuis mon embauche, en juin, il ne cesse de m'exprimer son appréciation en m'offrant de petits cadeaux et en collant des mots gentils sous le comptoir du bar : « Merci pour le ménage dans l'armoire du fond ! », « Merci d'avoir rangé les verres ! », « Merci d'avoir apporté des pivoines pour la salle de bain ! » J'aime qu'il remarque tout. Et plus il me remercie, plus j'en fais.

Le 31 décembre, Bruno était allé célébrer la nouvelle année avec son mari à New York. Comme je lui avais mentionné, une fois, que je vouais un culte aux truffes au champagne, il avait cru raisonnable de passer à la boutique de la Cinquième Avenue pour m'en acheter deux douzaines. Deux douzaines ! Une fille intelligente aurait tout balancé à la poubelle aussitôt sortie de l'hôtel, mais c'était quand même des Teuscher. Avec une mère suisse et une grand-mère pâtissière, je m'y connais assez en chocolat pour juger qu'un tel acte mérite une mention dans le Code pénal.

En rentrant chez moi, je m'étais arrêtée au guichet automatique de la rue Sainte-Anne pour déposer le paquet à côté du clochard que je voyais souvent dormir avec son chien contre la grille du radiateur. C'était la façon la plus rapide de m'en débarrasser et si ça pouvait améliorer mon karma du même coup, c'était tant mieux. Malheureusement, le guichet était désert. Les truffes squattaient donc dans ma salle de bain depuis trois jours, coincées sous le lavabo entre le papier de toilette et la trousse de premiers soins. Cachées là pour mieux être oubliées. Comme si ça se pouvait.

D'abord, j'avais voulu les sentir, rien de plus. Ouvrir la boîte, prendre une bonne bouffée, la refermer et vite partir pour l'école. Armée de mes nobles intentions, je m'étais assise sur le couvercle de la toilette, le paquet sur mes genoux, j'avais défait la boucle dorée et soulevé le carton vert pomme. L'odeur riche, presque violente, avait sprinté jusqu'à mon estomac vide en provoquant un gargouillement plaintif.

« Une bouchée et je recrache », m'étais-je promis.

Aussitôt posé sur ma langue, le fondant au chocolat s'était mis à envoyer des ondes de plaisir jusqu'au bout de mes orteils. La truffe avait craqué sous mes dents et la crème de champagne avait explosé comme un feu d'artifice. Mes papilles, en carence gustative depuis Noël, avaient bondi dans une ovation debout.

Évidemment, il n'en fallait pas plus pour réveiller le dragon à trois têtes qui sommeille au fond de mon ventre. Dire que j'avais réussi, avant de me mettre la boîte sous le nez, à me convaincre de ma suprématie sur mon pire démon : je m'étais dit que huit jours de salade étaient parvenus à l'anesthésier et à le rendre inoffensif, et que mes solides résolutions l'avaient déjà poussé à lever le drapeau blanc. J'avais toujours eu un talent rare pour marcher dans mes propres combines, pour me raconter une connerie après l'autre jusqu'à ce que je me retrouve empêtrée dans un grand tissu de mensonges tricoté maison. Apparemment, il n'y avait rien de plus facile que de retomber dans ses vieilles habitudes. Selon le dernier numéro de *Cosmopolitan*, les résolutions de janvier subsistaient en moyenne dix-neuf jours. Moi, je n'étais même pas parvenue à tenir plus d'une semaine.

Le dragon aussi était fidèle à sa routine. Quand il s'agissait de détecter la présence de sucre dans un rayon de cinquante mètres, il valait bien une meute de chiens renifleurs. Ce matin, je l'avais senti ouvrir l'œil au premier effluve de chocolat. Les signes de son éveil sont difficiles à ignorer : mon pouls s'accélère, une légère transpiration perle sur mon visage, et j'ai toujours l'impression d'être perchée sur le toit d'un immeuble de trente étages après avoir pris un verre de trop. La seule façon de calmer mes vertiges, c'est de céder aux demandes du tyran en lui procurant des quantités phénoménales de saveurs, de textures et de calories. N'importe quoi pour apaiser sa faim sans fond, pour l'engourdir jusqu'à ce qu'il se taise et me laisse tranquille pour le reste de la journée. « Encore une truffe, vite, une autre, dépêche-toi, encore, plus vite… » Je connais la rengaine. En général, j'obéis et je m'occupe de réparer les dommages une fois que mon démon s'est rendormi.

En saisissant une deuxième truffe, j'avais regardé ma montre. C'était clair : si je laissais mon ventre prendre le dessus, j'allais être en retard à mon cours. Pire, un si mauvais départ risquait de me faire perdre pied, et de me renvoyer *subito presto* au même point qu'au semestre dernier.

« T'as encore tout saboté, avais-je reproché à mon reflet dans le miroir. Tant qu'à ruiner tes résolutions, autant finir la boîte. »

J'avais pensé à toutes mes journées gâchées, aux nuits d'angoisse, aux cours manqués, aux promesses faites au miroir, à la balance, à Dieu et aux anges. Je me l'étais juré tellement de fois : je ne passerais pas une autre année de ma vie à faire la navette entre le frigo et la toilette. Il fallait me ressaisir, et vite.

J'avais craché la deuxième truffe et, dans ma version personnelle de l'effort surhumain, j'avais jeté une à une les vingt-deux autres dans la cuvette.

Je m'étais dépêchée de chasser l'eau et j'avais tiré ma balance de sous l'armoire à serviettes. Après m'être déshabillée en vitesse, j'avais lancé ma barrette et ma montre dans le lavabo, arraché le pansement sur mon ventre et essuyé la poussière sous mes pieds. Avec un miaulement rauque, Corneille était entrée dans la salle de bain et avait sauté sur le comptoir pour boire au robinet. En retenant mon souffle et en fermant les yeux, j'étais montée sur la balance.

Une autre résolution à la poubelle. Pas plus d'une fois par mois, avais-je pourtant écrit dans ma liste d'intentions. Le faire plus souvent m'exposait à une rechute... Les douze pesées quotidiennes et les attaques de panique n'étaient pas si loin derrière. Si je ne gardais pas une longueur d'avance, elles me rattraperaient au premier tournant. J'avais levé les yeux au plafond, hésité un instant avant de les baisser.

En voyant le nombre qui clignotait à mes pieds, j'avais senti mon cœur se crisper et grimacer de douleur. Un nombre rond et brutal comme une balle de baseball en plein ventre. Pour m'éviter de fondre en larmes, j'avais pris mon chat dans mes bras et je m'étais adossée au mur pour me calmer. C'est à ce moment-là que le raz-de-marée est arrivé à mes pieds : la toilette renvoyait les vingt-trois truffes sur le carrelage.

J'avais laissé tomber Corneille dans la flaque et, au lieu de m'occuper du dégât comme l'aurait fait n'importe quel être doué de raison, j'étais retournée sur la balance en espérant une erreur de calcul lors de ma première pesée. Le nombre restait le même.

Pourquoi, pourquoi je n'arrivais jamais à maigrir aussi vite que les filles du blogue ? Qu'avais-je fait de mal pour que les kilos me collent au corps comme des méduses, même quand je ne mangeais pratiquement rien ? Huit jours de salade pour perdre un vulgaire, un minable demi-kilo, je n'en revenais pas. Folle de rage, j'avais saisi l'appareil de mes deux mains, l'avais secoué de toutes mes forces avant de le lancer sur le miroir.

« Complètement timbrée. » C'est ce que je me répétais en essayant de déboucher la toilette : « Folle, espèce de folle ! »

En heurtant le miroir, la balance en avait cassé un petit morceau, dans le coin gauche, un rien à côté de la fissure qu'elle avait laissée sur le carreau de céramique en retombant par terre. Mon père allait être content. Il avait fait rénover les six salles de bain de son immeuble en juillet dernier, juste avant mon emménagement. Tout avait été repeint en beige, à part le mur du fond pour lequel j'avais choisi un bleu ciel, le même que pour la cuisine. Les études sur l'impact psychologique des couleurs démontrent que le bleu réduit l'appétit. Il existe d'ailleurs un site Internet spécialisé en produits bleus pour la cuisine : j'y ai commandé des ampoules pour l'intérieur du frigo.

Une fois mes paupières et mon plancher bien épongés, je me suis brossé les dents pour éliminer le goût du chocolat, j'ai remis mes vêtements, enfilé mon manteau, mes bottes, mon foulard et mes mitaines, et je suis partie. Si je me dépêchais pour attraper le prochain bus, j'avais une chance d'arriver à mon cours à l'heure.

La rue Sainte-Ursule était immobile, sans le moindre souffle de vent. Il faisait plutôt chaud pour un 8 janvier. En descendant jusqu'à la rue Dauphine, j'ai enlevé mes mitaines et desserré mon foulard. J'ai contemplé le ciel bas, strié de nuages effilochés comme de vieilles guenilles, le trottoir plein de calcium et d'épines de sapin, les lumières de Noël qui donnaient maintenant un air maussade et défraîchi aux jolies façades des maisons. Heureusement, la météo annonçait une tempête en début de soirée ; une nouvelle couche de blanc viendrait redonner au quartier tout son éclat hivernal.

J'ai fini par descendre sur le campus avec quinze minutes d'avance. Je suis allée accrocher mon manteau dans mon casier, j'ai acheté un espresso à la cafétéria et j'ai emprunté le long corridor souterrain qui, de décembre à mars, permet aux étudiants de passer d'un bâtiment à l'autre sans risquer l'hypothermie.

En marchant vers le pavillon De Koninck, le regard rivé au sol, je me suis rendu compte qu'un homme m'observait, appuyé contre le mur au fond du couloir. Pressentant qu'il allait m'adresser la parole quand j'arriverais à sa hauteur, j'ai saisi mon cellulaire et j'ai fait mine de vérifier mes messages, même si ma boîte vocale était vide depuis six mois. Je suis passée devant lui, les yeux fixés sur mon écran.

— Mais... c'est vous ! s'est-il écrié en avançant d'un pas.

Mon cœur a bondi contre les livres que je tenais serrés sur ma poitrine.

— C'est... moi ?

Il s'est frotté le menton en m'étudiant des pieds à la tête.

— Ah non, je fais erreur... Veuillez m'excuser, mademoiselle. Eh bien, j'aurais pourtant juré. Vous savez de qui je parle, son nom m'échappe...

— Juliette Louvin ?

— Voilà !

Celle-là, j'avais dû l'entendre dix fois depuis un an, mais personne n'avait exagéré le compliment jusqu'à me confondre avec elle. Ça sentait la flagornerie, mais vu le début de ma journée, la flatterie tombait bien. Juliette Louvin était filiforme et elle venait d'être choisie comme égérie de Lancôme.

— Philippe Blanc, prof de littérature russe.

15

En serrant la main qu'il me tendait, je n'ai pu m'empêcher de rentrer les joues et d'agrandir les yeux, faisant la
moue ingénue et boudeuse que je répétais devant le miroir
depuis qu'on m'avait fait remarquer la ressemblance. Lui,
la tête inclinée, le sourire niais, me contemplait avec une
intensité qui n'avait pas besoin de sous-titres.

—Enchantée. Clarence Paradis, étudiante en géographie.

J'ai retiré ma main de la sienne et je l'ai rapidement
analysé à mon tour : grand et anguleux, élégant dans sa
chemise noire et son pantalon aux fines rayures grises, il
avait de longs doigts fins, les ongles manucurés, des boutons de manchette en argent et un accent très parisien.
Ses cheveux bruns étaient bouclés, son nez légèrement
aquilin et il avait le fond des yeux très laiteux, comme le
blanc d'un œuf poché.

Il n'était pas mon genre, j'ai toujours eu un faible pour
les sportifs au teint bronzé et aux fesses musclées. Philippe était pâle, plutôt efflanqué et beaucoup trop vieux
pour moi, mais au point où j'en étais, je ne pouvais pas
me permettre de jouer la difficile.

— Vous avez du temps pour un café, peut-être ?

Il était direct, celui-là !

— Je suis déjà en retard à mon cours…

— Ah bon, dommage alors…

— Mais si vous aimez le Vieux-Québec, vous pouvez passer au Château Frontenac, je suis derrière le bar du Saint-
Laurent trois soirées par semaine. Ce soir, d'ailleurs, je
remplace mon patron.

L'audace de ma réplique m'a surprise. J'ai baissé les
yeux en me traitant de dévergondée.

— Je serai là sans faute, m'a-t-il dit en me tendant une
carte professionnelle.

J'ai couru jusqu'au bout du corridor.

La première heure du cours était déjà entamée. Monsieur Joyal récitait le plan du semestre d'une voix monocorde en s'essuyant les paumes sur son éternel veston de velours côtelé gris. Contrairement à mon habitude, je me suis faufilée jusqu'au milieu du peloton d'étudiants assis à l'arrière de l'auditorium. Je n'étais pas d'humeur à entendre parler de croûte terrestre et de morphologie glaciaire. De toute évidence, je n'étais pas la seule. À ma droite, une fille encore à moitié endormie gribouillait dans son cahier et, à ma gauche, un grand blond à lunettes jouait avec son iPhone sous son pupitre. Au premier cours, personne n'écoutait.

J'ai fouillé dans mon sac pour en sortir la carte de Philippe, que j'ai posée sur mon atlas ouvert à la page de l'Europe de l'Est.

Philippe Blanc
Études internationales et langues vivantes
pblanc@ulaval.qc.ca

« Pas mal, ma petite Clarence, pas mal. »

J'avais massacré mon régime, mais la journée n'était peut-être pas tout à fait ruinée.

Ma deuxième résolution pour la nouvelle année : baiser le plus tôt possible. Venant de moi, ça pouvait paraître étonnant, mais vu les circonstances actuelles, le recours aux mesures d'urgence me paraissait justifié. Depuis que Mathieu, mon ex, m'avait trompée avec Maryse, mon ex-meilleure amie, je souffrais d'un choc post-traumatique intense et je fuyais les hommes comme s'ils étaient radioactifs. Après six mois d'abstinence, je commençais à me tracasser. Si je ne me secouais pas bientôt, je risquais de devenir comme les accidentés de la route

17

qui, s'ils ne reprennent pas le volant immédiatement après l'accrochage, conservent une phobie pour le reste de leurs jours.

Dans la catégorie «catastrophe amoureuse», j'avais vraiment remporté la palme d'or: le combo peine d'amour et d'amitié, un scénario classique qui génère assez d'images et de raisons pour que l'apitoiement s'étire pendant des mois.

Au début, j'avais compté sur le temps pour arranger les choses:

— Tu vas voir, Clarence, le temps guérit tous les maux d'amour, m'avaient assuré ma mère, ma grand-mère et toutes les filles du blogue collectif à qui j'avais raconté mon histoire.

Une semaine, un mois, trois mois… avec le début de la nouvelle année, j'avais cessé de compter sur lui. Le temps m'avait bel et bien oubliée. Et le plus pénible, peut-être, c'est que même quand j'essayais très fort de revendiquer mon nouveau rôle de «pauvre petite Clarence, victime de haute trahison», je n'arrivais jamais à chasser une idée de ma tête: tout ça, je l'avais bien mérité.

Je n'excuse pas Maryse, mais ma part de responsabilité est plutôt difficile à nier. S'il y avait une personne au monde qui était au courant de mes doutes amoureux, c'était elle. En trois ans, j'avais passé des heures au téléphone à me plaindre de Mathieu, de son habillement, de ses goûts musicaux et de sa tendance à confondre les mots de vocabulaire. Il disait «faire illusion à», «se disputer pour des pacotilles», et il se fâchait si j'osais le corriger. Pendant la dernière année de notre relation, même sa façon de manger me donnait de l'urticaire. Je vivais dans un état permanent d'irritation, toujours à la recherche d'un prétexte pour le critiquer.

— Tu n'attendais qu'une bonne excuse pour le quitter, m'avait dit Maryse.

Merci de ta grandeur d'âme, ma chérie. Même en cherchant bien, je n'aurais jamais pu trouver un argument aussi convaincant.

C'est vrai, je sortais avec Mathieu pour les mauvaises raisons. Une en particulier : notre premier baiser, le soir de mon seizième anniversaire, au spectacle du Cirque du Soleil. Trente secondes de pure extase, ni plus ni moins. Mathieu était pourtant loin d'embrasser comme un dieu. Il y allait un peu trop fort sur la lotion après-rasage et ses petits becs secs me donnaient souvent l'impression d'être picorée par un pigeon. Mais parce qu'il me dépassait de quinze centimètres, il avait accompli un exploit considérable : en inclinant la tête pour toucher mes lèvres, il m'avait fait sentir petite.

Je mesure un mètre quatre-vingt-quatre. En version impériale, c'est six pieds un pouce, ce qui paraît encore plus alarmant. J'insiste donc sur l'usage du système métrique.

J'ai atteint cette taille à l'âge de quatorze ans et, comme je suis nulle en basketball et que je n'ai pas (encore) la minceur d'un *top model,* mes mensurations ne servent qu'à nourrir mes complexes. Dans tous les magazines, on ne parle que de stratagèmes pour étirer la silhouette : talons de toutes sortes, semelles ajoutées à l'intérieur des chaussures, palettes monochromes et rayures verticales, même des coiffures censées allonger le cou. Aucun conseil pour les trop grandes, et surtout pas pour celles qui, comme moi, tombent dans la catégorie des mal proportionnées. À me voir, on croirait que le bon Dieu a mélangé les pièces au moment de l'assemblage : des hanches de violoncelle, des cuisses plantureuses et des pieds interminables, assortis à un visage aux traits délicats, à des épaules trop étroites et à une absence totale de poitrine. Bref, assez de raisons pour vouloir s'enfermer dans sa psychose après chaque séance devant le miroir.

Pour empirer les choses, il y a mes cheveux. Frisés en tire-bouchons serrés, ils ont tendance à pousser vers le haut et à m'ajouter deux ou trois centimètres supplémentaires si je ne passe pas quarante minutes chaque matin à les étirer vers le bas avec un fer. La couleur n'aide pas non plus. Je me souviens d'avoir cherché, vers l'âge de dix ans, la signification du mot « albinos », après avoir entendu ma monitrice de natation demander à ma mère si j'en étais une. « Anomalie congénitale », disait le *Petit Robert*. En cherchant des précisions dans Internet, j'étais tombée sur des photos de lapins aux yeux rouges et sur la page Web du gorille blanc du zoo de Barcelone. Mes parents m'avaient rassurée de leur mieux : les tests menés par mon pédiatre plusieurs années auparavant n'avaient montré aucune trace d'albinisme dans mon ADN. Je n'étais que très blonde, très pâle et très grande. Heureusement pour moi, il y avait Juliette Louvin pour mettre le style délavé translucide à l'heure du jour. Quoique, dans son cas, elle avait au moins l'avantage d'être petite.

Quand on dépasse la plupart des hommes, la seule façon d'éviter de paraître massive et imposante, c'est la minceur extrême. Mesurer un mètre quatre-vingt-quatre, pieds nus, c'est accepter de travailler fort pour que le nombre sur la balance soit le moindrement féminin. Pas question de me fier au poids santé déterminé par l'indice de masse corporelle sain pour une fille de ma taille. Soixante-douze kilos, disait le site Web. Un nombre insoutenable, horriblement viril, que je ne pouvais pas concevoir sans être prise de nausée.

Dans mon *scrapbook*, j'avais une dizaine de pages consacrées aux mannequins de plus d'un mètre quatre-vingts :

Ana Hickmann, Jodie Kidd, Elle Macpherson et, ma préférée, Karen Ross. Selon les spéculations des magazines, elles pesaient toutes autour de cinquante-cinq kilos. Le poids santé, elles s'en fichaient. Ce n'est pas à soixante-douze kilos qu'elles auraient fait fortune en paradant en bikini serti d'émeraudes devant le monde entier.

Pour en revenir à ma culpabilité, la pire des tragédies n'avait pas été de rompre avec Mathieu. Il fallait bien qu'on se quitte un jour, puisque je ne pouvais en aucun cas concevoir de passer ma vie avec lui. À dix-neuf ans, « pour la vie », c'est long. Surtout quand on sent son nez allonger à chaque « je t'aime ».

Non, le pire, ça avait été de perdre Maryse. Pourtant, je ne l'adorais pas elle non plus. Au cours des quinze années de notre amitié, j'avais eu plusieurs fois envie de l'étrangler. Avec ses remarques mesquines enrobées de miel et le flirt constant qu'elle entretenait avec tous les hommes de la planète, y compris mon *chum*, mon frère et même mon père, elle avait inventé sa façon bien à elle de me faire sentir petite. Même avant qu'elle me poignarde dans le dos, nos différences de personnalité étaient irréconciliables : elle n'aimait pas les animaux, était légèrement raciste, parlait contre tout le monde et couchait avec n'importe qui.

Donc, pour résumer, ma meilleure (et ma seule) amie, que je n'aimais pas vraiment, était partie avec mon *chum*, dont je n'étais pas folle non plus. Regardons les choses en face… Pas nécessaire d'être psychologue pour deviner que tout ça en révélait davantage sur moi que sur eux.

Jusqu'à l'âge de quinze ans, j'avais eu des tonnes de copines. Karine pour la natation, Marie-Pier pour le magasinage, Éloïse et Mia pour les soirées d'étude intensive… Aujourd'hui, par contre, je devais reconnaître que la seule amie qui me restait était âgée de soixante-dix-sept ans.

Pour trouver le grand responsable de ma faillite sociale, pas la peine de chercher très loin. Le dragon pouvait déjà aller s'asseoir au banc des accusés et plaider coupable pour délits de détournement d'amitiés, d'abus de pouvoir, de harcèlement psychologique et d'extorsion.

Tout ça ne s'était pas fait du jour au lendemain. Comme un fin manipulateur, il avait pris son temps pour m'amadouer et préparer toutes ses manœuvres de séduction. Petit à petit, il m'avait demandé plus de temps, d'énergie, de mensonges et de dévotion. Peu à peu, il m'avait persuadée que mes copines « en trois dimensions » étaient beaucoup moins intéressantes que toutes les filles des blogues Pro-Ana, avec qui je partageais un projet commun captivant. Après cinq années passées sous le signe du dragon, je n'étais même plus certaine de savoir comment me faire des amies autrement qu'en cliquant sur un faux nom avec ma souris.

Mon pseudonyme à moi, c'était Clara, comme dans *Casse-Noisette.* La ballerine m'avait tant fait rêver quand j'étais petite. Fine comme un roseau, vaporeuse dans son tulle et ses rubans, en équilibre sur un orteil… grâce et légèreté incontestables. Clara, mon *alter ego* virtuel, était entourée d'une armée de copines sur Facebook ; des filles de Vancouver, de Montréal, de Bruxelles et même de l'île Maurice. Dommage qu'on ne puisse pas en dire autant de Clarence Paradis, une fille si solitaire qu'elle avait parfois envie de s'arrêter au guichet automatique pour inviter le jeune sans-abri et son chien à souper chez elle.

J'avais honte de ça aussi. Mon isolement. À côté de mes obsessions alimentaires, c'était l'autre squelette qui encombrait mon placard… Mon téléphone qui ne sonnait jamais, le silence de mes soirées, de mes dimanches, le vide de ma boîte vocale et de mon *inbox.* Shakespeare avait vu juste, en écrivant que ceux qui négligent les signes de l'amitié finissent toujours par en perdre les sentiments. Pour la négligence, je ne donnais pas ma place. À force de refuser les invitations, d'annuler mes rendez-vous, d'oublier de répondre à mes appels ou à mes courriels, je m'étais vite retrouvée toute seule dans mon coin.

Remplie d'un mélange de remords et de soulagement, j'avais laissé tous mes amis rayer mon nom de leur carnet d'adresses et de leur liste d'invités. Il y avait dans ma nouvelle solitude un confort auquel il avait été facile de m'habituer. Plus besoin d'esquiver les questions, de feindre la normalité ou de détourner l'attention vers des sujets autres que ce qui ne tournait pas rond chez moi. Il n'en restait pas moins que j'étais terrorisée à l'idée de passer le reste de ma vie comme ça, vouée à constater l'échec ou l'effritement de toutes mes relations amicales ou amoureuses. Et après la mort de Mamie, un jour, le vide allait encore s'agrandir… J'imaginais mon cœur devenir un grand terrain vague, une steppe aux nuits froides où les fleurs se fanent avant même de s'ouvrir.

Le brouhaha des étudiants qui se levaient pour la pause m'a propulsée hors de mes pensées. Pas la peine d'essayer de me concentrer ce matin. C'était le premier jour de la session, les gradins étaient plus qu'à moitié vides, je pouvais me permettre de rater la deuxième partie du cours.

Je me suis levée à mon tour et j'ai ramassé mes affaires sur le pupitre. Il était dix heures quarante, j'avais le temps d'aller glaner les soldes d'Après-Noël au centre commercial et de faire quelques achats en prévision de la visite possible de Philippe Blanc. Grâce à quelques étudiants plus zélés que moi, les notes de cours seraient téléchargées sur le Web d'ici la fin de la journée et je n'aurais qu'à tout imprimer. Dès le prochain cours, je retournerais m'asseoir au pupitre des bûcheuses, au premier rang, c'était promis.

Chapitre 2

Philippe est arrivé au bar à neuf heures. Je l'avais attendu beaucoup plus tôt et, après avoir regardé ma montre pendant trois heures, je commençais à m'en vouloir d'avoir gaspillé mon après-midi à préparer le terrain. J'avais dépensé tout mon pourboire du week-end en babioles inutiles : trois chandelles parfumées, une lotion pour le corps, deux savons de luxe, des faux ongles et un nouveau mascara. J'étais restée plus d'une heure dans la baignoire à me contorsionner pour raser et exfolier les endroits les plus inatteignables. Il avait intérêt à se montrer.

Après mon cours, j'étais d'abord passée chez le disquaire pour trouver une musique d'ambiance. J'avais opté pour un vieil album de Dusty Springfield. Des airs langoureux, élégants, surprenants parfois… exactement comme j'imaginais ma nuit avec Philippe. Je m'étais ensuite arrêtée à l'épicerie fine pour acheter les ingrédients d'une soirée romantique : baguette de pain, fromage triple crème, miel artisanal, fraises, cerises, chips au sel de Camargue, noix d'acajou, crèmes brûlées de chez Nourcy, croissants, vin italien. J'avais aussi acheté de l'excellent café, sans oublier un minuscule pot de confit de pétales de roses, hors de prix c'est vrai, mais tout à fait irrésistible. Bien sûr, tout ça était pour lui, pour lui faire plaisir et l'impressionner avec mes goûts raffinés... Il faudrait me trouver un prétexte pour ne pas être obligée de manger, mais les excuses du genre étaient devenues ma spécialité.

J'avais aussi fait des achats plus ordinaires, au cas où il ouvrirait le frigo. Du lait, des œufs, des légumes, de la sauce tomate, tout ce que les gens qui mangent trois fois par jour achètent à l'épicerie. Il fallait que j'aie l'air normale. Et parce que je ne voulais pas qu'il croie que j'avais prévu le coup et acheté de bonnes choses spécialement pour lui, j'avais coupé un bout de baguette et de fromage, et les avais jetés dans la toilette.

Mon appartement était impeccable, les draps lavés, les meubles astiqués, les plantes mortes remplacées par de nouvelles en pleine floraison. J'avais enlevé tous les poils de chat, au cas où il serait allergique, et demandé à ma voisine Sophie de garder Corneille pour la soirée.

J'avais retiré de ma bibliothèque tous les romans aux couvertures pastel : beaucoup trop fleur bleue. Ils risquaient d'irriter les yeux d'un docteur en littérature. Et puis, après tout le mal que je m'étais donné, dans mon cours complémentaire du dernier semestre, pour disserter sur Tolstoï et son Anna Karénine, pas question de laisser Philippe découvrir l'étendue de mes connaissances sur Bella Swan et Becky Bloomwood.

J'avais baissé les stores et fait des tests d'éclairage en allumant une à une toutes les lampes de ma chambre. Comme un grand miroir recouvrait la porte de mon placard, je devais créer le parfait clair-obscur. Toute nue, sous une lumière trop blanche, ma peau prenait le reflet bleuâtre d'un poulet congelé.

Avant de partir pour le travail, j'avais enfilé mon seul ensemble de lingerie fine, un soutien-gorge à balconnets rose et blanc, le tanga et le porte-jarretelles assortis. J'avais aspergé mon corps d'un voile parfumé à la cannelle, car selon le magazine *Self,* cette épice possédait des vertus aphrodisiaques. Comme touche finale, j'avais peint mes ongles d'orteils du même rose que mes sous-vêtements. L'emballage était plutôt réussi, restait à savoir s'il pouvait camoufler les défauts de la marchandise jusqu'au lendemain matin. Je n'en demandais pas plus.

Quand j'ai vu Philippe entrer dans le hall du Château, avec son allure dégingandée et son nez rougi par le froid, je l'ai trouvé encore moins beau que le matin. Son énorme manteau, ses semelles à crampons et son chapeau de laine à oreillettes faisaient un peu trop «attirail de bûcheron du brave Parisien venu affronter les rudesses de l'hiver québécois». En plus, son jean était trop court et j'entrevoyais les chaussettes beiges qu'il avait agencées à son chandail à col roulé. Je me suis accroupie sous le comptoir pour avaler une gorgée du scotch caché derrière une pile de sous-verres. J'ai inspiré profondément pour freiner mon rythme cardiaque qui grimpait en flèche, et je me suis relevée.

Il m'a aperçue de loin, m'a fait signe de la main et s'est hâté jusqu'au bar. Malgré sa grande taille et son âge, il avait un air de gamin espiègle : des dents très blanches, des yeux qui plissaient et un nez qui se retroussait à chaque sourire. Pourtant, il devait avoir près de quarante ans.

J'ai pris une autre gorgée de scotch.

Je n'avais jamais eu de *one night stand* de ma vie. Malgré le manque d'expérience, je me croyais préparée mentalement. La quantité d'histoires que Maryse m'avait racontées avant de me piquer Mathieu valaient bien un cours théorique. Il me restait quand même un doute. En imaginant Philippe Blanc se rhabiller le lendemain matin, avec ses boucles brunes en bataille et son haleine fermentée, j'ai eu un frisson qui n'avait rien à voir avec le désir. J'aurais pu faire un minimum de place à la conquête, à la spontanéité et me laisser désirer avant de tout lui offrir sur un plateau…

« Veux-tu me dire dans quelle galère tu t'es encore embarquée… », me suis-je sermonnée pendant qu'il s'installait au bar.

Il était trop tard pour remettre mes plans en question. En plus, Philippe répondait à mes deux critères de sélection actuels du candidat idéal : un gabarit plus imposant que le mien et une date d'expiration imminente. Il repartait en France en mai et la perspective de son rapatriement était loin de m'attrister. C'était plutôt ce qui rendait toute l'affaire acceptable.

— Que me suggérez-vous, Clarence ?

— Si je vous sers ma spécialité, vous ne dormirez pas.

— Aucune importance. J'ai congé demain.

Je sers le meilleur café en ville. Ce n'est pas moi qui le proclame, mais un joli petit encadré, au bas de la page 28 du magazine *Gourmet* de l'été dernier, dans son dossier spécial sur Québec. Depuis sa parution, un nombre croissant de connaisseurs viennent au bar exclusivement pour déguster un macchiato ou un ristretto préparé selon mes règles de *barista* accomplie. Ce que mon patron ne sait pas, c'est que lorsqu'un client est désagréable, je me venge en lui servant du décaféiné pour qu'il ne revienne pas.

Je dois aussi préciser que mes cafés, en plus d'être bons, sont exceptionnellement beaux. Depuis que j'ai cessé de passer mes dimanches et mes étés dans la cuisine de l'entreprise familiale, à glacer des gâteaux de mariage et à décorer des pâtisseries, j'ai jeté mon dévolu sur l'espresso. Peu à peu, en m'exerçant chaque matin avec la luxueuse machine DeLonghi Magnifica que Mamie m'a offerte pour mes dix-huit ans, je suis devenue experte dans l'art de dessiner sur le collet crémeux de mes lattés : je peux tracer un cœur, une feuille, une fleur, une étoile et, si le temps le permet, je me lance dans l'art abstrait.

J'ai plongé le thermomètre dans le gobelet de métal et commencé à faire mousser le lait pendant que l'espresso coulait dans la tasse.

— Je vous tiendrai responsable de ma nuit blanche, mademoiselle Clarence.

Philippe m'a vouvoyée toute la soirée. Au début, ça me mettait mal à l'aise, mais j'ai fini par m'habituer. Son accent donnait à notre conversation un ton vertueux, et je me suis surprise moi-même à prononcer plus pointu et à sortir mes beaux mots. Ça faisait tout un contraste avec les ébauches de séduction de Mathieu…

J'aimais entendre Philippe prononcer mon prénom, qui pourtant ne me plaisait pas particulièrement. Ma mère, dans un accès de mal du pays, avait décidé de me prénommer ainsi, en l'honneur de Clarens, une station touristique de la Suisse romande, pays qu'elle avait quitté pour épouser mon père. Elle ne s'était même pas souciée du fait que Clarence, selon toutes les sources que j'ai consultées, est un prénom masculin.

Après deux heures en compagnie de Philippe, je me suis rendu compte que je parlais beaucoup trop. Ça m'arrivait souvent quand j'étais nerveuse. En plus, depuis l'épisode de Mathieu et Maryse, je ne parlais presque plus. Un peu à Sophie, quand on se croisait sur le palier, et souvent à Mamie au téléphone. J'imagine que ça ne me suffisait pas et que j'avais la langue un peu réprimée. Deux onces de scotch, et le moulin à paroles s'était mis à tourner à plein régime. Je lui ai raconté ma vie. Tout y est passé : mes parents globe-trotters qui se sont rencontrés pendant une mission humanitaire au Cameroun, mon père qui se présentait comme député fédéral, ma mère suisse qui rédigeait des dictionnaires terminologiques et élevait des saint-bernards, mon petit frère Sébastien qui s'entraînait à l'escrime pour les Jeux olympiques de Londres…

Quel beau portrait de famille je lui ai brossé ! Ce qui est pratique dans une histoire sans lendemain, c'est qu'on peut se permettre d'oublier le côté moins reluisant de la médaille et d'arranger l'éclairage pour exposer sa vie sous son meilleur jour. Tout au long de la soirée, je n'ai pu m'empêcher d'imaginer l'effet qu'aurait sur Philippe un changement radical de trajectoire conversationnelle :

« Savez-vous, mon cher Philippe, que mes névroses alimentaires ont conduit ma mère au bord de la dépression nerveuse et qu'elle m'adresse à peine la parole depuis un an ? Vous ai-je entretenu de l'orientation sexuelle de mon frère dont personne n'ose encore parler ? Avez-vous deviné que mes oreilles sont recollées, mes dents redressées et que derrière les rembourrages de mon joli soutien-gorge 36C se cache un tout petit B et deux mamelons qui ne regardent pas dans la même direction ? »

Vers onze heures et quart, les deux derniers clients sont partis. Pendant que Philippe sirotait son troisième vodka martini, je me suis mise à essuyer les tables en me penchant juste assez pour que la jolie bordure de mon bas se laisse deviner sous l'ourlet de ma jupe. J'ai ramassé les sucriers, fait le tour du comptoir pour aligner les tabourets, éteint les lampions et commencé à faire la caisse. Philippe, qui ne s'embarrassait plus de subtilités, souriait à s'en fracturer le visage en deux. Je lui ai tourné le dos pour compter les billets de banque.

— Je vous raccompagne, Clarence?

— Non, j'habite à deux coins de rue, je peux marcher, et puis j'ai encore la caisse à finir et…

Je sentais son regard me chatouiller entre les omoplates, mais pour être honnête, je ne fondais pas de désir.

— Mais non, je vous attends… Je suis venu à pied moi aussi, alors on marchera ensemble.

— Si ça peut vous faire plaisir.

Mes mains étaient moites et maladroites, et j'avais un hoquet persistant, comme chaque fois que je tentais de cacher mon angoisse. J'ai dû refaire les calculs quatre fois avant d'arriver au montant exact du reçu de caisse.

J'ai demandé à Philippe de quitter le bar avant moi et de m'attendre au coin de la rue Sainte-Anne. Pas question de laisser les filles de la réception me voir sortir avec un client. En me regardant dans l'inox de la machine à espresso, j'ai retouché mon maquillage, boutonné jusqu'au cou mon manteau de fausse fourrure et remonté le capuchon. Sur la terrasse Dufferin, les bourrasques faisaient tourbillonner la neige comme à l'intérieur des boules de verre en vente à la boutique de souvenirs du Château. Je suis restée plantée là un moment, à écouter le blizzard faire ses gammes contre la grande vitrine, puis je suis sortie.

Philippe m'attendait, droit comme un bouleau sous l'auvent du café Gambrinus. Je ne voyais pas ce qu'un Français pouvait espérer de plus d'une nuit d'hiver au Canada. Une jeune Québécoise l'invitait à se réfugier dans son charmant loft, un lundi soir, et c'est à la lumière des bougies et au son des rafales qu'il allait défaire les boutons de sa blouse blanche pour dévoiler une dentelle aussi fine et ciselée qu'un flocon… Je lui avais vraiment organisé la totale. Cette soirée, Philippe ne l'oublierait jamais.

31

Il ne restait plus personne dans les rues du Vieux-Québec. Nous avons marché les quelque deux cents mètres qui nous séparaient de ma porte dans un silence absolu, presque solennel. À part la plainte incessante du vent, on n'entendait que le bruit sourd et régulier de la nouvelle neige qui s'enfonçait sous nos pas et la sirène lointaine d'un système d'alarme. Mon hoquet s'était enfin arrêté.

Je vivais depuis sept mois dans un loft que j'adorais. Perché au dernier étage d'un immeuble historique appartenant à mes parents, mon cocon était petit, à peine cinquante mètres carrés, mais tout à fait fonctionnel et empreint d'un merveilleux cachet romantique : murs de grosses pierres datant de 1842, poutres transversales au plafond, grandes fenêtres à carreaux, boiseries originales… J'anticipais la surprise de Philippe en ouvrant la porte. Mon loft aurait pu se retrouver dans le spécial « Petits espaces » du magazine *Chez Soi*. La locataire précédente, une agente d'Air Canada qui avait déménagé en Irlande pour se marier, m'avait laissé tout son mobilier pour un prix dérisoire. Un lit antique en métal, un confortable canapé en suède chamois, une table de cuisine en bois de teck, plusieurs petites commodes d'inspiration orientale et des tonnes d'accessoires et de tableaux qui donnaient à l'endroit une chaleur que j'aurais eu du mal à créer moi-même. Une semaine après mon emménagement, j'avais repeint la moitié des murs en bleu, changé les rideaux pour faire entrer un maximum de lumière, acheté des lampes, des plantes, un couvre-lit en dentelle ajourée, un chat et une balance numérique. Tout de suite, je m'étais sentie chez moi.

Nous avons gravi l'escalier, toujours en silence. Lorsque j'ai tourné la clé dans la serrure, Philippe, debout derrière moi, a serré ma taille de ses deux mains en pressant sa joue contre la mienne. Au même instant, sur ma fesse droite, j'ai perçu à travers nos épais manteaux une forme cylindrique qui ne laissait aucune place à l'imagination.

J'ai poussé la porte, le cœur en chute libre.

Le reste, je me passerais bien de le raconter.

Pour résumer en trois mots : une baise pitoyable. Je n'en revenais pas. Philippe avait au moins vingt ans d'expérience sexuelle de plus que moi. Sophie m'avait déjà dit, en plus, que les Français étaient talentueux au lit… J'avais rencontré un homme d'exception, c'est le moins qu'on puisse dire. Philippe n'avait aucune idée, aucun savoir-faire, aucune classe. Zip, zéro, *nada* !

Il ne m'a même pas laissé le temps d'allumer les lumières. J'ai mis le pied sur le paillasson, me suis penchée pour dénouer les lacets de mes bottes et il m'a sauté dessus. Nous avons titubé jusqu'à mon lit, qui était juste en face de l'entrée, et nous avons basculé sur l'édredon dans un mouvement assez peu élégant. Mes semelles pleines de neige… mon plancher tout propre ! Malgré la déception qui me tailladait le ventre, j'ai pris mon courage pour réunir mes talents de comédienne et je suis entrée dans le jeu de la passion dévorante. Je ne pouvais quand même pas crier au viol parce qu'il ne suivait pas mon scénario…

Philippe a retiré mon manteau et l'a lancé sur le sol. Dix secondes plus tard, ma blouse a fait un vol plané au-dessus de la commode et s'est retrouvée épinglée sur le cactus géant. Ma jupe a atterri dans un coin, tandis que mon soutien-gorge et ma culotte, qu'il n'avait même pas regardés, ont disparu entre le mur et le matelas. « Au rythme où vont les choses, tout va être fini dans dix minutes », me suis-je dit pour me consoler.

— Clarence, oh ! Clarence… vous me rendez fou !

Je ne pouvais pas croire qu'il me vouvoyait encore. Quand il m'a tournée à plat ventre dans un mouvement brusque et que je me suis retrouvée le visage enfoui dans l'oreiller, j'ai décidé de serrer les dents en attendant que ça finisse. J'avais assez bu au cours de la soirée pour tout ressentir avec un certain détachement, et si l'alcool pouvait induire une amnésie partielle le lendemain, ce ne serait pas tragique non plus.

Dans mon dos, Philippe se débattait avec sa ceinture, m'embrassait la nuque n'importe comment et m'égratignait avec sa barbe mal rasée. Tout était tellement mauvais que ça en devenait presque drôle. Si seulement j'avais eu une amie à appeler après le fiasco, pour pouvoir en rire aux larmes…

J'ai levé les fesses pour qu'il puisse commencer son va-et-vient. Au moins, dans cette position-là, pas besoin de le regarder dans les yeux ou de m'inquiéter du galbe de mes seins. Dans l'espoir d'accélérer les choses, je lui ai produit un Meg Ryan digne d'un Oscar, avec les soubresauts, les orteils en éventail et les halètements de circonstance. Bonne décision : il a gémi huit secondes plus tard et il s'est effondré sur le dos. J'ai levé la tête. L'oreiller blanc était couvert de mascara et de *gloss*. Je me suis tournée vers lui en m'efforçant de lui faire un sourire satisfait, même si j'avais la très désagréable impression que les commissures de mes lèvres pesaient vingt kilos. En le regardant d'aussi près, j'ai au moins fini par m'avouer une chose… Philippe Blanc était laid. Son menton fuyait, ses narines palpitaient comme des branchies de poisson et… mon Dieu qu'il était maigre ! J'avais toujours préféré les hommes bien bâtis, un peu enrobés même… Je me sentais plus mince à leurs côtés. Philippe, avec son grand creux entre les pectoraux, ses cuisses squelettiques et ses gros genoux cagneux, me faisait sentir aussi *sexy* qu'un bison d'Amérique. En plus, son odeur était bizarre. Pas exactement mauvaise… juste bizarre.

— Vous êtes formidable, m'a-t-il dit en se redressant d'un coup.

— Formidable, mais fatiguée ! Allez, il est tard, j'ai deux heures de yoga très tôt demain matin, alors on poursuit ça une autre fois ?

Je n'avais jamais fait de yoga de ma vie.

— Avec grand plaisir, Clarence. Et il faut que je vous dise… vous m'avez vraiment fait du bien ! Ce soir, j'ai vingt ans moi aussi !

C'est ça, et moi j'en ai cinquante. Je me suis glissée sous ma couette pendant qu'il se rhabillait. Quand il a été prêt à partir, son manteau boutonné et son bonnet ridicule sur la tête, il est revenu s'asseoir sur mon lit et m'a bordée. J'ai failli vomir.

J'ai attendu que le bruit de ses pas s'éteigne au bas de l'escalier et j'ai crié en mordant mon couvre-lit. Une odeur de transpiration et de vodka m'a fait grimacer. J'ai mis mes draps en boule sur le plancher et je suis allée dans l'armoire de la salle de bain en chercher des propres. Après avoir refait mon lit, je me suis assise sous le jet brûlant de la douche, la tête sur les genoux. Je m'attendais à une petite crise de larmes, ça m'aurait fait du bien, mais rien n'est venu à part quelques grognements de honte et deux ou trois gros mots. Je me suis savonnée avec mon nouveau « gel de beauté à la vanille et aux noix de macadam » et je me suis enroulée dans ma robe de chambre.

En remettant ma montre, j'ai vu qu'elle affichait minuit cinquante. En vitesse, j'ai récupéré un pantalon de jogging et un t-shirt dans la corbeille de linge sale, et je suis sortie sur le palier. J'ai collé mon oreille sur la porte de l'appartement de Sophie. J'entendais le son de la télé. J'ai cogné deux fois avec mon seul bout d'ongle qui n'était pas trop rongé.

— Sophie, Sooophie… c'est moi, Clarence.

La porte s'est entrouverte sur Sophie en vieux pyjama, avec ses cheveux roux ébouriffés et ses yeux un peu vitreux derrière ses lunettes de vieille fille à la Nana Mouskouri. Une odeur de marijuana s'est répandue sur le palier.

— Clarence ? Tu m'as fait peur ! Tu ne m'avais pas dit que tu repasserais juste demain ?

— Ouais, les choses ont mal tourné. Il t'en reste, de l'herbe ?

— Quoi, ça sent tant que ça ?

— Euh… chaque fois que tu gardes Corneille, elle revient avec le poil qui sent le *pot* à plein nez… mais ça ne fait rien ! Ça te dérange si j'en fume un avec toi ?

— Ben non, entre.

Corneille s'étirait les pattes dans un coin du canapé, l'air tout endormie, probablement un peu assommée par la fumée secondaire. Je me suis assise à côté d'elle et j'ai commencé à lui gratter le ventre pendant que Sophie égrenait l'herbe sur la table du salon.

Sophie Poliquin-Murphy : trente ans, un appartement dix fois plus grand que le mien et une vie à faire rêver. Fille unique de parents diplomates, elle avait vécu dans sept pays différents avant l'âge de vingt ans, était allée à l'université à Londres et pouvait converser en cinq langues. J'aimais l'entendre me raconter son adolescence en Arabie saoudite. Obligée de se voiler chaque fois qu'elle sortait du *compound* de l'ambassade, elle aimait provoquer l'étonnement dans les allées étroites des souks, avec son regard bleu poudre et sa peau couverte de taches de rousseur. J'avais aussi un faible pour l'année qu'elle avait passée à Moscou, à dix-sept ans. Ses amis russes lui envoyaient encore des cigarettes toutes fines, en papier pastel, rangées dans de jolis étuis en métal embossé.

Sophie travaillait au Château Frontenac elle aussi. La plupart du temps, elle demeurait cachée dans les bureaux de l'administration. Elle cherchait des slogans pour les campagnes publicitaires et concevait des formules pour les lunes de miel ou les groupes d'Européens avides d'évasion grandeur nature. En plus de son travail à temps plein, elle était guide touristique deux après-midi par semaine. Je la croisais souvent qui gravissait les collines du Vieux-Québec, marchant en tête d'un peloton d'Américains ou de Japonais avec son microphone portatif et son sourire standardisé. Au cours d'une semaine typique, elle pouvait traverser les plaines d'Abraham en traîneau à chiens, faire l'observation des baleines à Tadoussac et initier un groupe d'Allemands aux plaisirs gastronomiques de la cabane à sucre.

— Alors, tu me racontes ta soirée ?

J'ai grimacé.

— J'ai déjà commencé le processus de déni, Soph… Je ne sais pas de quoi tu parles.

— Allez, je veux des détails ! C'est le prix à payer pour que je te fournisse en drogue !

Sourire en coin, elle balançait entre deux doigts le joint qu'elle venait de finir de rouler.

— Je sais pas, Sophie, c'est tellement gênant…

— Quoi, il a insisté pour enfiler ton soutien-gorge ou pour tout filmer ? Tu sais, j'en ai vu d'autres. Ça va en prendre une bonne pour me choquer…

— Non, non, c'est rien d'aussi croustillant… c'est juste que j'avais passé la journée à préparer le terrain, tu comprends… Les bougies, le vin, la bouffe, la lingerie fine… Je m'étais même adouci les coudes avec du jus de citron !

Sophie a souri en inhalant la première bouffée.

— Je n'avais pas baisé depuis que Mathieu est parti avec Maryse Villeneuve, ai-je dit en inhalant à mon tour. Je commençais à avoir des toiles d'araignée dans mes petites culottes. Eh bien, tu sais quoi, ça a duré deux minutes, et encore, je suis généreuse ! Il est entré dans mon appartement à minuit et demi, et il est déjà parti.

J'ai montré l'horloge murale.

— Et puis, il n'était pas très beau tout nu, maigre comme…

— Maigre comme toi, Clarence ? Parce qu'il faut que je te dise, tu commences à m'inquiéter, la petite… Une belle fille comme toi ! Tu vas devenir transparente si tu continues ! J'ai une petite fringale tout à coup, juste à voir tes grands spaghettis de jambes.

— Je mange, Sophie, je te jure, c'est le stress qui me fait maigrir.

Sophie a haussé un sourcil, s'est levée et a marché jusqu'à l'îlot de sa cuisine. Elle s'est mise à remplir une bouilloire sous le robinet.

— Une camomille alors, pour ton stress ?

— Ouais, pourquoi pas… les vieilles filles, ça boit de la camomille !

La fumée, que j'inspirais avec conviction, a commencé à se répandre dans mes veines. La tension qui raidissait ma nuque s'est pulvérisée d'un coup. Je me suis calée dans les coussins du canapé et j'ai posé mes pieds nus sur la table de bois sculpté. Mon ventre a gargouillé. La redoutable rage de sucre que la marijuana provoquait toujours me donnait envie d'engloutir une douzaine de tartines de Nutella, un kilo de biscuits et un pot de caramel à la petite cuiller.

Pour me changer les idées, je me suis levée et je suis allée admirer la mappemonde antique, couleur sépia, accrochée au-dessus de la cheminée.

Comme le mien, l'appartement de Sophie était un espace ouvert, mais le sien avait une immense cuisine, une terrasse et une cheminée au manteau de briques noires. En plus, c'était une vraie caverne d'Ali Baba. Sophie avait rapporté tellement de choses de tous les pays qu'elle avait vus. Ses murs étaient couverts de masques de la Papouasie, de grandes pièces bigarrées en batik indonésien et de longs papyrus ramenés des marchés du Caire. Sur le haut de la bibliothèque, il y avait une poupée russe grosse comme une borne-fontaine, un service à thé en argent incrusté de pierres turquoise et une grande sculpture en bois d'ébène, qui représentait une femme africaine au long cou gracile, un enfant à son sein. Dans un coin, par terre, il y avait sa pipe orientale qu'elle appelait « narghileh » et qu'elle m'avait fait fumer une fois. Son tabac était mélangé à de la mélasse et aromatisé aux fruits. La fumée passait par une cloche remplie d'eau parfumée lorsqu'on l'aspirait au moyen d'un long tube flexible.

Un jour, j'allais avoir autant de souvenirs de voyage, moi aussi. En attendant, je m'inspirais des objets de Sophie pour décorer mon appartement. J'avais une lampe à huile marocaine, des coussins aux motifs japonais sur mon canapé, un porte-savon d'allure indienne. Oh, rien d'authentique… le tout était probablement *Made in China*, mais ça me rappelait quand même le but ultime de ma vie : faire le tour du monde.

— Clarence, réponds ! T'as trop fumé, la petite. Tu commences à perdre la carte ?

— Non, non, ça va.

S'il y avait une chose que je n'avais pas perdue, c'était bien la carte.

— Tu veux du sucre dans ta camomille ou pas?

— Oui, du sucre s'il te plaît.

Sophie a posé la théière, deux tasses et une grande assiette contenant une pyramide de brownies sur la table du salon.

— *Tea time!*

Depuis que Philippe avait fermé la porte derrière lui, je savais que ma soirée se terminerait en tête-à-tête avec mon dragon. Dans les moments comme celui-là, je n'avais aucun mal à justifier mes excès. La journée était bel et bien ratée. Avec tout ce que j'avais bu, avec le joint en plus, le bonhomme sourire du calendrier avait déjà un œil au beurre noir et trois dents cassées... Alors, autant l'achever comme il faut.

—Je vais dire comme toi, Clarence... tu manges! m'a dit Sophie avec de grands yeux incrédules. Je soupçonnais bien que je faisais les meilleurs brownies en ville, mais là, j'en ai la preuve vivante!

Le dragon passait régulièrement me voir depuis mon emménagement rue Sainte-Ursule. Comme je n'avais pas souvent de visite, il venait me tenir compagnie. J'imagine qu'il se sentait le bienvenu. «Pauvre petite chérie, tu es encore toute seule ce soir? Tu es un peu triste en plus? Allez, viens, on va aller s'acheter ce qu'il faut pour tout oublier. Qu'est-ce qui te fait envie... chocolat, crème glacée, pizza?»

J'étais arrivée pendant presque toute mon adolescence à subsister avec très peu de nourriture et j'avais une liste stricte d'aliments que je m'accordais en quantité tout juste suffisante pour ne pas tomber d'inanition en vaquant à mes occupations quotidiennes. Les aliments permis avaient été choisis en fonction d'un seul critère: le dégoût qu'ils m'inspiraient. Comme j'étais incapable de les consommer sans grimacer de répulsion, je pouvais me forcer à les avaler pour survivre, mais je ne risquais pas d'en abuser. Des cœurs d'artichauts, des haricots verts, du foie de veau, des asperges en conserve. C'est tout ce que mon frigo contenait la plupart du temps. Les festins-surprises du dragon, eux, finissaient toujours dans la toilette.

Malgré mes années de régimes draconiens, je n'avais jamais pensé, avant cette année, que j'en viendrais à vomir mes repas. Avant, j'avais plutôt l'habitude de payer mes excès en séances interminables sur le Stairmaster. J'avais bien essayé, à quelques reprises, de faire remonter ce qui était descendu, mais je n'étais jamais arrivée à perdre autre chose que mon temps et mes verres de contact dans la cuvette des toilettes. Puis, un soir d'ennui devant la télé, j'étais tombée sur la rediffusion d'une dramatique de Janette Bertrand qui avait changé ma vie. C'était l'histoire de Julie, une boulimique de seize ans. La quantité d'information et de conseils pratiques était telle que j'y avais cru : moi aussi, je pourrais manger tout ce que je voulais sans souffrir des séquelles sur la balance. À la fin de l'émission, j'étais allée sur Internet et j'y avais découvert mon premier site Pro-Ana, un groupe de soutien virtuel, toujours prêt à prodiguer assistance et encouragements : comment perdre dix kilos en deux semaines en ne mangeant que des ananas, quels laxatifs étaient les plus efficaces, comment la cigarette pouvait s'avérer un bon substitut en cas de fringale inopinée. J'étais vite devenue une pro. Je savais maintenant comment me faire vomir efficacement et sans douleur, comment éviter d'attirer les soupçons, comment choisir un restaurant en fonction du degré d'intimité des toilettes, quels aliments mélanger avec mes repas pour rendre la régurgitation silencieuse, etc.

Après avoir souhaité bonne nuit à Sophie, je suis rentrée chez moi comme une somnambule, mon chat sous le bras. Sur ma table de cuisine, j'ai étalé tous les délices que j'avais prévu offrir à Philippe.

Après un court laps de temps, il n'est plus rien resté. Je mangeais comme un chien, rapidement, presque sans goûter et en mélangeant tout, les chips avec la crème brûlée et le fromage avec les croissants. Quand j'ai fini par toucher le fond du minuscule pot de confit de pétales de roses avec ma cuiller, je me suis enfermée, le ventre enflé comme celui d'une enfant famélique, et j'ai traversé mon purgatoire pendant que Corneille s'époumonait derrière la porte de la salle de bain.

Chapitre 3

Après la tempête du 8 janvier, qui en une seule nuit avait recouvert Québec de quarante centimètres de poudreuse et amputé les érables de la Grande Allée de plusieurs de leurs branches, un réchauffement inattendu avait enveloppé la ville. Sur les Plaines, les sculptures de neige fondaient déjà et un des piliers de l'hôtel de glace s'était effondré sous les yeux affolés de touristes australiens. Moi, je ne me plaignais pas : le redoux me permettait d'échapper aux couloirs souterrains de l'université où je risquais de croiser Philippe Blanc. Quoique pour éviter de me retrouver face à face avec lui, je me serais volontiers exposée aux engelures en allant à mes cours à quarante au-dessous de zéro.

Une semaine après notre rendez-vous, il était revenu au bar avec un collègue de la Faculté des langues et littératures. Une fois les présentations faites, ils s'étaient calés dans des bergères disposées autour du bar et ils avaient conversé en russe toute la soirée en commandant des vodka tonic. À en juger par les regards pétillants que l'autre professeur me lançait, je devinais facilement le sujet de leur discussion. Pour qu'ils partent plus vite, je doublais la quantité d'alcool dans leurs cocktails. Petit à petit, ils s'enfonçaient dans leurs fauteuils. À la fin de la soirée, enhardi par huit onces de Stolichnaya, Philippe est venu s'appuyer au bar pour me demander mon numéro de téléphone. Je lui ai menti en prétendant que j'étais retournée avec mon ex. Il a déclaré avoir le cœur brisé, baragouiné quelques mots pâteux à propos d'un exil en Sibérie, puis s'est éclipsé en zigzaguant sous les lustres en cristal du grand hall.

Le deuxième semestre était bien amorcé à l'université, mais, comme en septembre, mes cours de géographie m'assommaient d'ennui. J'avais beau arriver avec quinze minutes d'avance pour m'asseoir dans la première rangée, y apporter toute ma bonne volonté et du café très fort, ça ne servait à rien. Ma concentration s'étiolait bien avant la fin de la première heure. Je finissais le cours angoissée, la tête pleine de questions existentielles et mon cahier barbouillé de flèches, de fleurs, de demi-lunes et d'étoiles.

En m'inscrivant au bac en géographie, je m'étais dit que ces trois années constitueraient un préambule idéal à la vie de bohème et d'aventure dont je rêvais. Un bel effort d'optimisme de ma part… Si on s'en tenait aux faits en revanche, il était évident que le contraire se produisait depuis la rentrée. Quand un prof nous parlait de surface terrestre, je m'imaginais au milieu du Sahara, en train de partager un thé avec une bande de Touaregs pendant que nos chameaux se reposaient près du feu. Si un chargé de cours nous entretenait de cartographie littorale et marine, je rêvais d'être kidnappée par le séduisant capitaine d'un voilier scandinave et de partir voguer sur les fjords de Norvège. Aucun programme scolaire n'aurait pu modérer mon envie de partir. Au contraire, les notions enseignées poussaient mon besoin de déguerpir aux limites de l'obsession. Je ne voulais plus me bourrer le crâne de connaissances, de chiffres et de théories.

Ce que je voulais, c'était le sable dans mes souliers, le mal de mer, la musique de langues inconnues, l'odeur des fleurs tropicales.

Vers la mi-février, Bruno m'a annoncé l'embauche d'une nouvelle serveuse, une fille de Montréal fraîchement arrivée dans la Vieille Capitale pour entreprendre des études de médecine. Bruno m'avait choisie pour lui donner sa formation de barmaid. En quelques semaines, je devais lui apprendre l'art du café italien et du mélange des cocktails, en plus du fonctionnement de la caisse et de l'inventaire.

C'était samedi soir, j'étais derrière mon bar depuis presque deux heures et je n'avais pas encore vu un seul client. Ne trouvant plus rien à faire pour m'occuper, je me suis versé un double espresso et je suis allée me poster devant la grande vitrine pour regarder les écureuils courir sur la rambarde de pierre de la terrasse Dufferin.

C'est en retournant derrière mon bar que je l'ai vue, assise au bout d'un fauteuil, le visage enfoui au creux de ses mains gantées de cuir rouge. À en juger par les soubresauts de ses épaules, ma première cliente de la soirée pleurait sans bruit. On attribue souvent aux barmaids des qualités de psychologue... mon œil, oui. J'avais envie de me faufiler aux toilettes pour me cacher jusqu'à ce qu'elle s'en aille.

J'ai retenu mon souffle pour l'observer des pieds à la tête. Elle portait des bottes moulantes à bouts pointus et à talons aiguilles, et ses cheveux noirs brillaient comme s'ils étaient enduits de vernis à chaussures. Serré sur ses genoux, elle tenait un volumineux sac à main écarlate, pareil à ceux que les *top models* portaient dans les publicités de *Vogue*. Sans doute une riche Japonaise en train de pleurer la première dispute de sa lune de miel. J'ai marché vers elle en frottant mes pieds sur l'épais tapis pour qu'elle m'entende approcher. Doucement, je me suis assise sur l'accoudoir du fauteuil qui lui faisait face.

—Je peux faire quelque chose pour vous? *Anything I can do for you?*

Elle a levé la tête et m'a étudiée sans que cillent ses magnifiques yeux en amande rougis par les larmes. Elle avait une bouche pulpeuse peinte en rouge foncé, des sourcils finement épilés accentués au crayon et des cils d'une longueur suspecte courbés à outrance. Même si elle était beaucoup trop maquillée, sa beauté coupait le souffle.

Elle a essuyé ses yeux, les a baissés sans répondre. Elle a retiré ses gants et m'a tendu sa main droite. Ses ongles impeccables, du même carmin que tout le reste, ont fait paraître les miens encore plus rongés et négligés.

—Yoshiko Brunelle. C'est moi, la nouvelle. Vraiment désolée pour le mélodrame. Aurais-tu un mouchoir?

C'était elle, la nouvelle! Après lui avoir serré la main et m'être présentée, je suis allée chercher quelques serviettes de papier sous le comptoir du bar et lui ai versé un Perrier. J'ai fait de mon mieux pour forcer un sourire chaleureux, même si je me sentais plutôt godiche à côté d'elle et de son sac à huit cents dollars.

Elle a bu deux gorgées d'eau en laissant une épaisse marque de rouge à lèvres au bord du verre. Elle a fouillé dans son sac, en a retiré un poudrier et un tube de mascara. Pendant qu'elle retouchait son maquillage, je suis allée baisser la musique et j'ai tamisé la lumière. Sur le fleuve gelé, le brise-glace de la garde côtière se frayait un passage pour ouvrir la voie au trafic maritime.

Briser la glace, voilà ce qu'il me fallait faire moi aussi.

—Voudrais-tu boire autre chose?

— Tu viens de Québec, toi ? m'a-t-elle demandé, l'œil méfiant, comme si elle n'avait pas entendu ma question.

— Ouais, je suis née ici, mais ma mère est Suisse.

— Moi, j'ai déménagé ici à cause de mon fiancé. J'étudiais en médecine à McGill la session dernière. Jérémie a accepté un gros poste à l'Hôtel-Dieu avant Noël, alors j'ai demandé un transfert à l'Université Laval. Mais je le regrette ! Je le regrette tellement !

Sa lèvre inférieure a tremblé.

— Je suis tellement enragée ! Je n'en reviens pas encore !

— Il est arrivé quelque chose ?

— Tu parles ! Je suis sortie cet après-midi pour m'acheter une blouse blanche et une jupe noire et, à vingt mètres de chez moi, je me suis fait attaquer ! En plein jour !

— Attaquer ? Ici, dans le Vieux-Québec ?

— Au coin de Saint-Flavien et des Remparts ! Un jeune de quinze ans, max. Il m'a sauté dessus par-derrière et m'a arraché mon sac à main. Un Balenciaga, avec mon portefeuille, toutes mes cartes, mon cellulaire, mes clés. Je suis tombée à genoux sur le trottoir, regarde.

Elle a levé sa jupe pour exhiber deux éraflures rose foncé à travers ses bas de nylon chamois.

— Ouch ! Tu aurais pu appeler pour prendre congé, Bruno aurait compris, tu n'es pas dans un état pour commencer un nouvel emploi.

— De toute façon, je n'ai même pas pu m'acheter un uniforme, je voulais téléphoner plus tôt, mais le seul endroit où j'avais le numéro de Bruno, c'était sur mon cellulaire. Alors, il a bien fallu que je passe…

— Tu devrais retourner chez toi, Yoshiko. Je vais tout expliquer à Bruno plus tard. Il est super *relax*, ne t'inquiète pas. Va te détendre un peu, demande à ton *chum* qu'il te fasse couler un bon bain chaud, qu'il te donne un massage… Il doit être mort d'inquiétude.

— Non ! C'est bien ça le pire. Après mon attaque, j'arrive en larmes à l'urgence de l'Hôtel-Dieu, j'attends presque une demi-heure avant de le voir. Il est de garde vingt-quatre heures d'affilée le jeudi. Il dormait dans la salle de repos du personnel. Quand il finit par se pointer et que je lui raconte ce qui m'est arrivé, rien ! Pas de réaction ! Comme si je lui avais dit que je m'étais cassé un ongle. Il me donne son trousseau de clés, vingt dollars pour un taxi et il me dit que j'aurais avantage à aimer les sacs à main moins chers... C'est lui qui les paye, tu comprends...

Elle tenait son verre d'eau tellement serré, j'avais peur qu'il lui casse dans les mains.

— Monsieur ne s'inquiète même pas de savoir comment moi, je me sens ! À quoi ça sert de marier un traumatologue s'il est incapable de réagir quand sa femme est traumatisée ?

— Je ne sais pas... Peut-être qu'il était en train de sauver des vies et qu'il s'est dit que ça pouvait attendre, étant donné que tu n'étais pas sérieusement blessée ?

— Sauver des vies, elle est bonne celle-là... Il ne se passe jamais rien dans cette salle d'urgence là. Il dormait comme une bûche. Quand je pense que j'ai quitté Montréal pour lui, laissé mes amies, mon appartement, ma mère qui ne parle que japonais... tout ça pour déménager dans une ville où je ne connais personne, où toutes les boutiques vendent la mode de l'hiver dernier.

— Je suis certaine que ça va s'arranger... Viens t'asseoir au bar, je te fais un cocktail, on va placoter un peu et tu partiras quand tu voudras. Je commencerai à t'initier au métier demain soir si tu te sens mieux, d'accord ?

— Si tu le dis... Je vais prendre un verre de vin rouge.

De retour derrière mon comptoir, je lui ai versé un shiraz que j'ai déposé sur le zinc avec un bol de pistaches.

Ensuite, j'ai démarré la machine à espresso pour préparer le deuxième de mes trois ou quatre allongés de la soirée.

Les clients ont fini par arriver. Un groupe d'hommes d'affaires britanniques a monopolisé le bar et vidé les plus fines bouteilles de scotch. J'ai dû endurer leurs voix tonitruantes et les sonneries continuelles de leurs Black-Berry jusqu'à la fermeture.

À deux heures moins vingt, avec un mal de tête bien amorcé et une envie de courir jusqu'à mon lit, je comptais la caisse pendant que Yoshiko terminait son quatrième verre. Entre mes allées et venues, elle m'avait raconté sa vie de long en large : ses innombrables allergies alimentaires, ses crises d'urticaire déclenchées au moindre stress, sa mère, immigrante japonaise agoraphobe qui ne sortait jamais de chez elle et qui parlait à ses orchidées, son père québécois décédé pendant un pontage cardiaque quand elle avait six mois, ses ambitions de devenir la chirurgienne plastique des gens riches et célèbres. Au cours de ses confidences, son regard avait changé, la méfiance du début s'était éteinte et elle me regardait maintenant d'un œil bienveillant. Sans doute l'effet du vin. Elle ne devait pas peser plus de quarante-cinq kilos, alors quatre verres, c'était assez pour la rendre pompette. Je l'aimais beaucoup mieux comme ça.

— Tu veux venir chez moi ? S'il te plaît ! Je sais qu'il est deux heures, mais Jérémie ne revient pas avant demain matin. J'ai un peu peur d'être toute seule après ce qui est arrivé aujourd'hui… J'aimerais vraiment que tu m'accompagnes, ça me rassurerait, a-t-elle susurré en battant des cils. Sa voix s'était affaiblie et, pour un instant, on aurait juré que c'était celle d'une fillette. Quand j'ai rechigné un peu en prétextant mon mal de tête, elle est venue poser sa main sur la mienne. Je me suis crispée, dans un réflexe pour cacher mes ongles.

— Allez, Clarisse, on appelle un taxi !

— Clarence. C'est Clarence mon nom.

Une fois nos manteaux enfilés, Yoshiko a passé son bras sous le mien et m'a tirée vers la sortie. Il y avait toujours deux ou trois taxis garés à l'entrée du Château. Yoshiko a insisté pour s'allumer une cigarette avant de monter à bord de la première voiture. Je l'ai attendue sur la banquette arrière pendant qu'elle fumait en trépignant de froid.

— Au coin de Hamel et des Remparts, a-t-elle indiqué en s'engouffrant à mes côtés.

Elle a sorti un portefeuille en cuir rouge de son sac.

— Je pensais que tu t'étais fait voler ton portefeuille ?

— Oui, le Louis Vuitton qui s'agençait avec le sac que j'avais ce matin. Mais pour aller avec mon sac Prada rouge, ça m'en prend un rouge ! m'a-t-elle lancé comme si c'était une évidence.

J'ai jeté un coup d'œil à mes pieds, où mon fourre-tout beige, qui avait vu de meilleurs jours, gisait comme un sac de patates sur le tapis imbibé de gros sel. Je n'accordais pas une grande importance à mes accessoires, ni à mon habillement d'ailleurs. La moitié de ma garde-robe venait de chez Gap et l'autre, de trouvailles dans les friperies. Le résultat final me plaisait suffisamment et, de toute façon, la simplicité était volontaire : j'économisais tout l'argent gagné au bar pour mon voyage autour du monde. Mes parents s'occupaient de mes droits de scolarité, des comptes, de l'épicerie et de toutes mes dépenses d'école. Je n'avais pas à payer de loyer, merci aux investissements de mon père dans l'immobilier et, comme je mangeais à peine, je pouvais dépenser l'argent de l'épicerie comme il me plaisait. D'après mes calculs, si je continuais à épargner et décrochais un deuxième emploi pendant l'été, je pourrais passer l'année suivant l'obtention de mon diplôme à parcourir les cinq continents.

— Ne regarde pas le ménage! Je n'ai pas touché à la vaisselle depuis trois jours et il y a assez de poussière sur les meubles pour écrire ton nom avec tes doigts. À propos de doigts, tu te ronges les ongles depuis longtemps?

Merde. Elle avait remarqué.

— Je ne pense pas avoir déjà vu des ongles aussi grugés. Tu sais, ils vendent un produit pour ça, un truc au goût épouvantable, tu l'appliques au bout de tes doigts et, chaque fois que tu t'en mets un dans la bouche, le cœur te lève!

Je le connaissais, son liquide miracle. Ça avait fonctionné une journée, mais je m'étais vite habituée au goût. Après en avoir avalé pendant deux jours, mon haleine aurait donné un haut-le-cœur à un cheval.

— Je l'ai essayé… mais ça ne marche pas pour moi, je pense que je me rongeais les ongles dans le ventre de ma mère. C'est plus difficile que d'arrêter de fumer! T'as essayé d'arrêter la cigarette? Tu sais, ils vendent des *patches* de nicotine à la pharmacie, tu t'en colles un ici…

— OK, j'ai compris, je ne dis plus rien… c'était pas pour te vexer, Clarisse…

— Clarence!

Le taxi s'est arrêté devant un immeuble aux lucarnes grises. Une guirlande de lumières multicolores clignotait autour de la toiture et un père Noël en tissu délavé s'accrochait mollement à la cheminée. On était à deux jours du mois de mars. En descendant de la voiture, je me suis demandé ce que je faisais là. Je tombais de fatigue et je ne trouvais pas Yoshiko très attachante. Je n'avais aucune raison de vouloir lui plaire à tout prix, pourtant c'est bien ce qui m'avait conduite jusqu'à sa porte. «Espèce de carpette, tu aurais dû aller te coucher», me suis-je dit en gravissant l'escalier derrière elle.

Dans le vestibule, Yoshiko s'est mise à fouiller dans son sac avec frénésie.

— Merde! Il fait tellement noir ici! Pas foutu de changer les ampoules au plafond, le proprio... Comme si ce n'était pas assez d'endurer ses maudites lumières de Noël! Il va falloir que j'appelle... Ah, je l'ai.

Elle m'a souri en brandissant une clé.

— Tu enlèves tes bottes ici, sur le tapis.

Une odeur âcre de poussière et de vieux mégots m'a fait froncer le nez. L'endroit avait sans contredit besoin d'un bon coup de chiffon, mais quel décor! Le salon ressemblait à une vitrine de Roche Bobois. Le tissu des rideaux s'agençait à celui des coussins, les couleurs du tapis renvoyaient à celles des tableaux accrochés aux murs. Ils représentaient tous des paysages japonais: des pagodes, des ponts courbés sur des étangs, des cerisiers en fleurs, des femmes pâles prostrées pour cueillir le thé, des hommes à l'expression sévère et aux moustaches de samouraï. Un persan blanc est sorti de sous le canapé pour venir se frotter sur les jambes de Yoshiko en miaulant.

— T'as encore faim, ma Colombe? Maman va te préparer un bon souper, tu vas voir! Assieds-toi, Clarence, je reviens dans une minute.

— Tu as une chatte blanche qui s'appelle Colombe et j'en ai une noire qui s'appelle Corneille... C'est drôle, tu ne trouves pas?

— Le destin! m'a-t-elle lancé en disparaissant dans la cuisine.

Je me suis assise au bout du canapé noir couvert de poils blancs. Devant moi, au milieu d'une table basse, trônait un cendrier de verre débordant de mégots aux filtres tachés de rouge. À côté, une pile de magazines à potins, un flacon de vernis à ongles Chanel et une boîte de biscottes vide.

— Scotch? Rhum? Grand Marnier?

Yoshiko est réapparue dans la porte de la cuisine, une conserve de Iams dans une main et un ouvre-boîte dans l'autre.

— Un scotch, s'il te plaît, *straight up.*

— Ça veut dire quoi? Pas de glace?

J'avais du pain sur la planche avant d'en faire une barmaid accomplie.

— C'est ça, oui, pas de glace.

Elle est revenue avec deux verres. Elle avait dû verser au moins quatre onces de scotch dans le mien.

— Tu n'as jamais travaillé dans un bar avant?

— Non. En fait, je vais te faire une confidence… je n'ai jamais eu d'emploi. Bruno, le gérant de ton bar, c'est le cousin de ma meilleure amie. Un bon contact pour compenser le manque d'expérience…

— J'ai vu les heures que Bruno t'a données pour le mois prochain, ce n'est pas rien… Tu n'es pas déjà débordée avec tes cours?

— Non, non, je ne recommence pas l'école avant septembre. Le bar, c'est juste pour me désennuyer en attendant. Après l'été, j'arrête. Il faut que j'aie une façon de passer le temps, Jérémie trouve que je dépense trop quand je m'emmerde. Bon, j'ai un petit téléphone à faire!

Pendant qu'elle composait le numéro, je me suis approchée de la photo encadrée, posée sur une étagère au-dessus de l'immense écran plasma. Yoshiko sur une plage, toute mouillée, un bikini blanc tendu sur ses faux seins comme de la pellicule moulante sur deux cantaloups.

À sa gauche, un grand brun la regardait avec les yeux doux et la tête inclinée d'un chien en quête d'attention. J'ai été surprise de constater qu'il était plutôt dodu. Son ventre poilu tombait par-dessus son maillot de bain et son double menton aurait pu faire concurrence à un pélican.

— Ah, ne regarde pas cette photo-là, Clarence… Jérémie a l'air d'un lutteur sumo. Il a perdu vingt-cinq kilos depuis ce voyage-là. Si tu le voyais aujourd'hui… c'est un autre homme !

— Vingt-cinq kilos ! Et… il les a perdus comment, exactement ?

J'avais grand besoin de son avis de médecin. Depuis le début de l'année, j'avais pris trois kilos, et chaque matin cette semaine j'avais attaché le bouton de mes jeans en rageant. Je perdais le contrôle de tout depuis un an, un vrai mauvais sort… C'était à n'y rien comprendre : je ne mangeais pas davantage, je courais mes trente kilomètres hebdomadaires… pourtant, la balance ne mentait pas.

La personne à qui Yoshiko téléphonait a décroché avant qu'elle puisse me répondre.

— Richard ? Peux-tu passer chez moi maintenant ? Oui, le 86B, des Remparts. Tu n'arrêterais pas au dépanneur pour moi en passant ? Un paquet de Benson Gold s'il te plaît. *King size.* Je te donne un pourboire en conséquence, OK ? C'est ça, à tout de suite.

Elle a raccroché, m'a fait un clin d'œil et s'est dirigée vers une table console, où une chaîne stéréo sophistiquée étouffait sous une centaine de casiers de disques.

— Leonard Cohen ? Massive Attack ? Coldplay ?

— As-tu le dernier de Cohen ? Je l'aime, celui-là…

Enfin, il fallait avouer que le scotch était exceptionnel, que la musique me plaisait et que le canapé était confortable. Yoshiko a allumé deux énormes bougies blanches posées sur des piliers en pierre à savon. Nous feuilletions les magazines à la lueur des bougies et Yoshiko me demandait mon avis sur une paire d'escarpins dorés, quand les premières notes de *Love Story* ont carillonné dans l'entrée. Même pour sa sonnette, elle ne pouvait pas se contenter d'un simple ding dong.

Yoshiko s'est levée d'un bond.

— Wow, c'est du service, ça !

Elle a mis sa main en pavillon sur sa joue droite et m'a chuchoté :

— C'est mon pharmacien…

Elle était excitée comme si le père Noël était descendu du toit.

« Bon, ça y est, je vais encore fumer », me suis-je dit, découragée. J'aimais l'effet calmant, mais les trois dernières fois avec Sophie s'étaient terminées en rages de sucre monumentales. Parce que je n'étais pas en état de m'en permettre une autre, je me suis juré de résister.

J'étais certaine d'avoir déjà vu l'armoire à glace apparue sur le seuil. Brun, les cheveux en brosse, une mâchoire taillée au couteau, il aurait pu être beau si l'acné n'avait pas ravagé sa figure. Il m'a regardée, je lui ai envoyé un petit signe de la main.

— J'en veux pour cinq cents dollars, ai-je entendu Yoshiko lui demander.

Cinq cents dollars de *pot* ! Elle était folle !

Le grand boutonneux est parti. Yoshiko est revenue s'asseoir à côté de moi, un sourire immense collé au visage. Sur la pile de magazines, elle a déposé un par un six petits sachets de plastique remplis de poudre blanche. J'ai senti mon cœur palpiter.

— Tu sais, euh… ben, je n'ai jamais essayé ça, moi.

Et je ne suis pas sûre que ça me tente, ai-je eu envie d'ajouter. Vraiment, vraiment pas sûre.

— Tu vas voir, tu vas aimer ça. Et ne t'inquiète surtout pas pour la qualité, ça fait presque six mois que Jérémie achète du même *pusher*. C'est toujours de la bonne *coke*, pas de danger que tu te retrouves avec de l'Ajax dans le nez.

— Quoi, Jérémie en prend lui aussi ? Mais… c'est un docteur !

Elle m'a enveloppée d'un regard attendri en posant sa main sur mon bras.

— Ma chérie, tu serais surprise… il y a plein de médecins qui consomment. Sans cocaïne, je ne suis même pas certaine que Jérémie serait traumatologue. C'est la poudre qui l'a aidé à étudier des nuits entières et à passer ses examens. Tu vas voir, ça rend super alerte. Toutes les cellules de ton cerveau vont fonctionner à pleine capacité !

Je n'ai pu m'empêcher de penser à Béatrice, ma cousine qui avait fait cinq cures de désintoxication avant d'émigrer aux États-Unis dix ans plus tôt. Je me souvenais qu'elle avait débarqué à la maison, un soir, complètement transformée, au bord de l'hystérie. Elle avait elle-même coupé ses longs cheveux châtains et ses mèches pendouillaient, inégales, autour de son visage cireux. Ses yeux étaient enflés et tristes, ses lèvres fendillées. J'avais neuf ans et j'étais seule à la maison pendant que mes parents promenaient les chiens au parc d'en face. Elle s'était mise à fouiller partout.

— T'aurais pas un peu d'argent à me prêter, toi, Clarence ? C'est parce que… j'ai perdu ma carte de guichet et la banque est fermée pour deux jours, je te le remettrai lundi !

Évidemment, je n'avais pas un sou.

Quand elle avait fini par réaliser qu'il n'y avait pas d'argent liquide à la maison, elle avait fondu en larmes, pliée en deux, le front appuyé sur le comptoir de la cuisine. Après avoir fait des spaghettis ce soir-là, ma mère avait laissé la vaisselle incrustée de sauce bolognaise tremper dans l'évier. Béatrice s'était penchée au-dessus du grand chaudron rempli d'eau huileuse et de lambeaux de tomates, et elle s'en était aspergé le visage. Cette image avait marqué ma mémoire. Quand j'en avais parlé à mes parents, ils m'avaient expliqué que Béatrice était toxicomane, qu'elle prenait de l'héroïne. Dans ma tête d'enfant, j'avais conclu qu'elle s'était changée en superhéroïne : pour joindre les rangs de Spider-Man, de Wonder Woman et d'Iron Man, ma cousine était devenue Toxicoman.

— Je sais pas, Yoshiko. Juste l'idée de me mettre quelque chose dans le nez…

— Ah, t'es pas obligée de *sniffer*… je peux te l'injecter avec une seringue si c'est juste ça le problème !

Elle a pincé les lèvres, écarquillé les yeux. Je me suis sentie ramollir.

— Mais non, c'est une farce ! a-t-elle ricané en me tapant la cuisse.

Elle s'est levée pour prendre une boîte à biscuits en métal dans l'armoire du buffet.

— Tu me demandais comment Jérémie avait perdu vingt-cinq kilos en six mois ?

Elle a pris un des sachets entre son pouce et son index.

— Ta-daaaaam !

Dans la boîte se trouvaient un petit miroir, une carte Air Miles, des ciseaux, des pailles et plusieurs sachets de plastique vides.

Yoshiko a déposé le miroir sur la table et formé quatre fines lignes de poudre avec la tranche de la carte. Elle a coupé un bout de paille et me l'a tendu.

— Tiens, à toi l'honneur, ma pauvre vierge effarouchée.

Je me suis agenouillée par terre pour pencher mon visage au-dessus du miroir. En apercevant mon reflet, la paille dans une narine, j'ai été saisie d'une terreur mêlée d'excitation. J'ai pris la plus grande inspiration possible. La première ligne est disparue en me laissant un goût chimique dans la gorge. J'ai éclaté de rire. Le chat, qui dormait en boule sur le tapis, a bondi et s'est sauvé sous le canapé.

Chapitre 4

Dans le vestibule surchauffé du Cosmos Café, où Yoshiko et moi attendions qu'une table se libère, j'étais incapable de décoller mon regard du miroir accroché au mur. C'était bel et bien vrai : j'avais enfin maigri. Mon visage avait perdu ses dernières rondeurs et mes joues concaves faisaient paraître mes yeux encore plus grands, comme un personnage de manga japonais. Si je continuais comme ça, ô bonheur, il me faudrait percer un nouveau trou dans le cuir de ma ceinture pour ne pas perdre mes jeans. Ça fonctionnait, la cocaïne. Yoshiko avait vu juste. La faim n'existait plus et le jeûne devenait un réflexe au lieu d'une lutte. En une semaine, j'avais vu disparaître mes trois kilos mystères et un autre en plus. Avec le nombre décroissant sur la balance et le sentiment de propreté ressenti quand mon estomac était vide depuis plusieurs jours, je frisais la béatitude.

Yoshiko, après une semaine passée sur mon canapé à fumer et à jeter des mouchoirs souillés de mascara sur le plancher, avait encore les yeux enflés et vitreux. Les plaques d'urticaire apparues entre ses doigts et dans son cou, qu'elle grattait sans cesse, n'étaient qu'à moitié camouflées par l'épaisse couche de maquillage dont elle s'était enduite avant de sortir.

Depuis qu'elle avait quitté l'appartement de Jérémie et qu'elle s'était pointée chez moi en crise de larmes, avec sa très chic valise Longchamp, mes narines avaient dû aspirer plus d'un millier de dollars. Heureusement pour moi, elle insistait pour tout payer. C'était sa façon de me remercier parce que je l'hébergeais et l'accompagnais chez elle pour empaqueter ses affaires pendant que Jérémie était de garde à l'hôpital. Et aussi, peut-être, parce que je l'avais écoutée ressasser sa rupture soir après soir, ligne après ligne, jusqu'à ce que j'en connaisse les paroles par cœur.

— Le salaud, le salaud ! Une petite infirmière même pas belle, avec les dents jaunes et le derrière large comme ça ! Si tu l'avais vue, Clarence, avec ses bottes en plastique et ses cheveux mal coupés ! Je ne peux pas croire qu'il me trompait avec *ça* ! Il aurait pu avoir la décence de me laisser pour un pétard ! Ou un médecin !

Pour qu'elle comprenne la profondeur de mon empathie, j'avais tout raconté à Yoshiko au sujet de Mathieu et de Maryse. Nos drames sentimentaux constituaient peut-être notre seul point commun, mais il incendiait nos discussions pendant des nuits entières. Le scénario final était toujours le même : Mathieu et Jérémie allaient se rendre compte de l'étendue de leur perte et ils reviendraient comme des chiens penauds nous supplier de les reprendre. Il serait pourtant trop tard : Yoshiko aurait rencontré un chirurgien sosie du docteur Derek Shepherd et il m'aurait présenté son meilleur ami, une nouvelle recrue de Médecins sans frontières qui me proposerait de le suivre en Afrique afin d'aller construire un dispensaire pour les enfants séropositifs. Mathieu aurait un accident de hockey qui le rendrait impuissant et Jérémie serait radié du Collège des médecins après qu'on l'aurait surpris à s'enfiler une ligne de poudre juste avant de poser son scalpel sur un gamin de six ans. C'est ainsi que la justice serait rétablie en ce monde.

C'était le dernier soir de Yoshiko à Québec. Le lendemain, elle repartait vivre avec sa mère à Montréal jusqu'à ce qu'elle se trouve un nouvel appartement. En septembre, elle reprenait ses études de médecine à McGill. Elle avait travaillé seulement un soir au bar. À la fin de la soirée, parce qu'elle s'était engueulée avec une cliente et qu'elle avait réussi à se couper le doigt en tranchant un citron, elle avait remis sa démission.

Une fille ronde et rougeaude est venue nous indiquer que notre table était prête. Nous l'avons suivie jusqu'à la banquette près de la fenêtre. Nous nous sommes installées pendant qu'elle nous récitait son menu comme une automate.

— La soupe du jour est une crème de poireaux, pour les pâtes nous avons des cannellonis farcis aux épinards et à la ricotta, le poisson est un filet de sole servi avec du riz sauvage et des légumes sautés. Aimeriez-vous un apéritif?

Yoshiko l'a toisée d'un œil dédaigneux, avant de m'annoncer:

— Ce soir, c'est du champagne!

Elle a remis nos deux menus à la serveuse.

— Apportez-nous celui-ci, a-t-elle spécifié en montrant la carte du bout de son ongle. Et vous pouvez enlever les couverts, on ne mangera pas.

J'ai eu peur qu'elle ajoute une connerie. Sous l'effet de la cocaïne, Yoshiko devenait méchante. Moi, ça me rendait hyperactive et trop bavarde, comme après un abus de café.

Elle a sorti un poudrier Guerlain de son sac, s'est regardée une seconde, a grimacé et s'est levée.

— Je vais aller me remettre du cache-cerne, j'ai l'air d'un gros raton laveur… T'aurais pu me le dire que mon mascara avait coulé !

Je n'avais pas remarqué. Je l'ai regardée marcher vers le fond du restaurant à pas saccadés. Ses cheveux, en bougeant, prenaient les reflets bleus d'une nappe de pétrole. Elle portait une blouse en mousseline crème qui laissait entrevoir la dentelle de son soutien-gorge, un pantalon caramel en velours seyant et des bottillons Louboutin en cuir chocolat. Toute la semaine, Yoshiko avait déprimé avec style. Plus tôt dans la journée, je l'avais aidée à vider le contenu de ses placards. Une vraie boutique. Ça devait valoir une fortune. C'est d'ailleurs ce que Jérémie lui avait dit lorsqu'elle l'avait confronté après l'avoir suivi et surpris un soir, dans la voiture de l'infâme infirmière : Yoshiko était devenue trop *high maintenance*.

— C'est vrai, Clarence, je coûte cher…, mais c'était temporaire ! Dans sept ans, quand je serai chirurgienne plastique à Hollywood, je n'aurai plus besoin de lui pour payer ma Visa.

Ce qui paraissait l'affecter, ce n'était pas tant d'avoir perdu Jérémie que le chèque de paie de celui-ci. La veille, après avoir revendu sa bague de fiançailles chez Urgent Comptant, elle était revenue avec une liasse de billets presque aussi épaisse que l'annuaire du téléphone.

— De toute façon, ce n'est même pas celle-là que je voulais… Un diamant ovale, c'est démodé.

À son retour des toilettes, j'ai tout de suite deviné ce qu'elle y avait fait. Ses iris étaient trop noirs pour y distinguer l'agrandissement de la pupille, mais sous l'effet de la drogue, les yeux bridés de Yoshiko semblaient s'écarquiller de surprise. Le débit de sa voix s'accélérait et même son rire changeait.

— T'as été tannante ? lui ai-je demandé.

Je commençais à adopter son vocabulaire. Quand elle m'annonçait « Ce soir, on va être tannantes », je savais très bien ce que ça impliquait.

— T'en veux, hein ?

Pourquoi pas, c'était notre dernière soirée ensemble, après tout. Aussitôt qu'elle serait partie, j'arrêterais. J'ai pris le sachet qu'elle me tendait sous la table.

— C'est le dernier, n'oublie pas de m'en laisser un peu.

La serveuse est arrivée avec un seau à champagne et deux flûtes.

— Je reviens avec votre bouteille dans une minute, mesdemoiselles.

Je me suis levée.

— À mon tour d'aller au petit coin, ai-je dit à Yoshiko en lui faisant un clin d'œil.

Assise sur le couvercle de la toilette, j'ai retiré une des clés de mon trousseau et je l'ai plongée dans le sachet, comme me l'avait montré Yoshiko. Une parfaite quantité de poudre s'est logée au creux du sillon de métal. J'ai porté la clé à mon nez. Je commençais à aimer le goût d'encre de la cocaïne dans ma gorge. Il fallait vraiment que j'arrête. Je faisais des cauchemars presque toutes les nuits et mon nez brûlait et coulait en permanence. J'allais demander à Yoshiko de m'en laisser deux ou trois grammes avant de repartir pour Montréal, mais après, ce serait fini. J'en avais seulement besoin pour perdre un kilo de plus. Dans un magazine britannique, deux jours plus tôt, le poids de Karen Ross avait été « officiellement » révélé. Ils en avaient reparlé sur tous les blogues, à *Access Hollywood*, à *Entertainment Tonight*, toujours avec tambours et trompettes, comme si dans ce nombre reposait le code d'accès au nirvana. Au dépanneur de l'université, la couverture d'un magazine annonçait en énormes caractères : « KAREN ROSS MISE À NU ». Je m'étais jetée dessus et j'avais lu l'article en marchant vers mon cours.

En voyant le nombre, j'avais eu un choc. Elle pesait seulement un kilo de moins que moi, pour la même taille. Donc, si je perdais deux kilos, j'aurais la certitude d'être plus mince que Karen Ross. L'extase ! J'avais découpé la page pour la coller sur le mur de ma salle de bain, au-dessus de ma balance. J'avais ensuite haussé le volume de ma radio au maximum et dansé le tango avec Corneille dans mes bras.

Sur notre table, la bouteille de champagne baignait dans la glace.

— J'attendais ton retour pour l'ouvrir, je ne voulais pas que la grosse betterave le fasse pour nous. Tu peux t'en occuper ? Moi, j'ai toujours peur que ça m'explose dans le visage.

— Aucun problème, je suis une pro !

J'en avais ouvert des dizaines pour les clients du bar Le Saint-Laurent, mais je n'avais jamais rien bu d'autre que du mousseux bon marché avec Mathieu pour fêter nos anniversaires de rencontre. On était loin du Veuve Clicquot Brut Rosé à cent quarante dollars que Yoshiko avait commandé comme si c'était de l'eau minérale. J'ai défait le fil de fer, j'ai doucement bougé le bouchon et pop ! Les regards se sont tournés vers nous. J'ai rempli les flûtes, lentement.

— À notre nouvelle amitié ! a lancé Yoshiko d'une voix enjouée, en levant son verre.

Nouvelle amitié, mon œil. Plutôt un concours de circonstances. Mon intuition me disait qu'une fois Yoshiko retournée à Montréal, je n'entendrais plus jamais parler d'elle. Nous étions beaucoup trop différentes. Je cherchais ma nouvelle meilleure amie, c'est vrai, mais je n'étais pas désespérée à ce point. Avec Yoshiko, les choses risquaient de tourner comme avec Maryse. Je ne veux pas dire par là qu'elle se retrouverait au lit avec mon *chum*. Avec un peu de chance, ces choses-là n'arrivaient qu'une seule fois dans une vie. Non, ce que Yoshiko avait en commun avec Maryse, c'était sa fausse compassion. Bien avant que Maryse porte le coup de grâce à notre amitié, je décelais une lueur de satisfaction dans son regard chaque fois que je prenais du poids ou ratais un examen. Comme disait mon père : « Avec ce genre d'amies, pas besoin d'ennemies. »

La veille, la cocaïne m'ayant rendue trop volubile, j'avais confié mon secret à Yoshiko. Elle m'avait regardée comme si je lui avouais souffrir du rhume des foins.

— Pffff ! Moi, j'aimerais ça des fois être anorexique-boulimique ! m'avait-elle lancé en se penchant au-dessus de la table pour inspirer la dernière ligne.

— Non, fais-moi confiance, tu n'aimerais pas ça !

J'étais loin d'entendre cette remarque pour la première fois, mais venant d'un futur médecin, j'espérais autre chose.

— Je ne veux pas dire anorexique comme les filles qui se retrouvent à l'hôpital avec une allure de rescapées d'Auschwitz, non, non ! Je serais juste anorexique à temps partiel, au besoin… genre juste assez pour perdre cinq ou six kilos. Après, j'arrêterais !

Oui, c'était du déjà-entendu. Je m'étais quand même sentie obligée de la sermonner. Les risques, les statistiques, les suicides… je connaissais le discours par cœur, même si j'étais incapable d'en intégrer le sens. Je lui avais montré le blogue des Sœurs d'Ana : particulièrement la page de Laura, qui avait cessé de se brosser les dents par peur d'engraisser en avalant une goutte de dentifrice. Ses photos étaient saisissantes. Dans le *chat room*, on clavardait au sujet du dernier drame : Joëlle, une des participantes, s'était retrouvée à l'urgence après avoir ingéré un cocktail de Comet et de Purell, pour avoir l'estomac propre.

— Tu sais, Yoshiko, le cancer aussi c'est une façon efficace de perdre du poids en un temps record. Ça te dirait, une leucémie ?

— Ben non, franchement ! Quand tu es anorexique, tu peux recommencer à manger quand tu veux. Le cancer, lui, il ne disparaîtra pas en criant ciseau.

Pas la peine de s'obstiner. Pour elle, c'était un caprice d'enfant gâtée. Un outil pratique, même. Les filles comme Yoshiko pullulaient sur les forums de discussion, cherchant coûte que coûte à être admises dans le club sélect des athlètes de l'amaigrissement. « J'ai dix kilos à perdre avant mon mariage et je rate tous mes régimes. Existe-t-il une façon de vomir ses repas *silencieusement* ? Merci à l'avance de votre aide. »

Moi, j'allais m'en sortir. Je n'avais rien à voir avec ces cas lourds : je n'avais pas de fringales de produits nettoyants et je me brossais toujours les dents avec du dentifrice. Dans quelques années, quand enfin viendrait le jour de mon départ autour du monde, je guérirais. Il le fallait bien… pas question de traîner ma névrose aux quatre coins de la planète. Pour le moment, je n'étais pas prête. Et il me restait encore deux kilos à perdre.

Pendant toute une journée, un mois plus tôt, j'avais essayé de manger comme tout le monde. Grace, une des blogueuses dont j'aimais le sens de l'humour, avait été admise en clinique de traitement parce que son cœur carencé battait n'importe comment. Ça avait réussi à me tracasser. Ce jour-là, je m'étais préparé un beau sandwich coloré à midi et un plat de spaghettis le soir. Deux fois, je m'étais assise à la table de ma cuisine avec ma jolie vaisselle, une bougie, de la musique classique, tout le tralala. Rien à faire. L'angoisse qui s'emparait de ma gorge à mesure que j'avalais la nourriture était insoutenable et tout avait fini à la poubelle. Pour neutraliser les quelques bouchées consommées, j'étais allée courir dix kilomètres dans les rues tortueuses du Vieux-Québec. Encore plus que d'habitude, j'avais observé les vitrines des restaurants : les amoureux qui se faisaient goûter leurs plats en se dévorant des yeux, les familles qui partageaient une fondue suisse en riant, les groupes d'amis un peu ivres qui se passaient des mets asiatiques. Un jour, je traverserais de ce côté-là de la vitrine. Mais présentement, l'extérieur était plus confortable.

L'éclairage du Cosmos Café s'est tamisé. Le champagne, que je buvais trop rapidement, me montait à la tête. Je me sentais légère, vide, pure comme un ange. J'avais hâte d'aller danser à l'étage au-dessus, mais avant, je voulais m'assurer de faire quelques provisions.

— Ça me gêne un peu de te demander ça, Yoshiko, mais si c'est possible… avant de partir pour Montréal, pourrais-tu appeler ton pharmacien ? J'aimerais avoir une petite réserve.

— Aucun problème, ma cocotte, je voulais lui demander de passer plus tard, de toute façon. On est à sec. Si tu veux aussi, je te donnerai son numéro de téléphone pour que tu ne manques jamais de rien.

— Non ! Surtout pas ! me suis-je exclamée un peu trop fort. Euh… je ne veux pas commencer à en prendre sans toi… J'aime mieux attendre qu'on se revoie.

Elle a haussé un sourcil.

— Comme tu veux ! Tu sais, il n'y a pas de mal à se laisser aller une fois de temps en temps. Ce n'est pas comme si on se gelait du matin au soir !

Elle ne voyait pas que depuis sa rupture, elle avait *sniffé* chaque jour. Même le matin. C'était facile pour elle d'être insouciante, elle ne faisait rien de ses journées. Nos abus n'avaient aucune conséquence sur son quotidien, mais je ne pouvais pas en dire autant du mien. Depuis l'arrivée de Yoshiko, j'avais dû m'inventer une gastro pour me faire remplacer au bar trois soirs de suite, et j'avais séché un nombre impensable d'heures de cours. Mes examens de mi-semestre commençaient dans dix jours. Pas question d'en rater un seul, l'avertissement de mes parents était très clair : ils me laissaient le loft de la rue Sainte-Ursule à condition que mes résultats scolaires demeurent excellents. Au premier signe de laisser-aller, le camion de déménagement serait garé devant ma porte pour me ramener à Sainte-Foy. Et ça, ce serait infernal. Ma mère tournerait autour de moi comme un vautour et scruterait tout ce que je mange, ou plutôt ce que je ne mange pas. Mon père pousserait de longs soupirs en lissant sa moustache sans arrêt comme chaque fois qu'il devenait nerveux. Je ne voyais pas comment je pourrais supporter leurs regards au quotidien et tolérer l'obstination pitoyable de ma mère à me cuisiner l'un après l'autre tous les desserts que j'aimais quand j'étais petite.

Pauvre maman ! Dire qu'elle allait maintenant jusqu'à essayer de me convaincre que la vraie beauté était intérieure. Elle m'avait même acheté un livre sur la croissance personnelle à Noël : *Beauty from the Inside Out*. Avec tout le Botox qu'elle avait dans le visage, elle manquait de crédibilité. Elle devait avoir oublié le matin où je l'avais surprise, dix ans plus tôt, à sangloter dans la salle de bain. C'était juste après Noël. La maison sentait le sapin et les clémentines. Je portais mon nouveau pyjama de princesse, rose avec des papillons jaunes.

— Pourquoi tu pleures, maman ?

Elle s'était vite essuyé les paupières avec la manche de sa robe de chambre.

— C'est pas grave, ma chouette, c'est juste que maman est un peu triste parce qu'elle a pris beaucoup de poids.

Ma mère avait toujours été très mince et à mes yeux, rien n'avait changé.

— Mais tu vas faire ton régime, maman, et de toute façon tu es toujours jolie ! Tu pleures pour rien !

Je l'avais serrée dans mes bras et ses sanglots avaient repris de plus belle.

— Je fais soixante kilos, Clarence. C'est dix de plus que le jour de mon mariage. Si je continue comme ça, bientôt papa ne m'aimera plus !

Le jour même, elle s'était remise à sa diète « œufs durs et pamplemousses », et à sautiller avec Jane Fonda dans le sous-sol. Ça avait dû fonctionner, puisque dix ans plus tard, mon père était toujours là.

J'allais étudier comme une folle. Tout pour ne pas retourner habiter avec eux et redevenir une souris de laboratoire. Heureusement que Yoshiko repartait le lendemain. Ça me laissait juste assez de temps pour me replonger le nez dans mes livres. J'étais imbattable pour le bourrage de crâne sous pression, alors tout irait à merveille.

Yoshiko en était encore à maudire Jérémie, et je ne l'écoutais qu'à moitié.

— Clarence, arrête de te ronger les ongles, ça me lève le cœur !

Elle a frissonné de dédain en vidant la bouteille dans mon verre. J'ai saisi la flûte et j'en ai avalé le contenu d'une traite.

— Bon, on va danser, Yoshiko ! Il faut se dépêcher, bientôt il va y avoir un *line up* jusqu'à Lévis !

— Attends, je veux aller aux toilettes me refaire une beauté. On ne sait jamais, je pourrais rencontrer l'homme de ma vie ce soir.

Elle a claqué des doigts en direction de la serveuse, m'a remis sa carte de crédit et son téléphone.

— Pour appeler Richard, tu composes étoile cinq. Demande-lui de nous rappeler quand il sera stationné en face.

Bon, maintenant il fallait que j'appelle le *pusher* moi-même. J'ai senti mes paumes transpirer en pressant sur le clavier.

— Oui, euh, allô, Richard? C'est Clarence, l'amie de Yoshiko. Euh, si c'est possible pour toi, pourrais-tu passer Chez Maurice?

— Maintenant?

— Oui, euh, non… en ce moment, je suis au Cosmos Café, en bas. Yoshiko est aux toilettes.

— Ça tombe bien, je suis juste en face. J'arrive tout de suite.

Moins d'une minute plus tard, il s'est assis devant moi. Il avait de la neige dans les cheveux, des écouteurs qui lui pendaient dans le cou et il s'était fait pousser une barbe pour cacher ses boutons. Il a plissé les yeux, puis les a écarquillés.

— Eh ben, eh ben… je viens de cliquer! Clarence Paradis! La fille de Marcel! Il me semblait aussi que je t'avais déjà vue quelque part! Tu ne te souviens pas, on a fait un *photo shoot* chez vous l'hiver dernier? Le photographe, c'était moi.

Merde! Je le savais. Je n'avais pas rêvé, je l'avais bel et bien rencontré avant. C'était à la séance de photo officielle organisée par mon père pour son entrée en politique. Il avait voulu immortaliser l'image d'une parfaite harmonie familiale et confectionner ensuite des cartes de Noël à l'américaine qui diraient: «Meilleurs vœux de la famille Paradis». Tirés à quatre épingles, nous nous étions installés devant le feu de foyer, sous une gigantesque couronne en pommes de pin ornée de rubans de velours rouge. Sardine, le saint-bernard champion qui faisait la fierté de ma mère, dormait à nos pieds. L'image était réussie. J'avais dû porter un *twin-set* vert pâle et un collier de perles. Avec mon sourire figé et mes cheveux repassés, j'avais l'air d'une enfant modèle. Et me voilà qui tendais la main sous la table pour saisir trois sacs de *coke*.

— Tu gardes ça mort, hein?

J'ai pointé un index autoritaire vers son visage, en retenant mon souffle pour ne pas trembler. Il a passé sa langue sur ses lèvres et m'a fait un sourire narquois. Mon estomac s'est retourné. J'en avais tellement marre de Québec. Petite ville de rien du tout qui se donne des airs de grandeur, où tout le monde finit toujours par connaître quelqu'un qui connaît quelqu'un… Si seulement j'avais pu, à cet instant précis, me catapulter à New York, Londres ou Bangkok, et vivre la vie d'anonymat dont je rêvais…

Il fallait demeurer patiente. Il restait huit cent vingt-cinq jours avant la fin de mon bac et, demain, il en resterait un de moins.

Yoshiko est réapparue et elle a sauté au cou de Richard en criant de joie, comme s'il venait d'arriver de Kandahar sain et sauf.

— Mon amour! Tu m'as manqué!

Mon amour? Manqué? Franchement, il était passé la voir chez moi deux jours plus tôt, pendant mes cours du matin. Le ton surexcité de Yoshiko me laissait croire qu'encore une fois elle s'était repoudré le nez de plus d'une façon.

«Dépêche-toi donc, ai-je pensé, je n'ai pas envie de gaspiller la soirée à faire la file! Et si Richard peut foutre le camp et oublier que j'existe, je respirerais peut-être un peu mieux…»

— Mon beau Richard, c'est ma dernière soirée à Québec, je ne te reverrai peut-être plus jamais… tu me fais un cadeau d'adieu, ce soir?

— Yo, j'te l'ai dit je sais pas combien de fois, j'en fais pas de cadeaux! Le stock est dans la poche de Clarence, ça va faire trois cents piastres.

Yoshiko l'a regardé comme s'il était devenu une tache sur le tapis. Elle a sorti son portefeuille, compté les billets avant de les fourrer dans la poche de chemise de Richard. Il a vérifié l'écran de son téléphone, a mis ses écouteurs.

— Si ces charmantes demoiselles veulent bien m'excuser, le devoir m'appelle.

J'ai eu droit à un autre sourire baveux avant qu'il nous tourne le dos pour marcher vers la sortie.

— Vite, Clarence, prends ton manteau, il faut que je fume une cigarette.

— Je te rejoins dehors. C'est mon tour d'aller me remaquiller, je vais me dépêcher. N'oublie pas ta carte de crédit sur la table.

De retour aux toilettes, j'ai porté la clé à mon nez trois fois de suite. J'entendais encore le ton moqueur de Richard: «Clarence, la fille de Marcel?» Merde! Si seulement mon père avait pu continuer à enseigner l'économie au lieu de coller sa photo sur tous les foutus poteaux de téléphone! S'il apprenait mes écarts de conduite, ça chaufferait. Ce serait adieu cocon douillet, débrouille-toi pour payer tes études et pour financer ta *dolce vita* sans notre généreuse commandite.

Dans la file d'attente, ça sentait la fumée, la neige fondue et l'eau de Cologne. Devant nous, trois filles riaient trop fort, sans doute pour attirer l'attention d'un groupe de gaillards arborant les couleurs des Remparts sur leur manteau de cuir. Pas de couvre-feu pour les hockeyeurs ce soir, c'est donc qu'ils avaient remporté leur match. Mon père serait content.

Mon père ! Qu'il me sorte de la tête !

J'avais envie de m'amuser et de danser jusqu'à ce que les lumières s'allument à trois heures du matin…, pas de me torturer avec des scénarios catastrophiques.

— Yoshiko, il faut que je te dise quelque chose.

Elle a tendu le cou.

— Richard connaît mon père. Et mon père, au cas où tu ne le saurais pas déjà, c'est le prochain député bloquiste de Québec. Penses-tu que ce serait le genre de Richard d'aller dire à tout le monde qu'il m'a vendu de la *coke* ? Tu sais comme c'est petit, Québec…

— Ben voyons donc ! Personne ne se vante d'être *pusher* ! Penses-y deux secondes. Il aurait beaucoup plus à perdre que toi. S'il commence à raconter à n'importe qui qu'il *deale* de la *coke*, tôt ou tard il va payer pour, et ça, les *pushers* le savent, ils ne sont pas fous. Ils risquent la prison, alors ne t'inquiète pas, ma cocotte, je ne verrais pas pourquoi Rich irait se tirer dans le pied juste pour te nuire. Après tout, tu ne lui as rien fait !

— C'est juste qu'il m'a regardée bizarrement tantôt. Comme s'il voulait me faire peur.

— Bah, c'est de la paranoïa. C'est un des effets plates de la poudre. Ce n'est pas la réalité, alors tu peux te calmer, ton papa va continuer à penser que sa petite fille est une enfant de chœur.

Elle a tiré ses cheveux vers l'arrière.

— Est-ce que mon urticaire paraît encore à la lumière ?

Il nous a fallu une trentaine de minutes pour atteindre la dernière marche de l'escalier en haut duquel s'ouvrait la porte de Chez Maurice. Pendant notre ascension, j'ai compté le nombre de fois où Yoshiko s'est admirée dans son miroir de poche : sept. Sept fois en trente minutes, il fallait le faire. Ça commençait à m'exaspérer.

Il était grand temps qu'elle parte. Ma solitude me manquait et je n'en pouvais plus de la voir se pâmer comme Narcisse au-dessus de son étang. J'aurais aimé être assez évoluée et mature pour éviter les comparaisons, mais c'était plus fort que moi : la beauté de Yoshiko poussait le regard déjà critique que je posais sur moi-même au paroxysme de son intransigeance. Mes cheveux paraissaient encore plus frisés, ma peau plus pâle, mes dents moins blanches et mes seins, n'en parlons pas… deux ridicules pruneaux à côté des grenades qui remplissaient son soutien-gorge.

La discothèque était pleine à craquer. Entassés autour du bar comme un essaim d'abeilles, les clients tentaient d'attirer l'attention des trois serveuses à moitié dénudées qui se démenaient derrière le comptoir. Sur la piste de danse, une vague humaine se mouvait au rythme des Black Eyed Peas. La peau de mon ventre vibrait comme un tambour tellement les décibels étaient fracassants, et j'ai eu envie d'aller me mêler à la foule.

— Viens danser, il y a trop de monde au bar, on y retournera plus tard ! ai-je hurlé dans l'oreille de Yoshiko.

Avant même qu'elle puisse me répondre, une blonde plantureuse moulée dans une robe en dentelle noire est apparue derrière elle et lui a tapoté l'épaule. Yoshiko s'est retournée et la serveuse lui a mis un verre de martini dans la main droite.

— De la part du jeune homme à la table au fond là-bas, a-t-elle crié en désignant l'expéditeur du menton.

— Tu vas aller le voir ? lui ai-je demandé.

— Pourquoi pas, il n'est pas laid... Mais avant, une escale aux toilettes pour un petit remontant.

Elle a levé son verre, regardé l'olive qui ballotait au fond.

— Et il faut que je jette ça, je n'aime pas le martini. Tu viens avec moi ?

J'ai oscillé un moment entre l'envie d'une dose supplémentaire qui m'aiderait à danser et à transpirer toute la nuit, et le découragement de devoir me taper une autre file d'attente.

« Ah, aussi bien *sniffer* ce qu'il reste le plus vite possible, comme ça je vais pouvoir arrêter plus tôt », ai-je raisonné.

Une dizaine de filles patientaient devant la porte des toilettes. Derrière moi, une brune élancée attirait tous les regards avec une minijupe et une paire de jambes dignes de figurer sur un emballage de bas de nylon. Je l'ai observée du coin de l'œil. Ses pieds étaient chaussés de sages escarpins en cuir verni, sa lourde chevelure chatoyait comme dans une annonce de Pantene. Qu'elle était belle ! Sa peau hâlée semblait dénuée de pores, taillée dans un carré de soie. J'ai ressenti un court instant l'envie de la toucher. Pas d'une façon sexuelle... Il y avait bien assez de mon frère qui portait en secret les couleurs de l'arc-en-ciel. Plutôt comme on toucherait la Vénus de Milo si le Louvre nous en accordait le privilège.

— On va aller dans la même cabine toutes les deux, d'accord ? De toute façon, c'est toi qui l'as dans ta poche, m'a dit Yoshiko.

J'ai posé la main sur ma fesse droite pour m'assurer que j'y sentais encore les trois sachets.

Dans la cabine, Yoshiko a formé six petites lignes sur le distributeur de papier hygiénique. Pendant ce temps, j'ai roulé un tube serré avec un billet de vingt dollars et, tour à tour, comme nous en avions désormais l'habitude, nous avons inspiré le tout en silence. En sortant, mes yeux ont croisé ceux de la beauté divine et, à ma grande surprise, elle m'a fait un sourire magnifique. Trop abasourdie pour lui répondre en souriant à mon tour, j'ai détourné mon regard et j'ai marché vers la piste de danse d'un pas léger.

— Je vais aller dire bonsoir à monsieur Martini, je te rejoins après ! m'a crié Yoshiko avant de disparaître dans la cohue.

Je me suis frayé un chemin jusqu'au milieu de la piste. J'ai respiré profondément, fermé les yeux et j'ai laissé la musique me transporter.

Il s'est écoulé près d'une heure avant qu'une soif intense me propulse hors de ma transe. Mes vêtements humides de sueur collaient à ma peau et mes cheveux, que j'avais étirés et enduits de fixatif avant de sortir, boudinaient autour de mon visage. En m'extirpant de la piste de danse, j'ai aperçu Yoshiko qui se pâmait de rire, la gorge déployée et la main sur la poitrine, devant l'air satisfait de monsieur Martini. Je me suis dirigée vers l'attroupement qui encerclait le bar, jouant des coudes pour me faire une place.

À ma droite, assise seule sur un tabouret, la déesse de la salle de bain contemplait son verre de champagne et semblait enveloppée dans sa propre bulle. Son parfum chaud et vanillé m'a fait penser aux galettes de Noël de ma grand-mère, tout juste sorties du four. Pour la première fois depuis des semaines, j'ai eu faim.

— Tu en as dansé un coup, on dirait ?

Je me suis raidie et j'ai senti mon cœur bondir contre le comptoir. Un furtif coup d'œil à ma gauche m'a assuré que c'était bien à moi que s'adressait cette voix rauque, *sexy* comme celle d'une chanteuse de blues.

— Quoi ?

J'ai fait semblant de ne pas l'avoir entendue, pour gagner quelques secondes.

— Excuse ma voix, la foutue machine à boucane me fait toujours parler comme ça !

Elle a toussé dans sa main. Incroyable ! Elle se rongeait les ongles ! Pas autant que moi, mais quand même. Une âme sœur, enfin.

— J'ai dit que tu en dansais un coup !

— Oui, la musique est bonne ! Ça faisait super longtemps que je n'étais pas venue ici, ai-je balbutié en me sentant aussitôt rougir de honte.

Aucun homme n'aurait pu me faire perdre mes moyens à ce point. J'avais l'impression que mon quotient intellectuel était descendu en flèche jusqu'au niveau de la truite mouchetée. Ça confirmait ce que j'avais lu trois jours plus tôt dans *Cosmopolitan* : une entrevue avec un *top model* découragée qui se plaignait de ne jamais être abordée par les hommes en général et, en particulier, quand elle sortait dans un bar, toute pomponnée, les mots « célibataire et disponible » pratiquement estampillés sur le front. La vraie beauté intimide. J'en avais la preuve irréfutable devant moi.

— Tu veux quelque chose à boire ?

— Ben… oui. Je ne suis pas venue au bar pour manger des *peanuts*.

Du Clarence Paradis tout craché : plus j'étais mal à l'aise, plus je devenais désagréable.

— Je voulais dire, est-ce que je peux *t'offrir* un verre ?

Elle m'offrait un verre. Une parfaite inconnue ! Une fille ! On était Chez Maurice, pas à l'Amour Sorcier, le bar de lesbiennes de la rue Saint-Jean que j'avais parfois épié, cachée derrière un livre sur la terrasse du café d'en face.

— Tu es sérieuse ? C'est vraiment gentil. Euh… je vais prendre la même chose que toi.

Je lui ai offert ma poignée de main de politicien : regard droit dans les yeux en serrant très fermement, comme me l'avait montré mon père avant l'entrevue pour mon premier emploi.

— Moi, c'est Clarence.

— Stéphanie. Enchantée. C'est un beau nom, Clarence, c'est rare !

— Tu trouves ça beau ? En fait, c'est un prénom d'homme, mais ma mère tenait à me le donner en l'honneur de son village natal, en Suisse.

Elle a baissé les yeux en souriant. Elle avait des cils interminables.

— J'imagine que je peux m'estimer chanceuse alors. Si ma mère avait fait la même chose, je m'appellerais Pétronille.

— Tu viens de l'île d'Orléans ?

Elle connaissait sûrement ma grand-mère, ou du moins son entreprise de pâtisserie, Le Goût du Paradis. La tarte au sucre de Mamie Rose l'avait rendue célèbre.

— J'habitais là quand j'étais bébé. On a déménagé à Charlesbourg quand j'avais deux ans. Es-tu déjà allée en Suisse ?

— Non, pas encore. Ma mère n'a plus de famille là-bas, et comme c'est un des pays les plus chers au monde…

Stéphanie a bu la dernière gorgée de son verre, essuyé le coin de ses lèvres, replacé la mèche de cheveux qui lui tombait dans l'œil. Elle a fait signe à une barmaid occupée à mélanger un Manhattan juste devant nous. Deux autres verres, a-t-elle indiqué avec deux doigts. En déposant les flûtes sur le comptoir, une minute plus tard, la serveuse s'est penchée au-dessus du bar et, de la main, a signalé à Stéphanie de s'approcher d'elle.

— Le monsieur assis sur le dernier tabouret voudrait vous offrir vos consommations, a-t-elle crié.

J'ai jeté un coup d'œil au bout du comptoir. Un *monsieur*, en effet. Il devait avoir au moins trente-cinq ans, et ça, c'était sous l'éclairage discret du lampion posé devant lui. À la lumière du jour, il en faisait peut-être dix de plus.

— Merci, c'est vraiment gentil, remercie-le bien, mais on va devoir décliner son offre. Dis-lui que nos *chums* arrivent bientôt et qu'ils sont excessivement jaloux! a répondu Stéphanie en sortant deux billets de son soutien-gorge.

Elle s'est tournée vers moi.

— J'espère que ça te dérange pas que je lui dise non. Si on accepte un verre, il va venir nous parler et il ne nous lâchera pas de la soirée.

— Je sais de quoi tu parles! Vaut mieux payer et avoir la paix!

La vérité, c'est que je ne savais pas de quoi elle parlait. Pas par expérience, du moins. Les hommes ne m'envoyaient pas de verres, à moi. Ils en envoyaient à Yoshiko. Maryse se soûlait elle aussi aux frais de ceux qui louchaient dans son décolleté. Et là, si on m'en offrait un, c'était à cause de Stéphanie, aucun doute là-dessus.

— C'est parce que tu as trop l'air complexée, avait diagnostiqué Yoshiko. Tu souris presque jamais, tu as toujours les doigts dans la bouche et tu courbes le dos comme si tu avais honte de mesurer six pieds.

Elle m'avait empoigné les épaules fermement pour les tirer vers l'arrière, avait redressé mon menton et poussé son index entre mes omoplates.

— Tiens, essaie donc ça pour voir!

J'arrivais à peine à respirer.

— Tu as vraiment de beaux cheveux, c'est ta couleur naturelle? m'a demandé Stéphanie en enroulant une de mes boucles autour de son doigt. Ils sont tellement blonds qu'ils sont presque blancs!

— Je sais. Quand j'étais petite, des fois je passais pour une albinos. Le soir, je priais pour me réveiller avec la peau basanée et les cheveux chocolat. Mais c'est peine perdue… le Bonhomme Carnaval bronze plus facilement que moi.

— Éternellement condamnées à vouloir ce qu'on n'a pas, a-t-elle soupiré en secouant la tête. On est drôles, nous, les femmes… Peu importe de quoi on a l'air, on n'est jamais contentes. Je pense que c'est une loi. On a beau recevoir cent compliments par jour, si on a le malheur d'avoir entendu une seule critique, c'est à ça qu'on pense en se couchant le soir.

Elle avait tellement raison. Le commentaire de Ludivine Martin m'avait résonné mille fois dans la tête, depuis ce matin de rentrée scolaire au séminaire Sainte-Clotilde.

C'était le premier jour de ma troisième secondaire et on nous avait permis de porter des jeans ce jour-là. À mon arrivée dans le vestiaire, Ludivine, adulée de tous depuis qu'elle avait décroché un rôle mineur dans un téléroman, m'avait scrutée des pieds à la tête, puis de la tête aux pieds.

— Eh bien ça alors, Clarence… je ne te croyais pas aussi ronde, m'avait-elle dit avec ce ton particulier des Français, à mi-chemin entre le dédain et la désinvolture.

Elle avait raison, j'avais pris du poids. Une hausse soudaine d'hormones, j'imagine. Cet été-là, mon corps s'était acharné à devenir celui d'une femme, avec tout ce que ça impliquait de dégoûtant, y compris, dans mon cas, une offensante couche de gras sur les flancs. J'arrivais à la dissimuler sous mon uniforme d'écolière et, pour une fois, j'étais heureuse de devoir porter le triste *jumper* gris foncé. En jeans, par contre, l'opération camouflage s'avérait plus ardue. J'avais encore les jambes longues et cagneuses d'un flamant rose, mais juste au-dessus de la ceinture, il y avait maintenant un bon débordement.

— Tu as la silhouette d'un cornet de glace! s'était écriée Ludivine en se tordant de rire.

— Non, d'un gros muffin! avait renchéri Véronique Tremblay, sa dévouée *groupie*.

En deux minutes et demie, la farce avait fait le tour de l'école. Mortifiée, j'étais allée pleurer dans les toilettes. J'y avais aussi jeté le contenu de ma boîte à lunch. C'était perdu d'avance : jusqu'à la fin du secondaire, même après l'indéniable succès de mes régimes, le surnom de Muffin m'était resté.

— J'ai une question pour toi, m'a dit Stéphanie en glissant son majeur sur le contour de sa coupe.

Elle allait poursuivre, quand un menton pointu s'est posé sur mon épaule droite et deux mains glacées ont enserré ma taille, sous mon t-shirt. J'ai sursauté et le reste de mon champagne s'est répandu sur mes jeans.

— Yoshiko, tu m'as fait peur!

— Je m'en vais chez lui, Clarence! a-t-elle piaillé en me serrant le bras trop fort.

Elle sautait pratiquement sur place.

— Il s'appelle Pierre-Luc, il étudie en génie et, en plus, tu ne me croiras pas... il embrasse comme un dieu!

— Et pourquoi je ne te croirais pas? ai-je répondu en m'épongeant les cuisses avec une serviette de papier.

— Ben voyons, c'est un fait connu que les ingénieurs ne savent ni s'habiller ni parler aux femmes... et qu'au lit, c'est difficile de trouver plus machinal! En tout cas, tout indique que j'ai peut-être rencontré l'exception qui confirme la règle. As-tu un double de tes clés, au cas où je me tannerais plus vite que prévu et que je veuille revenir avant toi?

— Non, j'ai juste une clé.

J'ai regardé l'horloge accrochée au-dessus du bar.

— De toute façon, il est déjà deux heures moins cinq. Si tu arrives après trois heures, je vais être rentrée. J'imagine que si tu l'as supporté jusqu'à maintenant, une heure de plus ne te tuera pas.

— Est-ce que j'ai mauvaise haleine ?

Elle m'a soufflé au visage. Une odeur distincte d'encre de stylo à bille m'a fait reculer. Elle sentait la *coke* à plein nez. Pas question de le lui dire : je ne voulais surtout pas que Stéphanie soupçonne que j'étais intoxiquée moi aussi.

— Je ne sens pas trop la *coke*, au moins ?

Stéphanie a décollé une de ses jolies fesses de son tabouret pour sortir de sa poche un paquet de Dentyne à la cannelle.

— Une gomme, peut-être ? a-t-elle offert. En passant, moi, c'est Stéphanie.

— Excusez-moi, j'aurais dû faire les présentations. Stéphanie, Yoshiko. Yoshiko, Stéphanie.

Avec un sourire forcé, Yoshiko a tendu la main. Ne réalisant pas que c'était pour saisir le paquet de gomme, Stéphanie lui a offert la sienne. Yoshiko l'a esquivée avant de s'emparer de la Dentyne. Son attitude me donnait mal au cœur.

— Bon, eh bien, moi je vous quitte… euh, Clarence… c'est encore dans ta poche de jeans ?

— Vas-y, fouille !

J'ai descendu du tabouret en roulant de l'œil. « Dépêche-toi de foutre le camp, je t'ai assez vue pour ce soir », ai-je pensé.

— Je t'en laisse un sachet plein.

— Fais donc ça.

Dès qu'elle a eu le dos tourné, j'ai présenté mes excuses à Stéphanie qui me regardait, le sourire en coin.

— Désolée pour son manque de manières... Yoshiko est en méga peine d'amour, je ne la reconnais plus, ai-je expliqué en me disant qu'au contraire, Yoshiko était plus elle-même que jamais.

— Ne t'en fais pas, ça en prend plus pour m'offenser. En plus, elle a répondu à la question que j'allais te poser !

Elle a bu la dernière gorgée de son verre.

— Je me demandais si tu ne me vendrais pas un peu de ce qu'il y a dans ton sachet. J'ai vu comme tu dansais, plus tôt... elle a l'air bonne !

Sainte Marie, mère de Dieu, soyez bénie. C'était ça, sa question ! Moi qui redoutais qu'elle me lance un « On va chez toi ou chez moi ? » ou une bombe du genre. J'ai éprouvé un bref soulagement avant que la déception ne s'immisce et prenne toute la place. De toute évidence, elle m'avait payé un *drink* seulement pour ça : parce qu'elle convoitait le contenu de ma poche. Elle avait dû nous entendre parler, Yoshiko et moi, dans la file des toilettes. C'était donc ça, son grand sourire, le verre de champagne, mes beaux cheveux. Juste pour une ligne.

— Suis-moi aux toilettes, je te vends la moitié de ce qu'il me reste. Ce n'est pas grand-chose, mais ça devrait faire l'affaire.

J'ai senti les larmes me tarauder les paupières. Ce n'était pas le moment de pleurer. J'ai essayé de penser à quelque chose d'heureux, mais je ne trouvais rien. Mon dragon est arrivé à la rescousse.

Voilà, j'allais vendre une partie de ma cocaïne et, avec l'argent, je me commanderais un festin. Yoshiko ne reviendrait sans doute pas avant demain. Pizza Donini faisait les livraisons toute la nuit et le dépanneur de la place d'Youville restait ouvert vingt-quatre heures sur vingt-quatre la fin de semaine. Super, j'arrêterais en rentrant chez moi pour un paquet de M&M, un sac de biscuits Oreo et l'obligatoire litre de crème glacée qui aiderait le tout à remonter en douceur. C'était navrant à avouer, mais l'anticipation d'un autre rendez-vous avec mon dragon à trois têtes me consolait. Au moins lui, il ne me laissait jamais tomber.

« Allez, dragon de mon ventre, ce soir on s'engourdit d'interdit, on s'emplit jusqu'à trop plein et on se vide jusqu'à plus rien. »

Il n'y avait plus de file devant la porte des toilettes. Nous sommes entrées dans la cabine du fond. Le DJ a mis Rod Stewart. Pour me donner une contenance pendant que j'évaluais la quantité de poudre dans mon sachet afin d'en déterminer le prix, je me suis mise à chantonner avec lui.

— *If you want my body and you think I'm sexy, come on sugar let me know…* Quarante dollars, ça te va ?

— Si tu ne veux pas te faire remarquer, va prendre ton manteau au vestiaire, je t'attends au pied de l'escalier. Je vais te demander de me suivre, Clarence. Tu es en état d'arrestation pour possession et vente de stupéfiants.

Chapitre 5

À travers la vitre teintée de la minuscule salle où on m'avait demandé de patienter après mon interrogatoire, j'ai vu mes parents entrer dans le hall d'accueil du poste. Dans un geste synchronisé, ils ont retiré leurs gants et leurs chapeaux de renard noir. Ma mère s'est tout de suite retournée vers mon père pour glisser sa main sur les mèches pleines d'électricité statique qui dansaient autour de son crâne dégarni. Lentement, ils se sont dirigés vers le comptoir de la réception.

Pétrifiée sur ma chaise en métal, je les ai regardés discuter avec le grand policier roux qui, un instant plus tôt, m'avait apporté le verre de café infect que je tenais serré contre mon ventre pour me réchauffer.

J'avais insisté pour que ce soit cet agent-là qui leur téléphone. J'aimais son sourire fatigué, le ton rassurant de sa voix et le fort accent gaspésien qui enrobait ses paroles d'une couche de chaleur supplémentaire. En déposant le combiné sur la table devant moi, il avait d'abord essayé de me convaincre de les appeler moi-même.

— Quand le téléphone sonne à quatre heures du matin, la dernière chose que tes parents veulent entendre au bout du fil, c'est la voix d'un policier. Si c'est toi qui leur parles, ça va les rassurer immédiatement.

C'est vrai que leur réveil aurait été moins brutal si j'avais eu le courage de composer leur numéro, mais dans l'état où je me trouvais, on m'aurait plus aisément persuadée de me faire hara-kiri. « Mon Dieu, dites-moi que c'est un cauchemar », ai-je supplié encore une fois. Depuis mon arrestation, je n'étais pas arrivée à réfléchir. J'avais beau essayer de me concentrer, mes pensées restaient fuyantes, elles ne voulaient ni s'assembler ni s'organiser pour m'aider à peaufiner l'histoire qu'il me faudrait leur raconter. L'effet de la cocaïne se faisait encore sentir dans la raideur de ma mâchoire et dans l'absence d'émotion. Je ne ressentais rien, ni panique ni remords, seulement une stupéfiante lassitude.

Un autre policier est venu vers eux et a serré la main de mon père. Papa semblait aussi imperturbable que d'habitude, il hochait la tête et lissait sa moustache pendant que l'agent leur expliquait les faits. Ma mère, de nature beaucoup plus nerveuse, tamponnait son petit nez pointu avec un mouchoir. Son beau visage, encore chiffonné par le pli des draps, s'appliquait à demeurer calme, mais je voyais bien qu'elle agrippait l'avant-bras de mon père comme si elle était sur le point de s'écrouler sur le sol. Avec ses cheveux dénoués et ses grands yeux tremblotants, elle m'a fait penser à sainte Blandine, la jeune martyre de la bible illustrée de ma grand-mère, regardant le ciel avant d'être livrée aux taureaux dans l'arène de Lyon.

Épuisée, j'ai enfoui ma tête au creux de mes bras, sur la table. J'aurais voulu m'endormir là et attendre que mon père me soulève comme quand j'étais petite et que je m'assoupissais devant la télé. Souvent, je faisais semblant de dormir sur le canapé, juste pour être transportée jusqu'à mon lit, blottie dans ses bras, à l'abri de tous les monstres cachés dans les recoins sombres de ma chambre. Là, ça ne marcherait pas. Le seul monstre ici, c'était moi.

Je me suis levée en sursaut au son de la porte qui s'ouvrait. Ma mère s'est avancée vers moi en premier. Sous la lumière des tubes fluorescents, j'ai remarqué qu'elle avait pris la peine de se maquiller. Le fond de teint s'était déjà agglutiné dans les sillons laissés par les draps sur ses joues. Sans me dire un mot, elle a pris mon visage entre ses mains et m'a regardée droit dans les yeux, que j'ai fermés, consciente que la taille de mes pupilles pouvait l'alarmer encore plus.

— Clarence! On était morts de peur! Qu'est-ce qui s'est passé, ma chouette?

J'ai détourné la tête. Devant mon silence, elle a pris mon bras et s'est mise à le secouer.

— Pourquoi ne pas l'avoir dit que tu avais des problèmes de drogue? Tu sais qu'on est là pour t'aider, Clarence!

Ses doigts glacés refermés sur mon poignet me faisaient mal. D'un geste brusque, j'ai retiré mon bras.

— Maman, je n'ai pas de problèmes de drogue, OK? Tout ça, c'est juste un gros malentendu, ce n'était même pas à moi le sac de poudre! ai-je plaidé, ma voix au bord de l'extinction.

— Ben voyons, Clarence, faudrait pas nous prendre pour des imbéciles quand même! a renchéri mon père en chuchotant le plus fort possible. Le policier vient de nous dire que tu vendais! C'est quoi cette histoire-là, on ne te donne pas assez d'argent?

Il me regardait, ses yeux sur le point de sortir de leurs orbites et de rouler sur le sol.

— Écoutez, je ne vends pas de drogue, est-ce que c'est clair? Je me suis fait avoir, ça finit là!

— Oh non, ma petite fille, là tu te trompes... parce que c'est loin de finir là, je t'en passe un papier! Tu vas nous expliquer comment un sac de cocaïne a pu se retrouver dans tes poches, et ton histoire a besoin de se tenir debout ! Tu pensais quand même pas que c'était du sucre en poudre, saint-ciboire ?

Je n'avais jamais vu mon père se contenir de la sorte et réussir à avoir l'air aussi furieux sans pourtant hausser la voix. Les policiers avaient reconnu leur futur député, il devait garder son sang-froid.

Au lieu de lui répondre, j'ai caché mon visage au creux de mes mains. J'aurais voulu trouver les bons mots pour tout leur expliquer, ou au moins éclater en sanglots pour leur montrer mes regrets, mais tout me restait pris dans la gorge : mes larmes, ma voix, les excuses que je leur devais.

— Tu n'as pas réfléchi deux minutes aux répercussions que ça pouvait avoir sur la carrière de ton père ? a murmuré ma mère, au bord des larmes. À six semaines des élections, tu penses que ça va l'aider que cette histoire-là soit à la une du *Soleil* demain matin ?

Non. Non ! J'ai eu un vif serrement d'estomac et je me suis appuyée sur le bord de la table pour m'asseoir. Non, je n'avais pas pensé à ça. Les journaux ! En une fraction de seconde, j'ai vu défiler Mathieu, Maryse, Sophie, ma grand-mère, mon patron, mes profs, même Philippe Blanc, tous en train de lire la une du *Soleil* en prenant leur café du dimanche : « Nuit d'enfer chez les Paradis ». Quelle idiote j'avais pu être !

— Papa, maman, sortez-moi d'ici au plus vite… Je vais tout vous raconter… mais là je pense que je vais…

Trop tard. La bile grisâtre est sortie en un jet puissant, s'est répandue sur la petite table et a éclaboussé la manche du manteau de fourrure de ma mère. En titubant, je suis allée m'appuyer le dos contre le mur du fond et je me suis laissée glisser par terre. J'ai serré mes cuisses contre ma poitrine et posé mon front sur mes genoux.

— S'il vous plaît, on aurait besoin de papier essuie-tout ici, monsieur l'agent, ma fille vient d'être malade, a demandé mon père d'une voix mesurée, en entrebâillant la porte.

Je l'ai senti marcher vers moi à pas prudents et s'asseoir contre le mur, à mes côtés.

— Clarence… Clarence, regarde-moi.

J'ai tourné ma tête vers lui et j'ai entrouvert les yeux. Ma gorge brûlait, j'avais du mal à avaler.

— On va partir d'ici, on va passer chercher tes affaires à ton appartement, puis on s'en retourne à la maison. Je m'attends à ce que tu nous aies raconté ta version des faits avant qu'on arrive. On se comprend?

J'ai acquiescé. Il s'est levé et m'a tendu la main pour m'aider à faire de même. J'avais chaud et j'étais étourdie. Un drôle de halo brillant en périphérie de ma vision m'a laissée croire que j'étais sur le point de m'évanouir.

— Papa, pourrais-tu continuer à me tenir le bras? On dirait que je vais perdre connaissance.

En prononçant ces mots, mes jambes ont flanché et j'ai dû m'appuyer contre le mur pour ne pas tomber. L'effet de deux semaines de jeûne, d'alcool et de cocaïne prenait finalement le dessus.

Mon père a passé un bras sous les miens, puis l'autre derrière mes genoux. Dans un mouvement fluide, il m'a soulevée et je me suis retrouvée pelotonnée contre son gros manteau Kanuk rouge. Ça sentait sa crème après-rasage et le petit bois sec qu'il coupait chaque jour pour le feu de foyer.

— Tu pèses une plume, ma grande, on dirait que j'ai une enfant dans les bras.

— On se fait du souci pour toi, Clarence, on ne te reconnaît plus! a ajouté ma mère d'une voix presque inaudible.

J'ai enfin senti les larmes se frayer un chemin. Je n'en avais pas versé une depuis que Mathieu était parti avec

Maryse, au mois d'août. Avant, je pleurais à m'en décrocher les cils quand Oprah invitait à son émission le chien qui avait sauvé une fillette de la noyade, ou interviewait les parents de jumeaux siamois juste avant leur opération. Je pleurais pour un chat abandonné, pour les enfants estropiés d'Haïti et les noyés d'un tsunami, mais jamais sur mon propre sort, sur mon ridicule mal de vivre.

J'ai couvert mon visage de mon avant-bras et je me suis mise à sangloter. L'étreinte de mon père s'est resserrée.

— Solange, ouvre-moi donc la porte s'il te plaît, puis prends mon portefeuille dans la poche de mon manteau. Celle de gauche. Demande donc au policier s'il y a une caution à payer. Clarence, où est-ce qu'ils ont mis ton manteau?

— Je m'en occupe, Marcel, a répondu ma mère. Il y a un fauteuil dans l'entrée, dépose-la dessus, puis va réchauffer l'auto.

Mon père m'a assise comme une poupée de chiffon sur le fauteuil inconfortable. Je pleurais comme une fontaine, avec de gros hoquets qui soulevaient mes épaules.

— Ça va s'arranger, Clarence, tu vas voir, on va t'aider, m'a-t-il dit en m'embrassant sur la tête. Ne bouge pas, je reviens.

Pour la première fois, je n'ai pas senti le rempart de résistance se dresser autour de moi. Oui, j'avais besoin qu'on m'aide, qu'on me soigne, qu'on me dise enfin quoi faire pour que ma vie ressemble à une vie.

Pendant que les larmes ruisselaient sur mon visage, les pensées se bousculaient dans ma tête: mes examens dans dix jours, Yoshiko qui n'avait pas de clé pour entrer chez moi, mes parents qui verraient l'attirail de *junkie* laissé sur la table du salon avant de partir.

Ma mère s'est agenouillée devant moi et elle a tiré les lacets de mes bottes, que je n'avais pas eu le temps de nouer en sortant de Chez Maurice.

— Tu serres trop fort, maman.

— Excuse-moi, ma chouette, c'est mes nerfs.

Elle s'est levée, a passé mes bras dans les manches de mon manteau. Je me suis laissé faire comme si j'avais quatre ans.

— Veux-tu un mouchoir ?

J'ai hoché la tête pour acquiescer. Elle a fouillé dans son sac à main, en a sorti un mouchoir et un paquet de Life Savers.

— Prendrais-tu un bonbon ?

— OK, un rouge, s'il te plaît.

Elle a déposé le bonbon sur ma langue. L'intense saveur de cerises m'a fait sourire à travers mes larmes.

Ma mère s'est assise sur le bras du fauteuil, a posé sa main sur la mienne.

— Ça fait du bien de te voir sourire, ma chouette. Ça doit être pour ça que ça s'appelle Life Savers, hein ? Tiens, prends tout le paquet.

Nous sommes restées assises en silence une ou deux minutes, les mains jointes, jusqu'à ce qu'une bourrasque de vent glacé entre dans le poste en même temps que mon père, ses lunettes embuées et ses cheveux gris en bataille.

— L'auto est en avant. Clarence, veux-tu que je te prenne dans mes bras jusqu'à l'auto ?

— Non, ça va aller, papa. Maman m'a donné un Life Saver.

Mon père m'a accompagnée au comptoir de la réception où je devais signer le formulaire de citation à comparaître. J'ai remercié le policier pour sa gentillesse et nous sommes sortis tous les trois. Avec ma mère d'un côté et mon père de l'autre, j'ai lentement descendu les quatre marches de l'escalier. La Jeep noire, couverte de *slush* et de calcium, ronronnait au bord du trottoir.

— Veux-tu t'asseoir en avant, ma chouette ? Tu as mal au cœur, ce serait peut-être mieux ?

— Non, maman, j'aime mieux être à l'arrière.

J'ai grimacé en ouvrant la portière. Leur auto sentait le chien mouillé.

— Voudrais-tu que je m'assoie avec toi ?

— Non, non, ça va.

Si je devais leur relater la suite des événements qui avaient mené à mon arrestation, je préférais mettre un peu de distance entre eux et moi. J'avais envie de me rouler en boule, de me cacher le visage dans mon capuchon et d'attendre leurs questions. J'ai évalué le suède beige de la banquette arrière, couvert de poils et de cernes de bave de saint-bernard. Non, pas question que je me couche là-dessus.

Tiens, je pouvais prétendre être au confessionnal. J'y étais allée une seule fois dans ma vie, avec Mamie Rose. J'avais inventé la moitié de mes péchés pour me rendre intéressante et j'avais été impressionnée par la facilité déconcertante avec laquelle Dieu pardonnait.

« Jésus, si tu aides mon père à être aussi *cool* que le tien, je donne tout mon pourboire de la semaine au sans-abri et à son chien », ai-je prié en me mouchant.

Malheureusement, quand mes parents se sont tournés vers moi pour me faire comprendre que l'heure de la confession avait sonné, j'ai tout de suite senti que l'agneau de Dieu qui enlève le péché du monde ne me servirait pas à grand-chose.

Il n'y avait qu'une dizaine de kilomètres à faire avant d'arriver chez moi. Valait mieux leur expliquer la situation avant qu'ils voient l'état de mon appartement et tirent leurs propres conclusions.

J'ai inspiré profondément en me tortillant sur mon siège. L'anxiété mordillait ma colonne vertébrale comme un chiot qui grignote un os.

— J'héberge une amie depuis une semaine. Enfin, ce n'est pas vraiment une amie, c'est une fille qui travaille avec moi au bar Le Saint-Laurent. En fait, elle a déjà démissionné, mais…

— Ralentis un peu, je ne te suis pas très bien, m'a indiqué mon père.

J'ai vu ses sourcils se froncer dans le rétroviseur.

J'ai donc tout raconté à partir du début, prenant bien soin d'insister sur le fait que Yoshiko étudiait en médecine, vivait avec un traumatologue de l'Hôtel-Dieu et qu'ils étaient tous les deux cocaïnomanes. Voilà, il fallait qu'ils comprennent que je ne m'étais pas retrouvée dans « l'enfer de la drogue » à cause de mes fréquentations crapuleuses. Non, dans mon cas, à peu de chose près, il s'agissait d'une prescription médicale. Un remontant pour m'aider à étudier toute la nuit.

J'ai poursuivi en racontant la rupture de Yoshiko, sa peine d'amour épouvantable, braquant autant que possible les projecteurs sur elle et tentant de me fondre dans le décor comme une simple figurante empêtrée malgré elle dans l'histoire de quelqu'un d'autre. Il ne fallait surtout pas oublier de souligner que Yoshiko était Montréalaise. Mon père l'aurait nié, mais je détectais depuis longtemps son dédain chauviniste pour tout ce qui sortait de la métropole.

— C'est une fille de ton âge, Yoshiko ?

— Non, non, elle est pas mal plus vieille que moi. Vingt-cinq ans, je pense.

En vérité, elle venait tout juste de fêter son vingt-troisième anniversaire, mais comparé à mes dix-neuf ans, vingt-cinq semblait le minimum requis pour que s'insinue, dans l'esprit de mes parents, la possibilité que leur naïve fille ait été la proie d'une mauvaise influence. C'est ça, il fallait avoir l'air d'une victime.

— C'est possible qu'elle soit chez moi en train de m'attendre. Vous ne faites pas de scène si vous la rencontrez, s'il vous plaît? Elle est partie de Chez Maurice avec un gars, mais elle n'était pas certaine de revenir cette nuit ou demain matin.

Droguée, fille facile... allez, donnons-lui tous les défauts.

— C'était à elle, la *coke*... C'est elle qui aurait dû passer la nuit au poste, pas moi!

— Peux-tu m'expliquer pourquoi tu la vendais à l'agent double, si elle ne t'appartenait pas? a poursuivi mon père, qui n'avait pas l'air impressionné par mon plaidoyer.

— Écoutez, je ne vous dis pas que je n'en ai jamais pris. Je voulais savoir c'était quoi. Yoshiko m'en a laissé un peu quand elle est partie avec sa nouvelle conquête, mais quand Stéphanie m'a demandé si je pouvais lui en vendre, je me suis dit: «Pourquoi pas?» Je n'ai jamais eu l'intention de devenir une *junkie*... je n'ai même pas aimé l'effet, je le jure sur la tête de Mamie Rose!

Là, ils n'auraient pas d'autre choix que de me croire. Ils savaient que ce n'était pas à la légère que j'usais de la tête de ma précieuse grand-mère.

— C'est pour ça que j'ai préféré me débarrasser de ce qui me restait plutôt que de me le mettre dans le nez. Quand ils m'ont fouillée au poste, ils ont bien vu que je n'étais pas *pusher*. Je n'ai pas pu faire autrement que de donner le nom de celui qui me l'avait vendue. Et veux-tu savoir c'est qui le *pusher*, papa? C'est ton photographe de campagne électorale!

Mon cœur battait furieusement, je le sentais dans ma gorge et au bout de mes doigts. Mon explication me paraissait logique, j'avais peut-être encore une chance de m'en sortir indemne et de garder mon appartement.

C'est tout ce que je demandais au ciel. Oh, et que l'histoire ne soit jamais publiée, si possible.

— Eh bien. On aura tout vu, a marmonné mon père.

La voiture s'est engagée dans la rue Sainte-Ursule. Il fallait trouver une solution pour Yoshiko : tout son bagage était éparpillé chez moi et elle prenait le train de midi pour Montréal. Je pouvais peut-être cacher une clé quelque part dehors et lui laisser un message sur son cellulaire. J'avais envie de lui raconter que moi aussi, j'avais passé la nuit avec quelqu'un. Valait mieux faire une histoire courte avec tout ça et éviter de la mettre au courant de la tournure des événements. À quoi bon... Je ne m'attendais pas à beaucoup de sympathie de sa part. Elle allait empirer les choses avec ses commentaires stupides, me dire que je l'avais cherché ou un autre réconfort du genre. Puis s'allumer une cigarette en me demandant si elle avait du rouge à lèvres sur les dents.

Mon père a garé l'auto. Sans un mot, nous avons gravi les marches de l'escalier extérieur. Le jour se levait et le ciel avait une jolie couleur, comme celle du tabac.

— Il faut que je vous avertisse, c'est un peu le bordel. En plus, Yoshiko fume deux paquets par jour depuis une semaine. Vous allez avoir l'impression de mettre les pieds dans un cendrier.

J'ai senti mon cœur tressaillir en insérant la clé dans la première serrure. Bon, les pentures avaient encore gelé. Mon père a donné un solide coup d'épaule dans la porte et elle s'est ouverte avec un long grincement. En frottant mes bottes sur le paillasson, j'ai pris mon courage et j'ai dit à toute vitesse, pour être certaine de me rendre jusqu'au bout :

— Préparez-vous à avoir un choc en entrant, OK ? Je ne suis pas sûre, mais il me semble que Yoshiko a laissé son *kit* de drogue sur la table à café.

— À propos de café, en aurais-tu ? m'a demandé ma mère d'une voix lasse, comme si elle n'avait pas entendu ce que je venais de lui dire.

— Oui, j'ai un sac d'espresso dans le congélateur, mais je pense qu'il ne me reste plus de lait.

Comme si j'avais l'habitude d'avoir du lait dans mon frigo. Je n'avais plus de café frais depuis une semaine, ce qui était impensable en temps ordinaire, mais comme Yoshiko m'avait fourni un stimulant encore plus puissant que ma bien-aimée caféine, j'avais pu survivre six jours sans elle. L'espresso du congélateur devait être éventé, je l'avais acheté pour Philippe Blanc, et ça faisait presque trois mois qu'il était passé chez moi.

J'ai fini par ouvrir la porte de mon appartement. L'odeur était répugnante. Corneille est sortie du panier à lessive et s'est précipitée entre mes jambes en poussant ses petits ronronnements de bienvenue. Je l'ai soulevée et j'ai posé un baiser sonore entre ses deux yeux jaunes encore endormis.

— Allô, mon amour ! Maman s'est ennuyée de son gros poussin noir ! Maman va préparer un petit déjeuner spécial à sa grosse fi-fille.

Ça me soulageait de lui parler. Au moins, j'avais Corneille pour m'assurer un minimum d'amour inconditionnel dans ces moments difficiles. C'est quand même merveilleux pour ça, un chat.

J'ai retiré mes bottes et je me suis ruée dans le salon pendant que mes parents enlevaient leurs manteaux. D'un grand mouvement de bras, j'ai ramassé toutes les pièces à conviction et je les ai jetées dans un contenant de polystyrène encore à moitié rempli de la poutine gélatineuse commandée par Yoshiko deux jours plus tôt. L'odeur des mégots mélangée à celle de la sauce figée m'a fait grimacer. J'ai refermé le contenant en le tenant à bout de bras.

J'ai jeté dans un sac à ordures tous les mouchoirs, les magazines à potins, les canettes de boisson gazeuse et les sachets de thé que Yoshiko avait éparpillés un peu partout. J'ai ouvert une boîte de thon pour Corneille, qui miaulait comme si elle n'avait pas mangé depuis des semaines, et j'ai vaporisé un parfum au gardénia dans l'appartement.

Mes parents étaient assis sur mon lit et discutaient à voix basse. Ils semblaient si petits, si fragiles. Déjà, au début de notre adolescence, mon frère et moi les dépassions tous les deux de plusieurs centimètres. Ma mère se targuait de notre grande taille en la mettant sur le compte des aliments bio dont elle avait toujours garni nos assiettes.

— Papa, maman… euh… on fait quoi, là?

J'avais posé la question sur un ton que je voulais à mi-chemin entre la crainte et l'humilité. J'arrivais à peine à me tenir droite devant eux, la honte s'étant décidée à m'enfoncer son poing dans l'estomac.

Ils ne méritaient pas la nuit qu'ils étaient en train de passer. Ils avaient été de bons parents, trop bons, si ça se trouvait. J'ai pensé aux dizaines de livres rangés dans leur bibliothèque: *Bien communiquer avec son enfant, Interprétez les dessins de vos enfants, Aimer sans tout permettre, Vos enfants ont des droits…* Ce n'est pas la bonne volonté qui manquait.

— Fais tes bagages, on s'en va à la maison, a dit ma mère en se massant les tempes. Amène tout ce qu'il te faut pour la semaine: tes livres d'école, tes vêtements de travail… Ah, et prends ta carte d'assurance maladie aussi.

— Pourquoi? ai-je dit, le cœur lourd.

Mon père s'est levé.

— Je vais appeler le docteur Cousineau ce matin. Il va sûrement accepter de te recevoir lundi. Tu as besoin d'aide, Clarence. De l'aide professionnelle ! On ne te laissera pas dépérir comme ça sans rien dire. Tu es notre seule fille, Clarence… tu ne peux même pas t'imaginer à quel point on t'aime ! Tu ne peux même pas…

Un trémolo a étranglé sa voix. Ma mère est venue à côté de lui et papa a serré son bras autour d'elle.

— Il est temps de regarder les choses en face : tu vas mal depuis cinq ans ! C'est toute ta jeunesse qui y passe, pis tu es peut-être trop jeune pour t'en rendre compte… tu es censée être en train de vivre les plus belles années de ta vie ! Tu n'auras pas vingt ans une deuxième fois, ma grande… Je sais que ton problème est complexe, ta mère et moi ça fait des mois qu'on lit tout ce qui s'écrit sur le sujet. C'est compliqué, mais ça se soigne. Imagine si ça continuait encore cinq ans… dix ans au régime, c'est long ! Au bout du compte, ce n'est pas dix livres que tu auras réussi à perdre, saint-ciboire, c'est dix ans !

Estomaquée, je n'arrivais ni à protester ni à lui donner raison. Il avait l'air tellement convaincu, j'aurais juré qu'il avait répété cette discussion et attendu l'instant propice, celui où je toucherais le fond, pour m'acculer au pied du mur avec un plan de guérison.

Je me doutais bien de ce que mes parents avaient en tête. Me faire admettre dans une clinique de troubles alimentaires me semblait pourtant extrême. Il me faudrait interrompre mes études, quitter mon emploi… J'aurais voulu une chance de m'en sortir toute seule. Une dernière.

— Ouch ! Merde !

Je m'étais déchiqueté un bout d'ongle un peu trop grand et mon auriculaire saignait.

—Je vais préparer mes bagages. Je fais quoi avec Corneille ?

Elle venait de sauter sur le lit et avait entrepris de donner un vigoureux massage au manteau de fourrure de ma mère.

— Je ne pense pas qu'elle me trouverait drôle si je l'amenais passer des vacances au royaume du saint-bernard.

— Ta voisine, comment elle s'appelle déjà... Sylvie ? m'a demandé ma mère.

— Sophie. Elle va sûrement vouloir s'en occuper, mais là, il est cinq heures et demie du matin... je n'irai pas frapper à sa porte avec ma poche de Cat Chow ! De toute façon, Corneille aime mieux rester ici, hein mon gros poussin ?

Je l'ai soulevée du lit pour la serrer contre moi.

— Tu pourrais laisser ta clé à Sophie sous sa porte, avec un petit mot pour lui demander de venir la nourrir, peut-être ? a suggéré mon père.

— Ouais, c'est une idée. Maman, voudrais-tu que je te fasse un café ?

— Si tu n'as pas de lait, laisse faire... As-tu des aspirines ? Je vais m'étendre un peu sur ton lit, si ça ne te dérange pas... J'ai l'impression que mon crâne va exploser.

— Je t'apporte ça.

J'ai rempli un verre d'eau et j'ai cherché le flacon d'aspirine dans mon sac d'école. J'ai pris un calepin et un crayon, les ai posés sur la table et je suis retournée vers mon lit. Ma mère semblait dormir. Mon père caressait ses boucles blondes.

— Elle s'est endormie ? ai-je chuchoté en déposant le verre d'eau sur la table de nuit.

— Non, je ne dors pas, a répondu ma mère d'une voix agonisante, sans ouvrir les yeux.

— Pauvre petite maman, je suis désolée, c'est à cause du stress que je t'ai causé cette nuit, c'est certain.

— Oh, tu sais, une migraine ça n'attend pas d'avoir une raison...

Elle ne voulait surtout pas que je me sente coupable. La culpabilité, c'était son domaine. Elle se croyait responsable de mes problèmes. C'est Mamie Rose qui me l'avait dit, en me faisant promettre de ne jamais trahir cette confidence.

— Je sais que c'est ma faute, lui avait avoué ma mère en pleurant. J'ai fait des régimes, moi aussi. Je me suis énervée devant Clarence quand j'essayais des maillots de bain... Je me suis pincé l'estomac et les cuisses jusqu'à me laisser des bleus parce que je n'entrais plus dans mes jeans !

Ses maudits jeans Jordache. Quel cruel instrument de torture ! Elle avait toujours refusé de les mettre à la poubelle, même s'ils étaient démodés depuis 1987. Des jeans tellement serrés, on aurait dit qu'ils avaient été peints sur sa peau. Tant qu'elle réussissait à rentrer dedans, même si elle devait retenir son souffle et se servir d'une fourchette pour remonter la fermeture éclair, ma mère s'accordait le droit de manger. Ce n'est que cinq ans plus tôt, en constatant le bourgeonnement des mêmes angoisses chez sa fille, qu'elle avait retiré le mot « régime » de son vocabulaire.

J'avais beau essayer, je n'arrivais jamais à lui en vouloir. J'avais vu un psychologue à dix-sept ans et ses sempiternels « Parle-moi de ta mère » m'avaient fait déguerpir en claquant la porte au milieu de la quatrième séance. Non, elle n'y était pour rien. Enfin, pas pour tout. Nous étions victimes de la même dictature et, si la tendance se poursuivait, l'industrie des diètes miracles n'avait pas fini de prospérer.

Dans la cuisine, j'ai écrit une note à Sophie.

Ma belle Sophie, j'espère que ton week-end se passe bien. Le mien a pris un drôle de tournant... Je te raconterai, mais ne t'inquiète pas pour moi. Je dois partir pour au moins une semaine. Voudrais-tu aller nourrir Corneille pendant mon absence ? La bouffe et la litière sont à la même place que d'habitude. Si tu pouvais lui donner un petit coup de brosse une fois ou deux, ce serait génial parce qu'au printemps elle a tendance à faire des nœuds. Aussi, une de mes amies, Yoshiko, va venir chercher ses affaires chez moi aujourd'hui. Comme je ne serai pas là, je lui ai dit qu'elle pouvait sonner chez toi pour que tu lui ouvres ma porte. Merci mille fois, Sophie ! Je te donne des nouvelles bientôt, Clarence.

J'ai dessiné un gros bonhomme sourire, j'ai collé ma clé sur la note et j'ai composé le numéro de cellulaire de Yoshiko. Son téléphone était fermé. Je lui ai laissé un message d'excuses : à cause d'une heureuse rencontre de fin de soirée, je ne pourrais pas l'accompagner à la gare, mais je l'appellerais à Montréal au cours de la semaine.

Le cœur dans l'eau, j'ai fait mon bagage en fourrant un peu n'importe quoi dans un grand sac de plastique. Je n'avais pas de valise. Je m'étais toujours dit qu'avant mon départ autour du monde, je m'achèterais celle de mes rêves : antique, en cuir rigide avec une jolie fermeture en métal et des coins cuivrés, comme un livre précieux. Dans chaque pays visité, je dénicherais des étiquettes rétro à coller sur le cuir.

— Je suis prête, je pense.

— Tu as tout ce qu'il te faut ? Ton sac d'école, ta carte d'assurance maladie ? m'a demandé ma mère en levant sa tête de l'oreiller.

— Oui.

J'ai senti une grosse larme rouler sur ma joue, puis une autre. J'ai enfilé mon manteau et je me suis penchée pour remettre mes bottes. En sentant la main de mon père me caresser les cheveux, je n'ai pu retenir un sanglot.

— Tout va bien aller, ma grande. Un jour tu vas repenser à tout ça et tu vas comprendre.

— Comprendre quoi? ai-je répondu en reniflant.

J'aurais pu m'accrocher au lustre du salon tellement je ne voulais pas partir.

— Que des fois, quand des choses difficiles nous arrivent, elles sont trop près de nous pour qu'on puisse les voir dans leur ensemble. Souvent, on a besoin du regard des autres. Moi, quand je te regarde, je vois la prison qui t'entoure. C'est une prison que tu t'es construite toute seule et, même si je donnerais tout pour la démolir à ta place, Clarence, il n'y a que toi qui peux le faire. Il va falloir que tu détruises le mur pierre par pierre, même si elles sont lourdes et que ça prend du temps.

Il m'a serrée dans ses bras, m'a regardée dans les yeux avant de poursuivre.

— Ce que j'aimerais aujourd'hui, c'est réussir à enlever au moins un tout petit caillou dans ce mur-là, juste pour laisser passer un rayon de lumière et te donner le goût d'en vouloir plus. La vie a de beaux projets pour toi, ma grande, je l'ai toujours su. L'important, c'est que tu y croies, toi aussi.

Je pleurais tellement que je n'arrivais plus à parler.

Chapitre 6

Le docteur Cousineau avait collé des bandes dessinées et des cartes postales au plafond de sa salle d'examen. Allongée sur la table, la bouche pincée et les fesses serrées, je tâchais de concentrer mon attention sur Snoopy et Charlie Brown pendant qu'il pétrissait mon abdomen comme si c'était de la pâte à pain.

— Est-ce que ça fait mal quand j'appuie ici ? m'a-t-il demandé de sa voix traînante, en palpant ce que j'ai supposé être mon foie.

— Non, ça va, ai-je murmuré en retenant mon souffle. J'avais peur de pouffer de rire. Ou, encore pire, d'avoir des gaz. L'horreur.

— Et là… toujours pas de douleur ?

— Toujours pas, non.

— Selon ton dossier médical, ton dernier examen gynécologique remonte à plus de trois ans. Tout va bien de ce côté-là aussi ?

Il s'est levé pour aller fouiller dans un tiroir.

— Oui. Je pense.

La vérité, c'est que je n'avais pas eu mes règles depuis trois mois. L'absence d'un cycle menstruel était l'une des premières conséquences des régimes extrêmes, c'était bien connu, mais dans mon cas, ça avait été un cadeau du ciel. Mes migraines avaient cessé, je n'avais plus besoin de manquer deux journées de cours tous les mois et mes attaques aiguës de «chocolatite» étaient en baisse. Il y avait des tas d'athlètes olympiques qui n'avaient plus leurs règles à cause de leur entraînement intense et personne ne leur demandait d'engraisser pour qu'elles recommencent. Même sans espoir de médaille d'or, je ne voyais pas d'objection à m'accorder le même passe-droit.

Le docteur Cousineau est revenu avec un spéculum et trois longs cotons-tiges. La dernière fois que j'étais venue ici, c'était avec Mathieu pour me faire prescrire la pilule. J'avais cessé de la prendre au bout d'une semaine, terrorisée par le risque de prendre du poids.

— À quand remontent tes dernières règles?

J'ai levé les yeux pour faire semblant de compter les jours.

— Les pieds dans les étriers, s'il te plaît, Clarence. Approche tes fesses jusqu'au bord de la table. Encore un peu. Voilà, c'est parfait.

— Je ne m'en souviens plus, ai-je menti.

C'était avant Noël.

— Un cycle assez régulier?

— Plus ou moins, oui.

Ça a gratouillé, j'ai serré les dents.

— C'est terminé, tu peux te rhabiller.

Il a toussoté, s'est levé, a ouvert une armoire et m'a tendu un contenant de plastique.

— L'infirmière va te faire une prise de sang. J'aimerais aussi que tu passes un test d'urine. Les toilettes sont au fond du couloir.

Derrière un paravent de toile blanche, j'ai enfilé mes sous-vêtements, mes jeans et mon t-shirt. Il m'avait pesée dès mon arrivée, l'imbécile. Avec tous mes vêtements... même mes bottes! Au moins, il ne m'avait pas fait de sermon sur mon poids. Il s'était contenté de me donner le nom d'une nutritionniste, d'une psychologue spécialisée en troubles alimentaires et d'une travailleuse sociale qui animait un groupe de soutien pour les anorexiques-boulimiques. Il avait précisé qu'il s'occupait seulement de l'aspect physiologique de la maladie : les résultats des prélèvements sanguins lui indiqueraient mes carences en vitamines et en minéraux, et il me prescrirait un remède en conséquence. Le reste du chemin, c'était à moi de le faire.

La balance du docteur Cousineau avait indiqué deux kilos supplémentaires, mais je ne savais pas si c'était à cause de mes vêtements ou si j'avais vraiment pris du poids depuis samedi. Il n'y avait aucune balance chez mes parents depuis que mon père avait détruit la dernière à la hache, dans le garage, quand j'avais quinze ans. C'était un pèse-personne parlant et très sophistiqué que ma mère avait commandé de Suisse. On le programmait à un nombre idéal et, au lieu d'afficher notre poids, il nous annonçait, avec une voix de répondeur téléphonique :

— Attention ! Vous. Avez. Pris. Deux. Kilos.

Ou encore, les mots magiques du petit matin :

— Bravo ! Vous. Avez. Perdu. Un. Demi. Kilo.

Ma mère et moi en étions complètement dépendantes.

— Tant que je serai ici, cette cochonnerie-là ne rentrera plus dans la maison, avait menacé mon père en jetant la carcasse dans la poubelle.

Mon séjour forcé à Sainte-Foy se passait mal. J'avais été obligée de manger, même si toutes les astuces imaginables s'étaient succédé pour esquiver la nourriture : pousser les aliments dans mon assiette pendant le repas, les mettre en bouillie, en cacher des bouts dans ma serviette de table en m'essuyant la bouche. Les chiens avaient été mes plus précieux alliés pendant la première journée, mais le lendemain, Sardine était sortie de sous la nappe en se léchant les babines, ses grands yeux de velours me suppliant de poursuivre mes généreuses offrandes. Ma mère, qui connaît ses chiens mieux que ses enfants, a vite compris le stratagème et les deux saint-bernards étaient désormais confinés au sous-sol à l'heure des repas.

Dans la salle de toilettes, en essayant de faire pipi dans le pot sans m'asperger les doigts, j'ai pensé aux cours qui recommençaient dans moins de vingt-quatre heures. Les événements de la fin de semaine m'avaient catapultée à des lieues de mon quotidien et je m'imaginais mal arriver comme si de rien n'était au pavillon De Koninck le lendemain matin, pour mon cours de paléogéographie du quaternaire. Trois heures de pur supplice. Depuis samedi, la recherche d'une excuse pour abandonner mes cours était devenue une occupation à temps plein.

— Une année sabbatique mon œil, avait dit mon père quand j'avais osé effleurer le sujet de mes incertitudes scolaires. Un an de perfectionnement pour les flancs mous, si vous voulez mon avis ! Moi, dans mon temps…

Après m'être assurée qu'il était bien fermé, j'ai mis mon pot de pipi dans mon sac à main et je suis allée me rasseoir dans la salle d'attente. Sur la chaise devant moi, un vieil homme dormait, la tête dodelinant sous sa casquette en tweed gris. En équilibre sur ses genoux, *Le Soleil* était ouvert à la section des sports. J'avais eu de la chance, mon histoire n'était pas sortie dans les médias. Depuis vendredi, il y avait eu une fusillade en Virginie et la disparition d'une fillette de cinq ans à Trois-Rivières. Les journalistes étaient trop occupés pour s'intéresser à mon histoire.

— Clarence Paradis ! a appelé une voix nasillarde.

Le journal a glissé sur le tapis et l'homme s'est réveillé en sursaut.

L'infirmière avait un visage tendu, comme si elle venait de croquer dans un citron. Pendant qu'elle serrait le garrot autour de mon bras droit, j'ai retenu mon souffle pour éviter son haleine de vieux filtre à café. Quand je l'ai sentie tapoter l'intérieur de mon coude à la recherche d'une bonne veine, j'ai fermé les yeux et récité des comptines dans ma tête pour éviter la panique. *J'ai deux yeux, tant mieux, deux oreilles...* L'aiguille a transpercé ma peau et une goutte de sueur est descendue le long de ma colonne vertébrale.

— C'est fini ! Tu as un pot de pipi à me donner ?

Elle a étiqueté la dernière éprouvette, a collé une boule d'ouate sur mon bras.

— Oui, je l'ai juste ici. Je peux partir, maintenant ?

— Pas tout de suite. Le docteur Cousineau veut jeter un coup d'œil à ton prélèvement urinaire. Il va venir te voir dans quelques minutes. Voudrais-tu un magazine ?

— Non, ça va, merci.

Je me demandais ce qu'il me voulait encore, lui. Il ne pouvait quand même pas analyser mes cellules à l'œil nu. Si mon urine était pleine de cocaïne, j'aurais peut-être droit à un sermon antidrogue. Le docteur Cousineau était un vieil ami de la famille. Mes parents avaient dû lui demander de me tirer les vers du nez, puisqu'ils ne semblaient pas me croire quand je leur jurais n'avoir aucun problème de consommation. En cliquant sur l'historique de l'ordinateur de mon père, j'avais vu une longue liste de sites consacrés aux centres de désintoxication et aux cliniques spécialisées en troubles alimentaires. Ça n'augurait rien de bon.

Le docteur Cousineau est entré. Il a refermé la porte derrière lui, s'est appuyé contre elle, les mains dans les poches de son sarrau. Ses sourcils étaient froncés, sa bouche pincée. Tout de suite, j'ai pensé au pire : j'avais le cancer du cerveau.

— Tu es enceinte, Clarence.

Quand la planète a recommencé à tourner, quelques secondes plus tard, elle s'est mise en mode grand V. Je me sentais dans ce manège de La Ronde, où j'avais eu le malheur d'aller quand j'étais petite. Ça tourbillonnait comme une centrifugeuse et tout le monde se retrouvait plaqué contre le mur.

— Viens, on va aller s'asseoir.

Je l'ai suivi. Ça bourdonnait dans mes oreilles. En marchant derrière lui, j'ai fixé une tache jaune, au dos de son sarrau, pour ne pas perdre l'équilibre.

J'avais un bébé dans mon ventre. Un humain de rien du tout avait réussi à naître en milieu hostile et à survivre en plein cœur de la zone de guerre. Il s'était accroché, malgré les vapeurs toxiques et l'absence de ravitaillement. Enceinte. Moi.

Dans le bureau, je suis retournée m'allonger sur la table d'examen pour calmer mes vertiges. Les jambes croisées, les deux mains sur mon ventre, j'ai contemplé Snoopy qui se tordait de rire sur le toit de sa niche.

— Je ne peux pas le garder.

J'aurais voulu crier : « Sortez-le de moi tout de suite, je vous en supplie, docteur ! »

— On peut parler de tes options, Clarence. Ce serait peut-être plus sage d'y penser pendant quelques jours et d'en discuter avec le père.

— Non ! Il ne faut pas que mes parents soient au courant, hein, docteur ? Je sais que vous êtes ami avec mon père, mais…

La panique faisait des gammes avec ma voix. Je sonnais comme un violon désaccordé.

— Le secret professionnel s'applique à tous mes patients, s'est-il empressé de répondre. Tu es majeure, c'est ta décision.

— Dans combien de temps je peux avoir un avortement ?

Juste prononcer « avortement » me donnait mal au cœur. Quel mot sanguinaire. J'imaginais des seringues avec des aiguilles de quinze centimètres, des spéculums géants et des tuyaux d'aspirateur qui me vidaient l'intérieur.

En trois jours, ma vie avait pris un tournant épouvantable. J'avais dû me tromper de sortie. La route de campagne que je voulais emprunter s'était transformée en piste de formule 1.

— Il va falloir que tu passes une échographie pour évaluer la taille de l'embryon. L'estimation du nombre de semaines de grossesse va permettre de fixer une date idéale.

— Je peux vous le donner tout de suite, le nombre de semaines ! ai-je dit en sortant mon agenda de mon sac. Je peux même vous trouver le soir exact !

— Il me semblait que tu n'étais pas encore en retard dans tes règles ?

— Non, ce que j'ai dit, c'est que je ne me souvenais plus de la date des dernières.

— Mais tu te souviens du soir où tu es tombée enceinte ?

— Oui, ce n'est pas compliqué, je l'ai juste fait une fois cette année. J'aurais préféré l'oublier, mais les séquelles sont un peu plus lourdes que prévu.

— Tu ne t'es pas protégée, Clarence ? m'a-t-il demandé, d'un ton paternaliste. Tu n'as pas pensé aux maladies, aux...

Dans un élan, je me suis redressée et j'ai bondi sur mes pieds.

— Écoutez, docteur Cousineau, avec tout le respect que je vous dois, pour ce qui est des sermons, j'ai atteint mon quota cette semaine. Vous avez mon sang, mon urine, mon test Pap, tout ce qu'il faut pour faire vos analyses. Si j'ai attrapé la syphilis grimpante ou la grippe du poulet en plus, vous savez comment me joindre. Mais pas maintenant, OK, pas maintenant.

Il a ouvert son classeur pour y prendre des documents.

— Laisse-moi quand même te donner l'information dont tu as besoin. Il y a quelques cliniques à Québec, je te conseille d'en contacter plus d'une parce que des fois, c'est long. Euh… ça fait combien de semaines que… ?

C'était le 8 janvier. On était maintenant le 21 mars. Une splendide façon de commencer le printemps.

— Ça va faire dix semaines vendredi.

— Tu as jusqu'à douze semaines pour…

— Oui, je sais.

J'ai saisi les trois brochures qu'il me tendait et je les ai fourrées au fond de mon sac.

— Merci. Et pas un mot à mes parents, ai-je poursuivi en cherchant ma carte d'autobus au milieu du désordre. Je compte sur vous.

— Tu peux dormir tranquille. Je n'ai pas le droit de parler à tes parents contre ton gré. Tu pourrais porter plainte au Collège des médecins.

— Je n'hésiterai pas à le faire, alors pensez-y à deux fois.

Je ne me trouvais pas très gentille de lui proférer quelque chose qui ressemblait à des menaces, mais je n'avais aucun risque à prendre. Il m'a regardée de ses yeux las, la tête inclinée, pendant un trop long instant. Il avait l'air de se demander ce qu'était devenue la blondinette qui, il n'y a pas si longtemps, hurlait à pleins poumons pendant qu'il brûlait à l'azote les vilaines verrues attrapées au camp de vacances. Moi aussi, je me le demandais.

De retour dans la salle d'attente, j'ai pris mon imperméable et mon parapluie. Ma montre indiquait quatre heures quarante-six. Une pluie abondante tombait encore et il faisait déjà noir. En mettant le nez dehors, l'odeur de neige sale et de gaz d'échappement m'a donné un haut-le-cœur. Tiens, maintenant je comprenais pourquoi, depuis quelques semaines, les odeurs m'incommodaient autant. Dire que j'accusais la cocaïne d'avoir ruiné mon sens olfactif.

Sur le chemin Saint-Louis, l'abribus était bondé d'étudiants, tous plus cernés et pâles les uns que les autres. Cette semaine, j'étais peut-être la seule qui ne passait pas ses nuits à refaire du café. Je me suis faufilée jusqu'au fond. Il faisait très froid. J'ai relevé mon capuchon, croisé les bras et fixé le trottoir. Je ne voulais regarder personne. J'avais l'impression d'avoir les mots « enceinte » et « droguée » étampés sur le front, en vingt-cinq langues.

Pas question de retourner chez mes parents tout de suite. Il me fallait quelques heures pour assimiler la nouvelle. Si je rentrais maintenant, je ne pourrais pas cacher ma mauvaise humeur et je n'avais pas la tête à inventer une histoire. La meilleure chose à faire était d'aller bouquiner à la librairie en attendant que Sophie revienne du travail à six heures. J'avais besoin de voir Corneille et d'enfouir mon nez derrière son oreille, pour sentir son odeur thérapeutique de bon gros chat.

L'autobus est arrivé. Je me suis précipitée sur le siège réservé aux personnes âgées, handicapées ou, comme dans mon cas, enceintes. J'ai sorti une des brochures de mon sac, celle qui avait des empreintes de petits pieds sur la couverture. À la première page, baignant dans son univers, un fœtus suçait son pouce. *À quel moment la vie commence-t-elle?* demandait le texte sous l'image. J'ai aussitôt refermé le livret. C'était de la torture psychologique! En lisant l'endos, j'ai compris. Le docteur Cousineau m'avait refilé un dépliant de Pro-Vie. Quelle grandeur d'âme! Je l'ai déchiré, j'ai lancé les morceaux dans mon sac et j'ai rongé l'ongle de mon pouce. À quel moment la vie commence-t-elle?... Bonne question, quand même. La mienne remettait toujours son départ à plus tard, à plus mince, à plus parfaite.

Quand je suis descendue à la place D'Youville, la pluie s'était changée en grêle et le vent soufflait trop fort pour mon parapluie. En chemin vers la librairie, incommodée par le grésil, je me suis réfugiée sous l'arcade en pierre d'une boutique. C'est en reprenant mon souffle que j'ai senti les lourds et enivrants effluves. Je me suis tournée vers la vitrine et je les ai aperçues, parfaitement dorées et voluptueuses sur le plan de travail de la boulangerie. J'ai poussé la porte.

Derrière le comptoir, une femme me tournait un large dos, concentrée sur la décoration d'une charlotte. Avec une délicatesse extrême, elle déposait de minuscules œufs pastel au milieu d'un nid confectionné de copeaux de chocolat blanc.

— Excusez-moi, madame?

La boulangère s'est retournée, a essuyé ses mains enfarinées sur son tablier rouge.

— Vous désirez? m'a-t-elle demandé d'une voix aiguë.

— Les miches de pain... on peut en acheter seulement la moitié d'une?

— Si c'est ce que vous voulez!

Elle a saisi une miche, l'a posée sur une grande planche de bois, l'a coupée en deux et en a enveloppé la moitié dans un sac de papier.

— Tenez, c'est un cadeau ! Vous m'avez l'air d'en avoir bien besoin, de mon bon pain.

— Mais non, madame, je peux…

— Allez, quand on reçoit un cadeau, il faut l'accepter… Si vous aimez, vous reviendrez !

Sans me donner le temps de répliquer, elle m'a mis le sac dans les mains.

— Euh… bien, euh… merci. Merci beaucoup.

— Je vous en prie, et joyeuses Pâques !

— À vous aussi !

Dehors, j'ai pressé le pas jusqu'à la librairie, le sac tout chaud serré contre moi. Je ne comprenais pas pourquoi, mais cette gentillesse inattendue venant d'une parfaite étrangère me donnait envie de pleurer. Sans doute un *surprise party* hormonal.

Le libraire m'a saluée d'un hochement de tête. J'étais une bonne cliente. J'économisais mon salaire pour mon tour du monde, mais comme mes parents me donnaient dix fois trop d'argent pour l'épicerie, je dépensais toujours une partie de leur allocation mensuelle en guides de voyages. Je préférais de loin voir les livres dans ma bibliothèque plutôt que sur mes hanches.

Devant les rayons de ma section fétiche, ma tête se mettait à bouillir. Je ne savais jamais par où commencer. J'aurais aimé étaler les livres par terre, m'asseoir au milieu comme un oiseau dans son nid et m'évader vers mes pays préférés.

J'ai fermé les yeux. De gauche à droite, j'ai laissé mon index glisser sur les tranches et je l'ai arrêté au hasard sur l'une d'elles. J'ai tiré le livre vers moi, l'ai tenu dans ma paume ouverte pendant quelques secondes pour apprécier son poids parfait, sa froideur, sa senteur de papier neuf. J'ai ouvert les yeux. Le guide *Lonely Planet* de la Nouvelle-Zélande. Sur la couverture, un troupeau de moutons traversait une route de campagne. Derrière eux, des pics enneigés découpaient un ciel bleu clair.

J'ai feuilleté les pages. La miche de pain dépassait de mon sac et parfumait l'air de son odeur réconfortante. J'en ai arraché un petit morceau et je l'ai laissé fondre sur ma langue comme une hostie. Parfois, il n'y avait rien de meilleur qu'un bout de pain tout juste sorti du four. Il faut dire que je n'en mangeais plus depuis au moins quatre ans. Enfin, oui, j'en avais mangé, mais il n'était pas resté longtemps dans mon estomac avant de faire demi-tour. Celui-ci ne remonterait pas. C'était un cadeau… Et puis, pas la peine de m'acharner à maigrir davantage, j'étais enceinte ! Encore une fois, ces mots ont résonné comme deux coups de cymbale dans mon ventre.

J'ai lu jusqu'à ce que les lumières du magasin clignotent. C'était un signal que je connaissais bien. Il m'arrivait souvent de me retrouver devant cette étagère à la fermeture. C'était le seul endroit où je perdais toute notion du temps.

J'ai jeté mon sac sur mon épaule et j'ai marché vers la caisse. Le libraire était du genre bavard, ce qui m'énervait un peu. À chaque achat de livre, il y allait de ses commentaires, suggérait une prochaine lecture, voulait mon opinion sur le dernier Bill Bryson acheté une semaine plus tôt. Il avait une mémoire incroyable.

— Tiens, tiens. On est dans le même thème ! Un guide sur la Nouvelle-Zélande… Je suis en train de relire le journal de Katherine Mansfield, une des grandes écrivaines néo-zélandaises. Tu y vas bientôt ?

— Oui, je pars dans quelques semaines.

Le mensonge était sorti tout seul, sans me laisser le temps de l'attraper en chemin. Quelques semaines ! J'étais enceinte, je passais au tribunal dans deux mois, il me restait plus de deux ans d'études avant d'obtenir mon diplôme et la permission de lever les voiles. Quelques semaines ! C'est ça... cent douze semaines, pour être exacte.

— T'es chanceuse. Moi, j'y suis allé en 2002... J'ai passé un an là-bas, je devais avoir à peu près ton âge, a-t-il poursuivi en se frottant le menton, les yeux rêveurs. J'en ai vu des pays depuis ce temps-là. Une bonne trentaine. Mais j'avoue que la Nouvelle-Zélande, en ce qui concerne la beauté, c'est impossible à battre.

— Qu'est-ce qui est le plus beau ?

Aussitôt qu'on me parlait de voyage, je devenais l'auditrice la plus attentive de la planète.

— Ah, ce n'est pas le choix qui manque. Les volcans ? Les fleurs ? Les glaciers ? Les plages de cent kilomètres de long ? Les forêts tropicales ? Ce qui est peut-être le plus impressionnant dans tout ça, c'est que tous ces contrastes se trouvent collés les uns aux autres, dans un pays plus petit que la Californie. C'est ton premier voyage ?

— Oui, je n'ai jamais pris l'avion ! ai-je avoué, un peu gênée.

— Eh bien, profites-en ! Moi aussi, c'était mon premier voyage, la Nouvelle-Zélande. C'est ce qui m'a donné la piqûre. Ma première dose de drogue ! Tu sais ce qu'ils disent, les *junkies* ?

— Non, pourquoi je le saurais ?

— Ils disent que, peu importe combien de fois tu te piques ou tu *sniffes* ou je ne sais pas quoi, le *feeling* recherché, c'est toujours celui ressenti la première fois ! Malheureusement, il paraît que tu ne le retrouves jamais. Je pense que c'est pareil avec le voyage. On repart toujours en espérant revivre l'euphorie du premier départ.

— Tu es resté un an ? Juste à voyager ?

Il s'est penché au-dessus du comptoir et s'est approché, l'air de vouloir me faire une confidence.

— Non, j'ai dû trouver du travail, mais c'était facile. Tout le monde est sympathique et toujours prêt à donner un coup de main aux pauvres Canadiens errants. J'ai fait la récolte des kiwis et des avocats, les vendanges, j'ai désherbé des jardins, j'ai même été maître d'hôtel dans un restaurant français très chic, à Auckland. Ça avait beau s'appeler Chez Antoine, j'étais le seul qui parlait français. Tout ce qu'ils me demandaient, c'était de réciter le menu du jour aux clients avec le pire accent parisien possible. «Ze special for ze day eez a magnifique steak tartare…» La plupart du temps, je me sentais comme une mauvaise caricature. Si mes amis m'avaient vu, ils se seraient roulés par terre. Pourtant, ça avait un succès fou ! Si tu veux, je te donne l'adresse… Avec ton style et un accent bien travaillé, crois-moi, tu n'auras même pas besoin de C.V.

J'ai baissé les yeux en souriant.

— Mais… tu travaillais clandestinement ou quoi ?

— Tu es étudiante ? m'a-t-il demandé en regardant mon sac d'école.

— Oui, oui, je suis en géo à Laval.

— À moins que les règles aient changé depuis 2002, si tu es Canadienne et étudiante, tu peux obtenir un visa de travail d'un an en claquant des doigts.

Ça commençait à m'intéresser. J'avais toujours pensé que mon premier voyage serait à Londres, mais j'étais contaminée par son enthousiasme. Wow, la Nouvelle-Zélande… c'était le bout du monde ! Justement, oui. C'est peut-être ce dont j'avais besoin : me retrouver de l'autre côté de la Terre, dans un autre hémisphère, aux antipodes de ma vie.

— Pars-tu bientôt?

— Dans sept semaines, ai-je répondu du tac au tac. C'était le temps qu'il restait avant la fin du semestre. C'était aussi le nombre de semaines que j'avais pour trouver une autre librairie où passer le temps.

J'ai ouvert mon portefeuille. Je voulais sortir de là avant que mon nez commence à s'allonger.

— Non, non, oublie ça. Je te fais un cadeau! m'a-t-il annoncé en poussant du revers de la main les deux billets de vingt dollars que je lui tendais.

— Il n'en est pas question!

J'avais protesté un peu trop fort, avec un ton beaucoup plus insulté que prévu. Une demi-miche de pain, ça passait toujours, mais un *Lonely Planet* à trente-cinq dollars, ça non.

— J'insiste. Il y a une condition par contre! m'a-t-il dit en se frottant le menton. En fait, il y en a trois.

Bon, il me semblait aussi.

— D'abord, je voudrais savoir ton nom. Moi, c'est Olivier. Olivier St-Pierre, a-t-il annoncé en me tendant la main.

— Clarence Paradis.

— Enchanté, mademoiselle. C'est un beau nom, Clarence, ça fait distingué. Et Paradis… ça ne me surprend pas. Tu as l'air d'un ange.

— Merci.

— La deuxième condition. Si jamais tu t'arrêtes à Wellington, j'aurais une petite mission pour toi. J'aimerais que tu visites quelqu'un dans une banlieue qui s'appelle Thorndon. Tiens, je vais écrire l'adresse dans ton guide.

Il a ouvert le livre aux dernières pages, a parcouru la table des matières. Les bras croisés, j'observais ses mains larges et fortes, légèrement poilues, ses ongles coupés carrés, cinq minuscules grains de beauté placés comme une constellation sur son poignet. Il était beau, d'une façon imparfaite, mais harmonieuse. Ce que j'aimais surtout, c'était l'espace entre ses incisives.

— Tauranga, Taupo, Thames… ah, voilà ! Thorndon ! C'est tellement petit, j'avais peur que ce ne soit même pas sur la carte. Page deux cent vingt-trois, carte vingt-sept.

— Et qu'y a-t-il de si exceptionnel, à Thorndon ?

— Quelqu'un d'extraordinaire !

— Ah bon ?

Si ça se trouvait, il voulait m'envoyer dire bonjour à une ancienne conquête. Il pouvait se le garder, son guide de voyage !

— C'est à Thorndon, dans une petite maison blanche entourée d'un grand jardin, qu'a vécu il y a un siècle la femme qui a changé ma vie ! m'a-t-il annoncé en écarquillant les yeux.

Au moins, je savais que je m'étais trompée : il ne s'agissait pas d'une belle éplorée à qui il avait brisé le cœur avec son regard de braise et son accent parisien bidon. Il était question d'une morte.

Il s'est approché encore plus pour me montrer, à l'intérieur du *Journal de Katherine Mansfield*, la photo de l'auteure, une jeune femme pâle aux traits délicats et aux grands yeux noirs.

— Elle était belle, non ?

— Oui, c'est vrai.

— Si c'est possible, je voudrais te donner quelque chose à laisser dans le jardin de Katherine Mansfield.

— N'importe où dans le jardin ?

— Tu lui trouveras une bonne cachette.

Olivier s'est penché pour fouiller sous le comptoir.

— Ah, voilà ! s'est-il exclamé en brandissant un roman assez volumineux, à la jaquette simple et blanche représentant des traces de pas dans la neige. *L'Hiver à l'envers*, disait le titre. Et l'auteur… non !

— Hé, wow, tu as écrit un roman !

— En fait, c'est un recueil de nouvelles. La plupart sont inspirées de mes voyages. Tu liras la neuvième, elle se passe en Nouvelle-Zélande. Tu dois trouver ma demande un peu bizarre ?

— Tu dois avoir tes raisons.

— C'est en lisant les nouvelles de Mansfield que je suis tombé amoureux de l'écriture et que j'ai décidé de tenter ma chance. Quand je suis en panne d'inspiration, je retourne lire ses recueils ou son journal et ça finit toujours par me débloquer. Elle est morte très jeune, au tout début de la trentaine, alors elle n'a pas eu le temps d'écrire beaucoup. Sa mort prématurée m'a aidé à cesser de remettre mes projets à plus tard.

Le plus discrètement possible, j'ai regardé ma montre. J'aurais pu écouter ses histoires de voyages toute la nuit, mais Sophie allait arriver chez elle d'une minute à l'autre et je ne voulais surtout pas la rater. Elle avait l'habitude d'aller au cinéma le lundi soir.

— Je suis vraiment désolée, mais il va falloir poursuivre notre conversation une autre fois. J'ai rendez-vous avec une amie dans dix minutes.

— Pas de problème... Donc tu acceptes la condition numéro deux ?

— D'accord. Je vais faire de mon mieux pour lui rendre visite. Tu m'as parlé de trois conditions.

— Ouais. La troisième, c'est qu'on aille prendre un café avant ton départ, a-t-il murmuré sans me regarder, en mettant les deux livres dans un sac de plastique.

— Si tu me laisses t'inviter.

— Je ne dirai pas non. On se donne rendez-vous ? m'a-t-il demandé, suave, l'air satisfait d'être arrivé à ses fins.

— Écoute, c'est ma semaine d'examens qui commence, je suis pas mal dans le jus... Soit on attend dix jours, soit tu passes au Château Frontenac vendredi. Je suis barmaid au bar Le Saint-Laurent.

— *Cool!* J'ai congé vendredi ! Je passe vers sept heures ? J'apporterai mes photos de la Nouvelle-Zélande.

— Super !

J'ai pris le sac qu'il me tendait.

— Ça m'a fait vraiment plaisir de te parler.

— Et moi de même, mademoiselle Clarence. Vraiment, vraiment plaisir.

Il m'a regardée intensément. Ses yeux me faisaient penser à des biscuits Oreo. J'avais peut-être faim. J'ai remonté la fermeture éclair de mon imperméable et remis mon capuchon.

— Bon ! Ça y est, il neige, maintenant !

Dans la rue, de gros flocons brillaient dans le faisceau jaune des lampadaires.

— Prends ton mal en patience ! J'imagine que tu es au courant que l'hiver commence en Nouvelle-Zélande quand il finit au Canada... Tu vas voir, la neige en juillet et les canicules en janvier, c'est assez déroutant. Mais la consolation, c'est que si tu restes là-bas un an, tu vas avoir deux étés de suite.

Il me plaisait. Ma conscience me sermonnait : « Attends, s'il savait que tu es enceinte, en attente de procès pour vente de drogue, anorexique-boulimique et menteuse compulsive en plus... il *snifferait* une dose massive de poudre d'escampette. »

La ferme, ai-je répondu dans ma tête. Je n'avais quand même pas fabriqué des bombes ni vendu de l'héroïne dans la cour de récréation d'une maternelle. Les faits étaient les faits, je voulais bien accepter ma part de responsabilité, mais je me sentais malgré tout victime des événements, de ma naïveté et de mon désir de plaire à tout le monde.

— Bon, alors on se revoit vendredi?

— Sans faute!

J'ai marché vers la rue Sainte-Ursule, le pas léger. J'avais beau ruminer sur les trois derniers jours, sans contredit les pires de ma vie, et me rappeler que j'avais de surcroît trouvé le moyen de m'empêtrer dans un autre tissu de mensonges tricoté serré… il n'y avait rien à faire: les coins de ma bouche insistaient pour se relever dans un sourire mi-coupable, mi-excité.

Et si c'était la vérité? Si je plaquais tout et envoyais au diable ceux que ça dérange? En mentant à Olivier, je m'étais aperçue que mes mots sonnaient beaucoup moins faux qu'ils ne l'auraient dû. «Je pars en Nouvelle-Zélande.» J'avais éprouvé, en les prononçant, un apaisement immédiat, comme un verre d'eau après un mauvais rêve. Il n'en tenait qu'à moi d'en faire une vérité.

Au coin de la rue Sainte-Ursule, je me suis arrêtée un peu. J'ai regardé mon index gauche et je l'ai embrassé trois fois. Il avait choisi le bon livre, après tout. J'ai souri jusqu'en haut de la côte. Si je n'effaçais pas cet air béat de mon visage avant d'arriver chez Sophie, elle allait penser que j'étais contente d'être enceinte.

J'ai éclaté de rire. Ça devait être les nerfs.

Chapitre 7

J'ai appuyé deux fois sur la sonnette de l'appartement 5. Pas de réponse chez Sophie. Piétinant sur le balcon, les poumons endoloris par le froid intense qui venait de s'emparer de la ville, j'ai resserré la ceinture de mon imperméable et tiré les cordons de mon capuchon. J'ai donné un coup de pied sur la porte en maudissant mon père de m'avoir confisqué la clé de mon appartement.

Je n'avais maintenant plus le choix : il fallait retourner jouer la comédie à Sainte-Foy pour une troisième représentation de suite. Après les émotions des dernières heures, il était peu probable que je parvienne, ce soir, à complimenter ma mère pour sa cuisine pendant que chaque bouchée descendait dans mon estomac comme une pelletée de terre. Avec leurs yeux toujours braqués sur ma fourchette, j'arrivais à peine à garder mon calme pendant le repas.

Au bord des larmes, j'ai sonné deux autres fois, sans succès.

— Réponds, sonnette de merde, ai-je sifflé entre mes dents.

Du bout de mon pouce, je me suis mise à presser le bouton avec la rage d'un marteau-piqueur.

Le cœur serré, je suis redescendue. Quand j'ai posé le pied sur la troisième marche, l'interphone a grésillé.

— Quoi? a craché Sophie.

J'ai failli débouler en remontant l'escalier.

— Sophie! T'es là! C'est Clarence!

— Est-ce qu'il y a le feu?

Elle ne semblait pas ravie de m'entendre.

— Je te dérange?

— J'étais dans le bain. *J'essayais* de me relaxer.

Elle a actionné le bouton d'entrée. J'ai gravi l'escalier intérieur quatre à quatre. Sur le palier, la porte de chez Sophie s'est entrouverte avec un grincement lent. Dans l'embrasure, elle a agité un gant de toilette blanc, comme un drapeau de capitulation.

— Promets-moi de ne pas te moquer, a ordonné Sophie.

— Je te le promets.

En la voyant, j'ai mordu ma lèvre inférieure très fort pour réprimer le fou rire qui m'a saisie. Elle avait un masque de beauté bleu pâle étalé sur le visage, de la cire à épiler sous l'arcade sourcilière et une substance qui ressemblait à de la mayonnaise dans les cheveux.

— Soph, je suis vraiment désolée...

— Ouais! Ça m'a pris une heure pour faire le *set-up*...! Les bougies, les bulles, les huiles essentielles à la lavande, le CD d'Enya, le mélange d'avoine et de bleuets pour me crémer le visage... Je commençais juste à me détendre après ma journée de fou, quand la sonnette s'est mise à pa-ni-quer! On s'entend pour dire que tu n'y allais pas de main morte?

— Excuse-moi. Après deux coups, j'étais certaine que tu n'étais pas là..., je me suis un peu défoulée sur le bouton. Je suis sur le gros nerf depuis trois jours.

— Entre. J'ai juste une heure, pas plus. Je m'en vais voir le dernier Woody Allen. Prendrais-tu un thé?

Je l'ai suivie dans la cuisine. Une odeur d'œufs au vinaigre est parvenue jusqu'à mes narines hypersensibles.

— Coudon, Sophie, c'est quand même pas de la mayonnaise que tu as dans les cheveux ?

— Quoi, tu n'as pas vu *Dying Young*, avec Julia Roberts ?

— Ça a l'air que non.

— Il paraît que la mayo, c'est le meilleur revitalisant possible. Pas cher en plus ! Je t'en reparlerai, là je fais un test. Au pire, si ça ne marche pas, je m'enroulerai un turban sur la tête.

Sur son comptoir, elle a branché la bouilloire électrique.

— Si je fais un thé à la menthe fraîche, ça te va ?

— Super. Mon amie japonaise est passée prendre ses affaires, j'espère ?

Je me sentais coupable. J'aurais dû téléphoner à Sophie pendant le week-end, lui expliquer un peu mieux pourquoi j'étais partie de chez moi à l'aube en la laissant se démerder avec Yoshiko.

— Oui, elle est venue vers onze heures samedi matin. Un vrai rayon de soleil !

— Tu plaisantes.

— Et comment ! Ouvre le dictionnaire au mot « pimbêche », je suis certaine qu'ils ont mis son nom dans les synonymes.

— Je suis désolée de t'avoir imposé ça. Je n'avais vraiment pas le choix, ai-je plaidé en me laissant choir sur le canapé. J'ai passé la nuit de vendredi au poste de police.

— Quoi ?

Elle a échappé la paire de ciseaux avec laquelle elle coupait des feuilles de menthe au fond du lavabo.

— Mais ton amie… elle m'a dit que tu avais passé la nuit avec un gars… je pensais que…

— C'est ce que je lui ai dit. Tu peux t'imaginer à quel point Yoshiko est empathique. Je n'avais pas envie de lui raconter ce qui était vraiment arrivé. Alors j'ai simplifié.

— Mais qu'est-ce qui s'est passé ? Es-tu correcte ?

Même sous son masque bleu, qui commençait à s'effriter comme du plâtre, le visage de Sophie trahissait une sincère inquiétude. Je la connaissais seulement depuis huit mois, mais de plus en plus, elle agissait avec moi comme une grande sœur. J'aimais qu'elle m'appelle « la petite », même si je pouvais poser mon menton sur sa tête.

— Oui, je suis correcte. Plus ou moins. Je te raconte, mais avant, si ça ne te dérange pas, je peux aller chercher Corneille ?

— Bien sûr... Tes clés sont sur le crochet, à côté de la porte. Pendant ce temps-là, je vais me rincer les cheveux et le visage. La mayonnaise me coule dans le cou.

Elle a trottiné jusqu'à sa salle de bain en se grattant le cuir chevelu, ses mules de plastique rose faisant un drôle de couinement sur le plancher de bois.

Le plus doucement possible, j'ai ouvert la porte de mon appartement. Dans le panier de linge sale, qui trônait au beau milieu de la pièce, s'est dressée une tête noire ébouriffée. En m'apercevant, Corneille a sauté hors du panier et chargé droit vers moi. Après s'être cogné le front deux ou trois fois contre mes jambes, elle s'est mise à tournoyer dans un concert de protestations.

— Oh, elle n'est pas contente, la Corneille à maman !

— Croah ! m'a-t-elle répondu, le regard réprobateur.

Je l'ai soulevée pour lui caresser le dessous du menton.

Elle portait bien son nom, la Corneille. Pendant ma première nuit dans mon appartement, j'avais rêvé qu'un chaton noir grattait à la fenêtre de ma chambre. Le rêve semblait si réel qu'à mon réveil, j'étais sortie dans la cour, convaincue de le trouver sous le balcon d'un voisin.

Bredouille, j'étais revenue chez moi et j'avais consulté un site Web sur l'interprétation des rêves.

«Le chat symbolise l'instinct lié à l'espace féminin. C'est le gardien du foyer, celui qui représente le confort et la sécurité intérieure. Le chat associé à la maison est un signe de tranquillité et de paix de l'âme. C'est également un besoin d'avoir un espace à soi, un lieu où l'on puisse se retrouver et se ressourcer. »

Il n'en avait pas fallu davantage pour me convaincre. Sous le soleil étouffant d'une journée de canicule, j'étais partie à vélo faire le circuit des animaleries. Endormis les uns par-dessus les autres dans le coin d'une cage ou occupés à se disputer les derniers lambeaux d'une souris en feutrine, se trouvaient des chats gris, blancs, caramel, tigrés et écaille de tortue. Pour la première fois, j'avais même pu admirer un rare persan bleu, l'air renfrogné et supérieur sous son étiquette affichant trois cent soixante-quinze dollars. Décidément, toutes les couleurs y étaient, sauf la bonne. Même à la grande animalerie de la Place Laurier, il y avait une pénurie de chats noirs.

Pédalant de toutes mes forces pour arriver avant la fermeture, je m'étais rendue à la dernière adresse de ma liste, dans le fond du quartier Limoilou. C'était mon dernier recours.

En cadenassant mon vélo à un poteau de téléphone, le cœur furieux de s'être fait imposer un sprint sur un estomac vide et dans une chaleur tropicale, j'avais vu les lumières de l'animalerie s'éteindre une par une. Heureusement, la porte était encore grande ouverte.

En arrivant sur le seuil, j'avais ressenti un malaise. Dans toutes les autres animaleries, il régnait une cacophonie où les aboiements des chiots se mêlaient aux cris des perruches, celle-là était presque silencieuse.

— Il y a quelqu'un ? avais-je crié, inquiète.

Un homme était sorti de l'arrière-boutique en s'essuyant les mains sur un torchon. Son ventre, moulé dans un t-shirt taché de sueur, était aussi gros que celui d'une femme enceinte de huit mois. Une couette de cheveux jaunâtre pendouillait comme une aile cassée au-dessus de son oreille gauche.

— Euh… je voulais juste voir vos chats ? avais-je risqué en reculant d'un pas.

— Sont toutes morts !

Il avait montré deux cages vides au fond du magasin.

— Un vérus, encore ! Reviens jeudi, je suis supposé en recevoir une autre pochetée.

J'étais sur le seuil, dégoûtée et prête à partir, quand, dans l'entrebâillement de l'arrière-boutique, s'était risquée une minuscule tête noire.

— Mais vous en avez un chat ! m'étais-je exclamée en désignant le petit qui tremblait sur ses pattes.

Le propriétaire s'était retourné brusquement. Le chaton s'était sauvé sous une rangée de cages à perruches.

— Ouais, mais y'é pu bon, ce chat-là ! C'est le seul qui est pas encore mort, mais ça sera pas long… Y tousse pareil comme les autres !

— Donnez-le-moi, je vais m'en occuper.

— Je peux pas vendre des animaux malades.

— J'ai dit de me le donner, pas de me le vendre.

Mon ton dictatorial m'avait étonnée. Un instinct de maman ourse s'était emparé de moi et j'étais déterminée à sauver mon petit à tout prix.

— Si c'est ça que tu veux, pars avec, mais viens pas brailler si y te crève dans les mains demain matin !

Sous la rangée de cages, mon chat était plaqué contre le mur, plus terrifié qu'un moucheron emmêlé dans la toile d'une tarentule. J'avais dû m'allonger sur le ventre pour le récupérer, réussissant de justesse à le soulever par la peau du cou. Il était si petit que je pouvais le tenir dans le creux d'une main. Ses yeux étaient infectés, le droit complètement bouché. J'étais allée directement à l'urgence vétérinaire.

Deux jours et une facture de deux cent trente dollars plus tard, j'avais enfin pu récupérer mon chat noir, qui était en fait une chatte. Les antibiotiques avaient eu raison de l'infection pulmonaire, de la conjonctivite et des vermisseaux.

— Elle s'en est tirée de justesse, m'avait confirmé la vétérinaire. Ses poumons ne fonctionneront jamais normalement, elle va rester fragile. Ce serait peut-être préférable de la garder à l'intérieur.

— Vous pouvez en être sûre !

J'avais emmailloté mon nouveau bébé dans une couverture de flanelle. J'étais complètement gaga.

— Mais oui, maman va en prendre soin de son mini minou.

— Croah ! Croah !

Alarmée, j'avais regardé la vétérinaire.

— Euh… êtes-vous *vraiment* certaine qu'elle est correcte ?

— Comme je vous disais, son infection aux poumons était assez avancée, ça a pu endommager ses cordes vocales.

— Croah !

— Mais c'est pas un bébé minou qu'elle a trouvé, maman, c'est un petit bébé corneille !

Huit mois plus tard, Corneille croassait toujours. Je m'étais vite aperçue qu'elle n'arrivait pas non plus à ronronner. Quand elle se laissait gratter le ventre, les quatre pattes en l'air, elle poussait de longs râlements de fumeuse asthmatique.

De retour sur le palier, les effluves sucrés du thé à la menthe sont parvenus jusqu'à moi en même temps que la voix chaude de Dalida. Sophie prenait le rituel du thé au sérieux. Une dizaine d'années plus tôt, elle avait vécu en Angleterre pour fréquenter la prestigieuse London School of Economics. Elle en était revenue avec un diplôme en marketing, un anglais joliment ponctué d'expressions *british* et une affection particulière pour son *tea time* quotidien.

Sur la table du salon, dans un grand plateau en métal ciselé, une longue théière jaune et noir, de style marocain, fumait à côté de quatre baklavas baignant dans leur miel de rose. Debout devant la porte du balcon, une serviette enroulée sur la tête, Sophie chantait en arrosant son immense ficus. J'ai posé Corneille dans un coin du canapé et je me suis assise à côté d'elle.

— Je peux verser le thé, Soph?

— *Carrrramel, bonbon et chocolat... merci, pas pour moi, mais tu peux bien les offrir à une autre...,* a-t-elle chanté en dansant vers moi, arrosoir en main, tournoyant comme si elle était sur la scène de l'Olympia. Tu n'aimerais pas mieux commencer par un bon verre de porto? J'ai une bouteille de tawny 20 ans. *Moi, les mots tendres enrobés de douceur... se posent sur ma bouche, mais jamais sur mon cœur...*

— Sophie, je suis enceinte.

— *Des parrrroles, paroles, par...* pardon?

— Tu m'as entendue.

Elle a déposé l'arrosoir par terre, s'est assise sur la table, a attrapé un baklava entre son pouce et son index et se l'est mis entier dans la bouche.

— M'exchcuse chi je mange... j'ai un choc nerveux, dans ch'temps là il me faut du chucre. Tiens, prends-en un toi auchi.

Elle m'a mis l'assiette sous le nez.

— Non merci, plus tard peut-être.

Je me suis approchée pour remplir les deux tasses de thé. Sophie a retiré son turban et secoué sa longue tignasse.

— Tu me racontes tout ! En détail ! Parce que là, je comprends ab-so-lu-ment rien. Le poste de police, pourquoi ? Enceinte... de qui ?

— Ayayayaye, Soph... je sais même pas par où commencer !

— T'as tout ton temps, ma chérie. Oublie le cinéma, ce sera pour une autre fois. Ça a tout l'air que ce soir, la série dramatique se passe ici, dans mon salon.

— T'es vraiment *cool*, Sophie. Il va peut-être falloir que tu m'aides... Je n'ai pas l'intention de le dire à mes parents. Je ne peux pas le garder, mais je suis morte de peur. Il me reste à peine deux semaines pour trouver une clinique.

— Le père... il le sait ?

— Es-tu folle ? C'est Philippe Blanc !

— Qui ? a demandé Sophie en croquant un autre morceau, faisant tomber de grosses miettes sur son pyjama.

— Le prof de russe, à l'université... tu te souviens, je suis venue ici après pour te le raconter... Comme c'est ma seule baise de l'année, c'est certain que c'est lui le père.

— En tout cas, on peut dire que tu es fertile, la petite !

— Ouais. On peut le dire.

Il m'a fallu près d'une heure pour lui faire le récit complet des événements, de la rencontre de Yoshiko à mon rendez-vous chez le médecin, en passant par mon arrestation. C'est en refoulant mes larmes que je lui ai annoncé que mon père avait décidé de remettre mon appartement à louer. Je devais retourner vivre chez mes parents jusqu'à la fin de mon bac et, apparemment, c'était pour mon bien.

Jusqu'à la fin, Sophie m'a écoutée, silencieuse et stoïque. L'odeur de son parfum, que j'avais toujours aimée, me donnait mal au cœur, et je n'arrêtais pas de bâiller. J'étais bel et bien enceinte. Maintenant que j'étais au courant de mon état, les symptômes sautaient aux yeux.

— Et là, qu'est-ce que tu vas faire ?

— Comme je te l'ai dit… je ne vais pas le garder. Tu ne me vois quand même pas avec un bébé, Soph ?

J'étais incapable de prononcer le mot. Elle l'a fait à ma place.

— Tu vas te faire avorter ?

— Viendrais-tu avec moi ? Il faut que ce soit avant deux semaines, sinon je vais devoir aller aux États-Unis, et ça, ça risque d'être coûteux et compliqué.

— Tu sais bien que je vais être là pour toi.

Elle a posé sa main sur mon genou.

— Je ne te laisserai pas tomber, la petite.

— Est-ce qu'on pourrait aller à Montréal ? Chanceuse comme je suis, si je prends rendez-vous dans une clinique à Québec, je vais tomber sur quelqu'un que je connais dans la salle d'attente.

— J'ai l'annuaire des pages jaunes de Montréal. Si tu veux… tu pourrais faire quelques téléphones demain ?

— Oui, c'est une bonne idée.

J'ai jeté un coup d'œil à ma montre.

— Il va falloir que je parte bientôt, Sophie, j'ai promis à mes parents de revenir après la clinique. À l'heure qu'il est, ils doivent être au bord de la crise de nerfs.

— Tu peux coucher ici si tu veux. Je te laisserais bien retourner dans ton appartement, mais si ton père sait que je t'ai redonné les clés…

Elle a écarquillé les yeux.

— Il pourrait me mettre dehors, tu penses ?

— Je ne le laisserais jamais faire ça ! J'aurais juste à lui faire croire que je ne t'ai rien dit… Comment pourrais-tu savoir que je suis barrée de mon propre appartement?

Je commençais à m'enthousiasmer à l'idée de dormir dans mon lit.

— Ne prends donc pas de risque. Au point où tu en es, ce n'est pas en rajoutant des mensonges que tu vas améliorer la situation. Pour l'avortement, je comprends, mais pour le reste... essaie donc de limiter les dommages. C'est juste un conseil. T'es pas obligée de le suivre.

— Non, t'as raison, ai-je soupiré. Je devrais retourner dormir là-bas.

J'ai réfléchi un moment.

— J'aurais un autre conseil à te demander, pendant qu'on y est.

— Je suis tout oreilles.

— Je ne veux plus aller à mes cours. Trois semaines après le début du premier semestre, j'étais déjà tannée de la géo. Et maintenant, l'année est presque finie, j'ai mes examens dans une semaine et je n'ai même pas commencé à étudier. Ça va mal finir, je le sens.

M'apercevant que j'étais encore en train de me ronger un ongle, j'ai rangé mes mains entre mes cuisses avant de poursuivre.

— Si tu savais comme je m'en fous de ce bac-là, Soph. Je continue juste pour mes parents. Ils ont commencé à me faire des sermons sur l'importance de l'éducation avant même de m'inscrire en maternelle. Je pense que mon père a déjà acheté un ensemble d'encadrements en acajou pour mes diplômes. Si je reste en géo, je vais être tellement frustrée à la fin de mes études, je pense que je vais leur lancer dans la face, leur papier.

— Si ce n'est pas géo, as-tu une idée de ce qui t'intéresse?

— Non, c'est ça le problème! Un changement de programme, ce ne serait pas si compliqué à faire avaler à mes parents, mais je ne trouve rien d'autre. Ce serait ridicule de me précipiter dans un nouveau domaine pour me retrouver au même point dans un an… Je ne sais pas quoi faire.

J'ai pris une longue gorgée de thé.

— Ce que je voudrais, c'est partir en voyage. Il me semble que ça m'aiderait à trouver ma voie… Mes parents, eux, ils pensent que si j'arrête l'école, je ne recommencerai jamais. Franchement… Je n'ai quand même pas eu la médaille du gouverneur pour passer ma vie à essuyer un comptoir et à faire des dessins dans la mousse à café !

— T'as eu la médaille du gouverneur général ? Toi ? a lancé Sophie, incrédule.

— Quoi, tu ne me crois pas ? Je peux te la montrer. Ça paraît peut-être pas, mais je ne suis pas une deux de pique.

— Arrête donc de niaiser ! Je le sais que tu n'es pas nulle… mais la médaille du gouverneur, quand même. Impressionnante, la fille !

Sophie s'est levée pour aller ouvrir l'armoire de chêne au coin du salon. À l'intérieur, s'alignaient une dizaine de bouteilles d'alcool et des coupes accrochées à un support de métal.

— Je me verse un porto. T'en veux ?

— Je ne sais pas si je devrais… dans mon état.

— Ben voyons, Clarence. Si t'es sûre de ne pas le garder… avec tout ce que tu lui as fait absorber depuis qu'il est là, t'es aussi bien de continuer à lui donner son *buzz*. Il doit être en manque, là.

— Nouille ! OK, d'abord.

La bouteille et deux coupes dans une main, Sophie est venue se rasseoir à côté de moi.

— Tu connais mon cousin Benoît ? m'a-t-elle demandé en déchirant avec ses dents le papier d'aluminium qui recouvrait le bouchon.

— Ben oui, qui ne connaît pas ton cousin Benoît? ai-je répondu, un peu agacée par le changement de sujet.

Benoît Lamoureux était le jeune cinéaste le plus prometteur du Québec. À trente-cinq ans, il avait déjà gagné l'Oscar du meilleur film étranger et la rumeur d'une troisième nomination à Cannes circulait depuis janvier. Les critiques le comparaient à Scorsese.

— Tu sais qu'il était comme toi, à dix-neuf ans?

— Qu'est-ce que tu veux dire?

— Mélangé. Il ne savait pas du tout ce qu'il voulait faire dans la vie. Il avait toujours eu des moyennes générales hallucinantes au secondaire, mais après... Pour une raison ou pour une autre, il s'est retrouvé en sociologie à l'UQAM. Il s'emmerdait solidement. À un moment donné, le Département a organisé un concours de cinéastes amateurs. Il fallait créer un court-métrage sur un problème social. Ben a emprunté la caméra vidéo de mon père et il est parti filmer les *squeegees* dans l'est de Montréal pendant une semaine.

Sophie a versé le porto et a levé sa coupe à la hauteur de ses yeux. D'un coup de poignet, elle a fait tourner le liquide cramoisi dans le faisceau de lumière de la lampe sur pied.

— Ça fait que mon cousin Ben, avec son petit film, a gagné le concours. Le premier prix était un voyage au Mexique. Il est parti là-bas avec sa caméra vidéo. Il a tourné un film sur une bonne femme qui finançait une école grâce à un programme de recyclage de canettes. En revenant au Québec, Ben a montré son court-métrage à quelques amis, qui lui ont suggéré de poser sa candidature à la Course destination monde. Il a été sélectionné, il est parti filmer la planète pendant six mois. Toi, tu es trop jeune pour t'en souvenir, mais il l'a gagnée, sa Course. Et le plus beau dans tout ça, c'est qu'il est revenu convaincu de ce qu'il voulait faire dans la vie. Il n'a jamais regardé en arrière. Il prétend même que le bon Dieu lui a chuchoté à l'oreille : « Cherche pas plus loin, mon homme, tu l'as trouvé. »

— Tu penses que ça pourrait m'arriver, à moi ? D'avoir ce genre de… révélation incontestable de ma vocation ? lui ai-je demandé, le cœur en équilibre entre un nouvel espoir et mon habituel cynisme.

— Je ne sais pas, Clarence. Il n'y a pas de garantie, mais tu me demandes un conseil. Ce que je peux te dire, c'est que si j'étais toi, je partirais. Écoute ta petite voix, ton intuition. Si elle te murmure de faire tes valises, prends ton courage à deux mains et largue les amarres ! Tu ne le regretteras jamais. Ça, je te le garantis.

Elle a pris les deux coupes de porto, m'a tendu la mienne, a levé la sienne.

— Pour que les étoiles s'alignent et te montrent le chemin de tes rêves ! *Cheers,* la petite !

Pour la première fois, quelqu'un me donnait la permission de partir. En buvant une gorgée, j'ai remarqué que les poils de mes bras s'étaient hérissés.

— Je fais quoi avec mes parents ?

— Tu sais ce que je leur dirais, moi ? La vérité. Ils sont corrects tes parents, ils vont comprendre. Ils pensent qu'ils te rendent service en t'obligeant à finir tes études le plus tôt possible. C'est à toi de leur présenter la situation sous un autre angle. Il n'y a pas juste une façon de faire les choses dans la vie. C'est une énorme décision, ton choix de carrière. Si tu continues à chercher avec la méthode d'essais et erreurs, ça va leur coûter cher.

Les questions se bousculaient dans ma tête. Il fallait être rationnelle, ne pas m'emballer trop vite. Il y avait beaucoup à faire avant mon départ : prendre un rendez-vous dans une clinique, annoncer ma décision à mes parents, attendre la fin du mois de mai pour passer au tribunal. Selon mon père, je m'en sortirais avec une amende et quelques heures de travaux communautaires: nettoyer les graffitis qui barbouillent les pierres de la vieille ville, ramasser les détritus sur les plaines d'Abraham au lendemain de la Saint-Jean, des trucs du genre.

— Je vais appeler à la clinique demain matin. Es-tu encore en congé le mardi?

— Oui, si tu obtenais ton rendez-vous un mardi, ce serait parfait, a répondu Sophie en s'agenouillant par terre pour retirer l'annuaire téléphonique de sous le canapé. Veux-tu revenir demain pour téléphoner à partir d'ici? Ce serait mieux de ne pas faire ça chez tes parents, on ne sait jamais.

— J'ai des cours toute la journée le mardi, mais t'en fais pas, je connais un téléphone public à l'abri des oreilles trop longues. Je vais me débrouiller.

J'ai fouillé dans mon sac en quête d'un bout de papier pour noter l'information. L'annuaire sur les genoux et un stylo entre les dents, j'ai entrepris mes recherches.

— Il y a juste quatre cliniques?

— Ah oui? Elles doivent avoir du pain sur la planche! Y'a plus de 30 000 avortements par année qui sont faits au Québec. J'ai lu ça dans le journal la semaine dernière.

Sophie a repris son arrosoir pour asperger les deux coléus sur les étagères de la bibliothèque.

J'ai transcrit les coordonnées des quatre établissements, en prenant soin de tracer un gros astérisque à côté du deuxième numéro. Son annonce précisait: «Interruption de grossesse. Rendez-vous rapides. Équipe féminine. Respect assuré.» Je ne détestais pas ce terme, *interruption* de grossesse. Il me donnait un peu moins mal au cœur.

— Bon, Soph, il faut vraiment que j'y aille. Appellerais-tu un taxi s'il te plaît ? Je n'ai vraiment pas envie de prendre l'autobus avec le temps qu'il fait.

Je me suis levée et je l'ai embrassée sur les deux joues.

— Merci pour tout. Je ne sais pas comment je m'en sortirais sans toi.

Pendant que Sophie composait le numéro, j'ai enfoui mon visage derrière l'oreille de Corneille.

— Maman va revenir te chercher bientôt, mon gros poussin.

Maman. Le mot avait un goût amer aujourd'hui. Un amalgame de regrets et d'angoisse est monté dans ma gorge. J'ai secoué la tête pour le repousser aux confins de ma conscience. « Dans trois semaines, ça va être de l'histoire ancienne », me suis-je rassurée en m'emmitouflant.

— Juste par curiosité… tu partirais où et quand ? m'a demandé Sophie après avoir raccroché le combiné.

— En Nouvelle-Zélande. Il paraît que c'est facile de travailler là-bas.

— Wow ! Pour un premier voyage, c'est original ! J'aurais pensé te voir partir pour Paris.

— Non, j'ai envie d'aller au bout du monde. Je partirais cet été, après être passée en cour. Quand j'aurai terminé les quelques semaines de travaux communautaires.

Le visage de Sophie s'est décomposé.

— Oui, mais… Clarence ! a-t-elle chuchoté avec une précaution qui m'a glacé le sang. Je suis vraiment imbécile de ne pas y avoir pensé plus tôt. Il y un problème majeur.

— Quoi ? Arrête, Sophie, tu me fais peur !

— Au poste de police, ils ont pris tes empreintes, des photos, tout ça ?

— Oui, oui. De face, de côté, comme dans les films.

Elle a posé ses mains sur mes épaules.

— Ça, ma belle, ça veut dire que, peu importe la clémence du tribunal, même si au bout du compte tu t'en sors avec une amende de trois cents dollars ou deux semaines de travaux, tu as un casier judiciaire.

— Tu ne m'apprends rien, mais mon père m'a expliqué qu'au bout de cinq ans, je peux faire une demande de pardon et tout sera effacé de mon dossier.

— Oui, il a raison. Mais ce qu'il ne t'a pas dit, c'est que d'ici là…

Sophie s'est éclairci la gorge.

— Pendant les cinq prochaines années, tu n'as pas le droit de mettre le pied en dehors du Canada.

Dehors, le taxi a klaxonné trois fois.

Chapitre 8

Dans l'auditorium, les rangées de pupitres étaient désertes et les lumières encore éteintes. J'avais beau prendre mon temps le matin, j'arrivais toujours à mes cours avant tout le monde.

Avec précaution, j'ai descendu la première marche des gradins, en accrochant mon regard à un verre de polystyrène oublié sur la bordure du tableau noir. C'était la seule notion qui me restait de ma courte carrière de ballerine. À l'école de danse, où j'avais passé tous mes vendredis soirs entre huit et onze ans, je dépassais toutes les autres d'une tête et je ne pouvais pas tenir sur mes pointes sans vaciller comme une quenouille.

— Fixe un point précis dans le miroir, m'avait recommandé le professeur. Concentre ton regard sur un tout petit objet, ça t'aidera à trouver ton équilibre.

J'ai donc suivi son conseil, dix ans plus tard, juchée sur mes chaussures neuves, des escarpins Jimmy Choo en cuir verni marron. Ma mère, dans une autre tentative de me transmettre son amour des souliers, me les avait offerts à Noël et j'avais décidé de les étrenner ce matin-là pour lui faire plaisir. Depuis le réveillon, je les sortais souvent de leur boîte pour les admirer, mais je n'avais jamais eu envie de les porter. Des talons de quatre centimètres… comme si je n'étais pas déjà assez grande. Dire que ma propre mère n'avait jamais réalisé que, contrairement à elle, je ne souhaitais pas me grandir du moindre millimètre, et qu'elle n'avait jamais remarqué non plus que les échasses à cinq cents dollars la paire me laissaient indifférente.

Trois autres marches, deux, voilà. Encore heureux qu'il n'y ait personne pour assister à la gracieuse descente de l'autruche perchée. Je me suis assise au premier pupitre et j'ai retiré mes chaussures pour me masser les orteils.

J'ai ouvert mon thermos et me suis versé une première tasse de café. J'ai glissé mes lunettes sur le bout de mon nez. Il m'arrivait rarement de les porter en dehors de chez moi, mais ce matin, elles me semblaient de rigueur : les montures sombres s'agençaient avec mon état d'esprit. En attendant que mon café refroidisse et que le cours commence, j'ai attaché mes cheveux en chignon serré et j'ai entrepris d'enlever les poils de saint-bernard collés sur mon pantalon bleu marine.

C'était décidé, je me reprenais en main. J'allais concevoir une méthode de travail digne d'un entraînement militaire, m'imposer un bourrage de crâne impitoyable et m'épater moi-même avec les notes obtenues à mes examens. Si je ne pouvais pas quitter le pays avant cinq ans, il ne me restait plus qu'à prendre mon mal en patience et à me recoller le nez dans mes livres.

J'étais parvenue à cette conclusion pendant la nuit précédente : je n'avais pas d'autre choix que de continuer à étudier. Après tout, c'est ce que je réussissais le mieux. À la fin de chaque semestre, depuis l'école primaire, j'avais remis à mes parents un bulletin irréprochable, comme un labrador bien dressé rapporte le canard au pied de son maître. Je leur prouverais que rien n'avait changé, que la nuit de vendredi ne démontrait pas forcément que je gambadais sur le chemin de la perdition. Au contraire…

J'allais redevenir une jeune fille exemplaire et ils seraient obligés de m'accorder une dernière chance, de me rendre ma liberté, même en version très conditionnelle.

Une fois mon pantalon débarrassé des poils de chien, j'ai attendu le début du cours, cahier ouvert, mon crayon en position du sprinter sur la ligne de départ. Presque tous en même temps, les étudiants sont arrivés, se sont assis n'importe où sauf dans la première rangée. Le professeur est entré par la porte de côté et s'est traîné les pieds jusqu'au milieu de son podium. Il a éternué de façon retentissante, a tiré un grand carré de coton gris de la poche de son veston et s'est mouché bruyamment. Sans dire un mot, sans même un bonjour, il a allumé le projecteur et a déposé un premier transparent sous le faisceau lumineux. *Séquences stratigraphiques terrestres et chronologie isotopique océanique.* À vos marques, prêts, notez !

Entre ses reniflements, le prof s'est mis à parler de fluctuations eustatiques, de sédimentation lacustre et de changements climatiques holocènes, insistant sur le fait que la compréhension de toutes ces notions était essentielle à la réussite de l'examen final. Il aurait aussi bien pu donner son cours en swahili.

Mon crayon paralysé sur la page, je me suis retournée vers la foule d'étudiants derrière moi. J'ai regardé les têtes penchées sur les cahiers, les mains qui écrivaient à toute vitesse, les quelques autres levées pour une question. L'angoisse m'a reprise. Je n'avais pas ma place ici.

Dire que la veille, dans mon lit chez mes parents, j'avais poussé ma bonne volonté jusqu'à mettre mes résolutions en scène dans un exercice de visualisation qui avait occupé une bonne partie de ma nuit blanche. Comme dans un film, je m'étais vue préparer des litres de café pour étudier jusqu'à l'aurore, m'inventer des comptines et des acronymes pour retenir toutes les notions importantes, et arriver aux examens avec un sourire confiant. J'avais imaginé la feuille des résultats épinglée sur le grand babillard de la Faculté et la note impeccable à côté de mon code d'étudiant. Enfin, j'avais vu mes parents tout fiers me redonner la clé de mon appartement.

Maintenant, tout ce scénario frôlait la science-fiction. J'avais manqué trop de cours, j'allais rater mes examens et, bien franchement, je m'en contrebalançais. Avec sa longue baguette télescopique, le prof s'est mis à cogner sur un diagramme projeté sur la toile. Chaque cognement faisait l'effet d'un coup d'archet sur mes nerfs à vif. J'ai commencé à transpirer, ma vision s'est embrouillée et j'ai senti mon estomac se serrer comme un poing. Il n'y avait pas une seconde à perdre. J'ai attrapé mon sac, laissé mon cahier et mon café sur le pupitre et je me suis enfuie vers la sortie, la paume serrée sur la bouche, le claquement sec de mes talons faisant écho sur les murs.

Dans les toilettes atteintes de justesse, je me suis cramponnée au bord de la cuvette pour vomir. Ce matin, j'avais fait un effort pour rassurer ma mère en mangeant des céréales. J'étais même allée jusqu'à avaler, sans sourciller, six tranches de banane et neuf amandes en lisant *Le Soleil*. En tournant les pages, j'avais pris ma voix posée pour commenter la campagne électorale, les nouvelles publicités de Bell, la météo qui ne s'améliorait pas. J'avais détourné les yeux pour éviter de croiser les siens qui suivaient le trajet de chaque cuillerée, de l'assiette à ma bouche. Avec un peu de chance, j'étais parvenue à lui faire croire au miracle : sa fille avait enfin décidé de signer un armistice avec la bouffe. Et pourquoi pas ? C'était permis de rêver.

J'ai activé la chasse d'eau et regardé mon petit déjeuner disparaître dans le tourbillon. Mon premier épisode de nausées matinales. Enfin, c'est ce que la logique me disait, même si le contenu du cours m'avait paru responsable de mon envie de vomir. Bizarrement, je m'attendais à être exemptée des maux de cœur parce que je ne gardais pas le bébé qui allait avec.

Après avoir savonné mes mains et rincé ma bouche, j'ai soulevé le bas de ma chemise et j'ai reculé d'un pas pour mieux me voir dans le miroir de la salle de toilettes. Doucement, j'ai posé ma paume froide sur mon ventre et tiré ma peau vers le haut. Les fines veines qui la traversaient avaient augmenté de volume au cours de la dernière semaine et elles étaient plus bleues. J'ai défait mon chignon et ébouriffé mes cheveux. Je me suis tournée d'un côté, puis de l'autre, et j'ai fait une moue *sexy* en écarquillant les yeux. Pas si mal dans les circonstances, ai-je pensé. Un jour, j'allais être jolie avec mon gros ventre et heureuse de le voir pousser. J'aimerais un homme merveilleux qui me ferait des massages de pieds à volonté et qui irait m'acheter de la crème glacée et des cornichons à deux heures du matin. J'aurais une autre chance, quand je serais enfin parvenue à devenir Clarence Paradis en version améliorée, nouvel emballage et garantie prolongée. Pour le moment, j'étais persuadée que s'il avait eu la moindre idée de la névrosée qui le portait, mon embryon aurait lui-même pris l'initiative de s'enrouler le cordon autour du cou.

J'ai fouillé dans mon sac pour trouver le roman à l'intérieur duquel j'avais noté les coordonnées des cliniques. Je ne pouvais plus me cacher la tête dans le sable. Le temps était venu pour l'autruche de chercher un téléphone et d'appeler à Montréal.

Je suis allée récupérer mon manteau et mes bottes dans mon casier. J'en ai profité pour en vider le contenu. Avec une étrange satisfaction, j'ai laissé tomber les feuilles de notes et les cahiers au fond du bac de recyclage. La géo et moi admettions finalement qu'il ne servait à rien de s'acharner : les choses ne finiraient jamais par s'arranger et le divorce était l'unique solution pour éviter de s'entre-tuer.

En attachant mes bottes, mes lunettes sur le point de glisser de mon nez, j'ai aperçu une silhouette longiligne, à une cinquantaine de mètres au fond du couloir, qui me faisait de grands signes de la main.

Mais bien sûr, ça allait de soi : pour permettre à la tendance catastrophique de ce mois de mars de se maintenir, il était impératif que je tombe sur lui ce matin. Avec son col roulé vert pomme et ses bras interminables, Philippe Blanc ressemblait à une mante religieuse. Dire que je m'étais rasé les jambes pour lui. Les tests passés quand j'avais douze ans avaient beau m'accorder un quotient intellectuel de 138, il y avait des jours où mon cerveau aurait mieux convenu au crâne d'un poulet.

Philippe s'avançait vers moi avec son allure dégingandée. Figée, le pied sur la première marche de l'escalier, j'ai senti mes yeux s'écarquiller et se remplir d'épouvante pendant que ma main gauche se crispait sur la rampe. Mes poumons se sont vidés de leur oxygène et un faible bruit de volaille étouffée est sorti de ma bouche. Pour la première fois, j'ai songé à me servir du vaporisateur de poivre de Cayenne que mon père m'avait donné l'automne précédent, après qu'une étudiante avait été agressée sur le chemin de la bibliothèque. Plutôt passer à l'attaque que de m'entendre encore lui débiter des conneries pour le charmer. Je n'aurais pas supporté de lui sourire en prétendant que, bien sûr, mon semestre se déroulait à merveille et que, naturellement, tout allait pour le mieux dans la vie de mademoiselle Paradis.

Comme si j'avais eu un grizzly à mes trousses, j'ai escaladé les marches quatre à quatre et j'ai détalé vers la sortie. Une fois dehors, j'ai continué à courir aussi vite que possible, sans me retourner, jusqu'à ce que je me retrouve à la limite du campus, à bout de souffle devant la porte du pavillon de l'Éducation physique et des Sports. Mon manteau était ouvert, mes mains nues étaient raides de froid, mes lacets traînaient par terre et je ne sentais plus le haut de mes oreilles. Bien joué quand même. Il se poserait des tas de questions, mais c'était le cadet de mes soucis. Au fond, il avait de la chance. J'aurais pu lui faire du chantage, lui parler rêveusement de «notre enfant», en supposant que j'allais le garder. J'aurais pu prendre un malin plaisir à le voir se tortiller d'embarras quand je lui demanderais son avis sur mes choix de prénoms. J'aurais pu lui dire que j'hésitais entre Gertrude et Cunégonde pour une fille, et pour un garçon, hum… ce serait soit Adolphe ou Judas.

Je suis entrée dans le pavillon. À cette heure matinale, le vestiaire des filles était presque toujours vide. Tant mieux, puisque le téléphone public se trouvait là, entre deux rangées de casiers. Je ne pouvais pas me servir de mon cellulaire pour appeler à Montréal. Mon père recevait les comptes mensuels et pouvait voir tous les appels que j'avais faits.

«Courage, ma grande, me suis-je dit en prenant une grande inspiration. Une fois que ce sera fait, les menottes vont se desserrer de quelques crans et tu respireras beaucoup mieux.»

Il y avait une forte odeur de chlore et de vieux souliers dans le vestiaire. Au fond de la salle, les coups de sifflet d'un entraîneur résonnaient derrière la porte donnant accès à la piscine olympique. Nager me manquait. Cela faisait bien deux ans que j'avais arrêté d'aller faire mes longueurs. J'étais bonne nageuse, mais mes complexes m'empêchaient maintenant de me montrer en maillot de bain. Avec mes mollets trop maigres, mes cuisses trop grasses, mes pieds trop longs, mon absence de taille et mes cheveux qui avaient la triste habitude de passer du blond au vert chimique après quelques heures dans l'eau chlorée, j'avais tout d'une grenouille. Non, ce qu'il m'aurait fallu, c'était la mer : une plage déserte, le piaillement des goélands au-dessus des bancs de poissons, une marée qui baissait en oubliant des coquillages, des oursins et des rubans d'algues visqueux sur la grève.

Je n'avais vu la mer qu'une fois, huit ans plus tôt. Je me souvenais encore de la vieille et immense maison en bardeaux de cèdre gris rongés par l'air marin, avec son grand balcon de bois blanc plein de nids d'hirondelles. C'est Mamie Rose qui m'avait fait voir l'Atlantique et Cape Cod. Son amie d'enfance dont elle me parlait souvent, Jacqueline Wallace, avait épousé un avocat du Massachusetts, un homme très riche, mais, ajoutait toujours ma grand-mère, laid comme un singe et porté sur la bouteille. Le couple possédait trois résidences et ma grandmère avait persuadé son amie de lui laisser celle de Cape Cod pour un été, pendant qu'elle et son mari profitaient d'une croisière dans les Caraïbes. Elle m'y avait invitée et j'avais dû plaider ma cause pendant des semaines pour convaincre mes parents que j'étais assez grande, à onze ans, pour prendre seule l'autocar qui m'emmènerait de Montréal jusqu'à Boston, où m'attendait Mamie.

Je n'ai rien oublié de ce voyage, j'avais eu l'impression d'être la seule passagère qui n'avait pas fermé l'œil de la nuit. Ma mère m'avait fait asseoir à côté d'une grosse femme à l'air bienveillant, qui débordait de son siège et qui sentait la poudre pour bébé. Elle avait ronflé une bonne partie du voyage pendant que je lisais *Le Seigneur des anneaux* à la lueur de la lampe de lecture achetée avec mon argent de poche. Pendant tout le trajet, j'avais ressenti l'agréable vertige du premier voyage en solitaire.

J'ai décroché le combiné. C'était maintenant ou jamais. Je devais faire le pire appel téléphonique de ma vie. Il n'y avait pas d'autre issue. Lentement, j'ai composé le numéro de ma carte d'appel, puis celui de la clinique. À la première sonnerie, mon cœur s'est mis à jouer au yoyo dans mon œsophage.

— Centre de santé des femmes de Montréal, Nicole à l'appareil...

J'ai raccroché. Tempête intérieure trop intense. Et il fallait bien que je me prépare ! Je n'allais quand même pas balbutier : « Euh, oui, euh, c'est pour me faire avorter. »

Je devais trouver un bel euphémisme. Comment ils avaient appelé ça dans l'annonce ? Une interruption de grossesse, voilà. J'ai pris un stylo et, juste à côté de ma liste de numéros de téléphone, j'ai inscrit : « Bonjour, madame, j'appelle pour savoir s'il serait possible de fixer un rendez-vous avec un médecin pour une interruption de grossesse. » Si j'arrivais à lire cette phrase, le reste suivrait.

Allez, prise deux !

— Centre de santé des femmes de Montréal, bonjour. Votre appel est important pour nous. Nous vous prions de garder la ligne, nous vous répondrons dans les plus brefs délais.

Garder la ligne, exactement. En plein ce qu'il fallait dire aux femmes affolées de voir leur ventre grossir à vue d'œil.

La mélodie de *Yesterday* jouée à la flûte de Pan a pris la relève au bout du fil. Comme si ce n'était pas déjà assez pénible, il fallait que je me tape Zamfir par-dessus le marché.

— Oui, bonjour? a répondu trente secondes plus tard la secrétaire à qui j'avais raccroché au nez.

— Euh... oui, bonjour, madame, j'appelle pour savoir s'il serait possible de... euh...

— Vous êtes enceinte?

— Oui, c'est ça. C'est pour une interruption.

— Vous avez passé un test de grossesse?

— Oui, chez le médecin.

— La date de vos dernières règles?

— C'est difficile à dire, je suis très irrégulière. Mais comme j'ai eu une seule relation dans les six derniers mois, je peux vous donner la date de la conception. C'est le 8 janvier.

— Vous avez eu une échographie?

— Euh... non.

— On va devoir vous en faire passer une, alors.

— C'est vraiment nécessaire?

— Notre clinique ne pratique pas d'interruption au-delà de douze semaines. Il faut confirmer que vous n'êtes pas plus avancée. Si vous l'êtes, il faudra aller ailleurs.

— Ah... je comprends.

— La semaine prochaine, ça vous conviendrait?

— Est-ce que ça pourrait être le 29, un mardi?

— On a une ouverture en après-midi, à 14 h 30.

— Ce serait parfait.

Elle a pris mon nom, mes coordonnées, m'a conseillé de ne pas trop manger la journée de mon rendez-vous. Elle m'a demandé si j'avais des questions et m'a donné l'adresse de leur site Internet, où la procédure était décrite en détail, du début à la fin.

J'ai raccroché, appuyé mon front sur le téléphone. C'était froid, et j'avais chaud. L'appel avait été plus bref et plus simple que je l'avais craint. Ce qui m'énervait maintenant, c'était l'échographie. Parce qu'en plus du reste, il fallait que je voie de mes yeux battre le cœur de l'oisillon avant de l'arracher du nid. La joie.

J'ai téléphoné chez Sophie pour confirmer le jour et l'heure du rendez-vous sur son répondeur. J'avais tellement de chance de l'avoir. Je n'osais même pas penser à ce que j'aurais fait sans elle.

Il me restait sept jours avant de passer sur la table d'opération. D'après mes recherches dans Internet, l'intervention durait quinze minutes; l'illustration parfaite du mauvais quart d'heure. D'ici là, j'avais le temps de penser à une façon d'annoncer mon décrochage scolaire à mes parents. Vendredi, rendez-vous avec Olivier St-Pierre. Pour lui, je devais inventer une histoire plausible pour justifier l'ajournement de mon voyage en Nouvelle-Zélande. La possibilité de lui expliquer les faits réels m'a effleuré l'esprit pendant deux inconfortables secondes. Une version allégée de la vérité ferait peut-être l'affaire. À moins d'annuler notre rencontre et de disparaître à jamais. L'idée avait quelque chose de tentant.

Assise sur le banc, entre deux longues rangées de casiers en métal vert, j'ai commencé à angoisser. Je ne savais plus où aller. Le mardi, j'avais habituellement des cours du matin au soir. Je me retrouvais maintenant avec une journée entière à moi, la première de ce qui pourrait être un très long congé. Je n'avais pas la moindre idée de ce que les prochains mois me réservaient. Je serais sans doute obligée de me trouver un deuxième emploi et un autre appartement, dans un quartier moins cher. Ça n'allait pas être une partie de plaisir, mais au moins je ne serais pas forcée de rester à Sainte-Foy.

Je me suis étendue sur le banc, les mains croisées derrière la tête.

«Décrocheuse, *drop-out*, lâcheuse d'école…» Ma conscience me travaillait. Les insultes auraient dû me piquer au vif, mais leur douleur me soulageait, comme un abcès qui crève. Pour mes parents, par contre, ce serait une bonne gifle. Saisissante et humiliante, mais ils s'en remettraient.

Les choses changeaient. Je ne savais pas où j'allais et encore moins si ma nouvelle direction serait la bonne, mais aujourd'hui, le vent avait tourné. Il n'était plus question qu'on me retrouve empoisonnée à petites doses d'ennui mortel. Dimanche matin, quand ma mère écoutait les grands succès d'Aznavour à plein volume en passant l'aspirateur, et qu'il s'était mis à chanter « Hier encore, j'avais vingt ans », à parler de ses jours qui avaient fui, de ses projets restés en l'air et de ses espoirs envolés, je m'étais sentie bouillir dans le ventre. J'allais avoir vingt ans dans quelques semaines. Vingt ans ! Je ne voyais pas ce que ce nombre avait de si magique. Ah, quand j'avais vingt ans, si j'avais vingt ans, je n'ai plus vingt ans… À moins qu'un miracle grandiose ne se produise d'ici le 9 mai, je n'allais pas être plus heureuse à vingt ans qu'à dix-neuf. Si ça se trouvait, cette année de plus ne servirait qu'à me faire sentir encore plus coupable d'avoir été oubliée par le bonheur.

J'avais envie de poser un acte radical, de prendre un risque. Je ne pouvais pas passer le reste de l'année à essuyer des tables et à préparer des martinis, rien que pour payer mon appartement en attendant que mon destin me soit révélé. Non, il fallait trouver une façon de calmer les fourmis dans mes jambes et d'assouvir mon goût de la démesure.

Je m'étais enfoncée dans un tel marasme depuis quelques mois, quelle honte ! J'avais réduit les fonctions de mon cerveau au calcul des calories et à l'apitoiement à temps plein. Je suis trop grande, trop grosse, trop frisée, j'ai perdu toutes mes amies… Quand on se plaint tout le temps, la vie nous donne des raisons de continuer. Maintenant, j'en avais des excuses pour déprimer... un casier judiciaire, un bébé dans le ventre, plus d'appartement, une interdiction de quitter le pays... Superbe karma, bravo!

Il n'était pas question que ma vie finisse comme dans la chanson *Hier encore*. Je ne voulais pas que ma vie commence à cinquante ans. Quand Aznavour avait entamé la chanson *Emmenez-moi*, j'avais failli hurler. Je ne pouvais pas croire que j'allais croupir ici encore cinq ans. Derrière la voix du chanteur, je m'étais surprise à formuler une prière: Emmenez-moi au bout de la Terre, emmenez-moi au pays des merveilles, mon Dieu, si vous existez vraiment.

J'ai soupiré en regardant le plafond. Pas étonnant que je ne sache pas comment donner un sens à mon année sabbatique: je n'arrivais même pas à trouver de quoi occuper ce foutu mardi. J'avais voulu du temps libre et, maintenant qu'il abondait, je le passais à me demander quoi en faire... J'étais vraiment pitoyable. Je n'allais quand même pas gaspiller ma première journée de liberté à me ronger les ongles dans le vestiaire du pavillon des Sports!

Il faisait encore un froid épouvantable, beaucoup trop venteux pour une promenade sur les Plaines. Je ne pouvais pas retourner à la librairie sans avoir d'abord réglé le cas d'Olivier. Sophie m'avait prévenue qu'elle passait sa journée de congé chez sa mère pour l'aider à coller de la céramique dans la cuisine. Si j'allais flâner au centre commercial dans cet état d'esprit, je risquais de dépenser compulsivement et ce n'était pas le moment de mettre mes finances en péril. L'idée de rester sur le campus était insupportable et je ne pouvais pas retourner chez mes parents. Ils savaient que j'avais des cours jusque tard en soirée et ma mère allait sûrement revenir promener les chiens pendant son heure de lunch. J'étais une itinérante.

Je me suis donné une tape sur le front.

Mamie Rose !

S'il y en avait une qui savait quoi faire avec les itinérants, c'était bien elle. Chaque dimanche matin, elle remplissait le siège arrière et le coffre de sa Cadillac dorée avec des piles de tartes au sucre et des cartons de pâtisseries. Elle quittait ensuite l'île d'Orléans et se rendait à la soupe populaire du quartier Saint-Roch, où on l'attendait comme on attend le père Noël.

— C'est ma façon d'aller communier, disait-elle.

Encore en brouille avec le curé de Sainte-Famille et depuis longtemps désabusée par l'étroitesse d'esprit des religieux catholiques, Mamie Rose n'était pas allée à la messe depuis 1965. Sa série de disputes avait commencé beaucoup plus tôt, au milieu des années cinquante, peu de temps après qu'elle eut accepté la demande en mariage de mon grand-père. Selon elle, l'affaire avait eu des retentissements jusqu'au Vatican.

Je savais maintenant que les histoires de ma grand-mère comportaient une part de fiction qui croissait avec les années, mais je n'aurais jamais osé en contredire le moindre mot. Quand j'étais toute petite et que je me faisais garder chez elle, je lui demandais toujours, juste avant de dormir, de me raconter comment elle avait essayé de convaincre le pape de faire changer le nom de Papi.

Mon grand-père, dont je ne garde qu'une image floue d'un doux géant endormi devant la télé, s'appelait Roland Cauchon. Après l'avoir reluquée pendant toute la messe, il était allé se présenter à ma grand-mère sur le parvis de l'église. Il s'était empressé de préciser qu'il fallait prononcer Côchon et non Cochon. Mamie, qui portait le nom de Rose Paradis aussi fièrement que son chapeau d'organdi jaune, avait fait comme toutes les filles qui rencontrent un prétendant : elle avait mis son prénom à côté du nom de mon grand-père pour voir si ça sonnait joli.

— Tu te serais appelée Rose Cochon ! disais-je en me tordant de rire.

— En plein ça ! Et puis tu sais que dans mon temps, on ne pouvait pas garder son nom de fille ! Ce n'était pas comme aujourd'hui. Maintenant les femmes ont leur mot à dire, mais dans ce temps-là, si monsieur le curé disait non, c'était non, pas de discussion !

— Mais toi, Mamie, t'avais une tête de cochon !

— Ah, ça oui… mais je ne voulais pas avoir le nom !

J'avais beau connaître les histoires de Mamie par cœur, c'était toujours un plaisir intense de l'entendre me les raconter à nouveau. Je l'obligeais même à recommencer si elle avait le malheur d'oublier le moindre petit détail. J'éprouvais un sentiment de sécurité en constatant que certaines choses ne changeaient pas, comme les histoires de l'ancien temps et le droit de manger de la tarte au lit quand je me faisais garder chez elle.

— En plus, Mamie, tu voulais avoir trois enfants ! ajoutai-je en enfournant une autre bouchée.

— Et comment on les aurait surnommés, si je n'avais pas réussi à leur donner mon nom de jeune fille ?

— Les trois petits cochons !

Chaque fois, je jubilais.

À sept ans, c'était la meilleure farce que j'avais entendue de ma vie.

Ma grand-mère me décrivait en détail les discussions infructueuses avec le curé, les lettres envoyées à l'évêque et à l'archevêque, en plus de celle qu'elle prétendait avoir envoyée au pape Pie XII en dernier recours. Mon grand-père, même s'il n'avait jamais osé entreprendre la démarche lui-même, ne voyait pas d'inconvénient au changement de son patronyme. Il avait souffert d'embonpoint à l'adolescence et gardé en mémoire les échos des noms cruels dont on l'avait affublé. Ragoût de pattes, Gros Jambon… sans parler des grognements qui suivaient chacune de ses entrées en classe. S'il pouvait éviter ça à ses enfants, il n'en serait que plus heureux. On ne devenait pas premier ministre avec un nom comme ça, ni prêtre d'ailleurs et encore moins policier. Et puis, la plus jolie fille de l'île d'Orléans acceptait de l'épouser! Il n'était certainement pas le seul qui aurait changé son nom pour faire battre les longs cils de Rose Paradis.

Après les refus à leur demande, mes grands-parents avaient décidé de faire fi de l'opinion de l'Église. Ils avaient entrepris des procédures juridiques et mon grand-père était devenu Roland Paradis avant même de se marier.

Mamie Rose avait envoyé une copie de son certificat de mariage au curé et l'avait traité de borné. Elle n'avait pas eu le droit de communier pendant un an.

— Mais c'était pas grave, Mamie, parce que toi t'étais capable de parler au bon Dieu directement! avais-je ajouté.

Elle m'avait raconté qu'elle avait un code secret sur son téléphone pour appeler les anges à frais virés.

— Quand on s'appelle Paradis, on a des permissions spéciales, expliquait-elle. Et puis, mon trésor, dis-toi que si le bon Dieu est assez fou pour envoyer quelqu'un se faire chauffer les fesses en enfer pour une niaiserie pareille, eh bien je serais pas fâchée d'y aller! Au moins, je serais certaine d'avoir de la compagnie!

C'est donc grâce à l'entêtement de ma petite Mamie que je portais aujourd'hui le joli nom de Paradis.

J'ai fouillé dans les poches de mon manteau pour trouver des pièces de monnaie. J'en ai glissé deux dans la fente du téléphone. Ma grand-mère a répondu après trois sonneries.

— Mamie ! C'est moi !

Je n'avais jamais besoin de préciser lequel de ses quatorze petits-enfants se trouvait au bout du fil. Elle avait douze petits-fils et deux petites-filles, moi et ma cousine Béatrice, qui vivait à Buffalo avec son mari évangéliste, et semblait avoir oublié l'existence de sa grand-mère.

— Clarence ! La belle surprise ! Comment va mon ange ?

— J'ai eu des jours meilleurs, disons. Mon père t'a parlé, j'imagine ?

— Oui, il est venu changer ma fenêtre de chambre à coucher ce matin, le vent l'avait cassée. Il m'a dit pour...

— Eh, Seigneur ! Il va te faire mourir d'inquiétude !

— Voyons, tu sais bien que j'en ai vu d'autres, ma petite fille. À mon âge, on a la couenne dure. Et puis, si on ne peut plus parler à sa vieille mère quand on se fait du souci...

— Tu faisais quoi, là ?

— Là, trésor, je râpais des navets pour ma soupe aux légumes. Je garde le bébé d'Alexandre pour la semaine. Il est en train de me construire une soucoupe volante dans le salon.

— Su pas un bébé ! Z'ai trois ans et demi ! Pis c'est pas une soucoupe volante, c'est une station spatiale pour les dinosaures ! ai-je entendu protester.

— Excuse-moi, mon homme, t'as raison, ça fait longtemps que tu n'es plus un bébé. Mamie, elle, est vieille, des fois, elle oublie. C'est Clarence au téléphone, viens-tu lui dire un beau bonjour, mon Francis ?

— Nan !

— Si tu n'es pas trop occupée, Mamie, j'irais te voir un peu.

— Viens-t'en ! Veux-tu que j'aille te chercher ?

— Non, je vais m'arranger. Je devrais arriver vers midi. As-tu besoin de quelque chose ?

— Pas vraiment, mais si tu passes devant un kiosque de journaux, me ramènerais-tu le *Coup de pouce* du mois de mars s'il en reste ? Ils ont une recette de cocos de Pâques pour les diabétiques. J'en ai inventé une hier, je me pensais bien bonne, mais ils sont trop mous. Je pense que j'ai pas mis assez de sel ou c'est peut-être mon lait condensé qui...

— Je t'apporte ça, Mamie, l'ai-je interrompue.

Si je la laissais se lancer dans une discussion sur les desserts, je n'étais pas sortie de l'auberge. En plus, ça risquait de me donner envie d'en manger.

— On t'attend pour la soupe !

— Non, non, mangez sans moi, je n'ai pas faim, je viens juste d'avaler deux croissants à la cafétéria de l'université. Avec du yogourt et une barre tendre...

— Clarence Paradis, tu sais que ça ne marche pas avec moi, ces histoires-là. Je ne te forcerai jamais à manger, mais pas de menteries, compris ? Je le sais quand tu mens, tu parles plus vite.

— OK, Mamie. Je vais en prendre un bol de ta soupe. Mais un mini, OK ? Et pas de nouilles dedans ! Bon, il faut que j'y aille si tu veux que j'arrive.

— Dépêche-toi, j'ai hâte de te voir !

Chapitre 9

Ma grand-mère était la seule qui pouvait faire mention de mes troubles alimentaires sans que je m'énerve ou me sauve en courant. Depuis longtemps, ma mère évitait le sujet comme un champ de mines. Mon père, lui, m'avait interrogée quelques fois, au début, en conduisant sur l'autoroute. C'est toujours la méthode qu'il choisissait pour aborder les questions délicates. Au volant de sa voiture, il pouvait discuter sans me regarder dans les yeux et il savait que je ne m'échapperais pas. Il avait tout de même essayé de comprendre par quelle arnaque mon esprit pouvait me faire croire que j'étais grosse avec le poids que j'avais. Il abordait le problème d'un angle beaucoup trop scientifique, c'était peine perdue. Je pense qu'il aurait souhaité qu'on me découvre une anomalie de la cornée ou du nerf optique, une maladie bénigne qui expliquerait le reflet déformant du miroir de l'âme. Le tout rectifiable par un rayon laser ou une chirurgie mineure.

Avec Mamie, c'était simple. Chaque dimanche, elle voyait tellement de gens manquer de nourriture que, pour elle, refuser un bol de soupe était un sacrilège. En plus, elle rêvait de prendre du poids. Malgré ses efforts considérables pour grossir, elle s'habillait encore au rayon des enfants. Elle ne voyait aucune objection à porter un pantalon de velours côtelé rose assorti à une blouse à motifs de chatons, taille junior. C'était moins cher et les vêtements n'avaient pas besoin de retouches.

Elle mangeait, pourtant, et pas comme un oiseau. Je l'avais vue s'enfiler trois ou quatre pâtisseries de suite, en me disant la bouche pleine qu'elle essayait de s'isoler pour l'hiver. J'aurais tout donné pour hériter de son métabolisme et de ses dimensions, mais à côté d'elle, j'avais l'air d'un gros caribou.

J'ai décidé de prendre l'autobus jusqu'a la place D'Youville. De là, j'attraperais un taxi jusqu'à l'île et je descendrais à quelques coins de rue de sa maison. Je savais que si elle me voyait sortir d'un taxi, elle s'offusquerait et me dirait que ça n'a aucun bon sens de jeter l'argent par les fenêtres, alors qu'elle se serait fait un plaisir de venir me chercher.

Je suis passée m'acheter un grand espresso allongé à la cafétéria avant de m'emmitoufler pour sortir. Il fallait traverser le campus dans toute sa longueur pour atteindre l'arrêt d'autobus situé devant le pavillon Desjardins. En marchant, les épaules relevées jusqu'aux oreilles et les fesses serrées, j'ai contemplé un par un les édifices de l'université. Ils étaient tous laids. J'avais peut-être regardé trop de films, mais je m'étais toujours vue passer mes années universitaires sur un campus composé de bâtiments à l'architecture austère couverts de lierre, un lieu qui sentirait la tradition, les feuilles d'automne et les livres anciens. J'avais rêvé d'étudier en Angleterre, à Oxford, ou encore à la Sorbonne, et de m'asseoir au même pupitre que Simone de Beauvoir ou Marie Curie.

— Clarence et ses idées de grandeur, se moquait mon père. La vraie vie, c'est loin d'être comme à Hollywood. C'est déjà beau qu'on te paye tes études, faudrait pas ambitionner sur le pain bénit. Compte-toi donc chanceuse qu'on ait une excellente université pratiquement dans la cour arrière de la maison !

Justement, peut-être que je n'avais pas envie de passer cinq ans assise dans mon carré de sable. D'ailleurs, c'était lui qui m'avait dit, après le poste de police, qu'il me voyait réaliser de grandes choses. Grandes selon son échelle à lui, bien sûr.

Dans l'abribus, j'ai fait rouler mon verre de carton encore chaud sur mes joues. C'était le pire hiver de ma vie. Pourtant, au moment où cette pensée traversait mon esprit, j'ai eu une nette impression de déjà-entendu. Ça devait fonctionner de la même façon qu'avec les douleurs de l'accouchement. J'avais lu que les femmes étaient dotées d'un dispositif dans le cerveau qui déclenchait une amnésie partielle aussitôt qu'on leur mettait le bébé dans les bras. Si elles se souvenaient de l'intensité de leur souffrance, elles ne répéteraient jamais l'expérience.

Peut-être que la nature avait donné le même genre de mécanisme de survie aux habitants des latitudes nordiques. On a beau se jurer, quand nos oreilles et le bout de notre nez menacent de casser sec comme des glaçons, que c'est fini, c'est assez, on déménage à Hawaii, dès les premiers rayons du printemps, on se vautre sur les terrasses, un sourire niais tourné vers le ciel. Le froid devient sujet tabou et on se dit que c'est donc joli l'hiver, quelle chance d'avoir de si belles saisons. J'ai soupiré. Si j'en avais encore pour cinq ans à me faire geler, valait mieux en effet que la nature ait prévu de m'offrir une lobotomie sélective.

Dans l'autobus, j'ai senti mon teint passer au vert pâle à la première courbe. « On inspire, on expire, on inspire… » Au pire, je vomirais dans mon sac. Ça me donnerait un prétexte pour en acheter un nouveau. Il ne fallait surtout pas que je sois malade chez Mamie, elle était assez maligne pour renifler quelque chose de louche. Elle avait été enceinte neuf fois, après tout. Disons que le plan initial des trois enfants n'avait pas tout à fait fonctionné comme prévu. Il lui en avait fallu neuf pour accepter qu'elle était incapable de produire autre chose que des garçons joufflus et hyperactifs.

Après être descendue devant la patinoire D'Youville, je suis entrée au café Tribune pour acheter le magazine de Mamie. Je lui ai aussi pris *Le Bel Âge*, *Maisons et Jardins* en plus du *Allô Star,* qui annonçait un autre dossier-choc sur Lady Di. Voilà qu'on la prétendait enceinte au moment de son décès. Et quoi encore ? Je ne comprenais pas ce que Mamie trouvait de si captivant chez la famille royale britannique, mais toujours est-il qu'elle avait eu deux perruches nommées Diana et Fergie, et que son vieux chien obèse s'appelait Henri VIII. Je savais qu'elle dévorerait le magazine et en découperait les photos pour les coller avec soin dans son *scrapbook* souvenir sur la princesse de Galles. À chacun ses passe-temps. Je faisais bien la même chose avec Karen Ross, dans un cahier que je regardais chaque fois que se manifestait une pointe d'appétit. Ses bras en bâtons d'allumette, son dos courbé qui laissait les vertèbres saillir comme des arêtes de poisson et ses hanches d'éphèbe demeuraient le plus efficace des coupe-faim. Et puis, il ne fallait pas oublier que Lady Di elle-même avait avoué se faire vomir pour garder la ligne. Je me demandais ce que Mamie pensait de ça.

J'ai couru jusqu'à la file de taxis, je me suis engouffrée dans la première voiture et me suis laissée choir sur la banquette arrière en me frottant les cuisses.

— Est-ce qu'il fait assez froid à votre goût? ai-je demandé au chauffeur.

Pas de réponse. Il pouvait oublier son pourboire, celui-là. L'intérieur surchauffé avait l'odeur âcre de la sueur et des vieux mégots. Bonne chance pour le mal de cœur. À travers une fine volute qui s'échappait de sa cigarette, j'ai vu deux gros yeux noirs me fixer dans le rétroviseur.

— Je vais à l'île d'Orléans. Vous me déposerez devant l'église de Sainte-Famille.

Il a activé le compteur, éteint sa cigarette, puis en a tiré une autre du paquet.

— Est-ce que je pourrais vous demander de ne pas fumer pendant le trajet? Je suis enceinte et ça me donne mal au cœur.

Sans répondre, il a jeté la cigarette sur le velours usé du siège du passager et il a appuyé sur l'accélérateur. L'incarnation même de la cordialité.

Après une course silencieuse et tendue, la voiture s'est engagée sur le chemin de l'Église. Le compteur affichait vingt-sept dollars. Je lui en ai remis trente.

— Ça va, gardez la monnaie, me suis-je entendue prononcer.

J'étais incapable de ne pas laisser de pourboire. J'ignorais si cela était dû à mes cinq années d'expérience comme serveuse, à ma crainte de m'attirer un plus mauvais karma ou à un manque total de colonne vertébrale. Peu importe, ça venait de me coûter trois dollars. J'ai claqué la portière en bougonnant et j'ai couru vers la maison de pierre qui m'attendait au bout du chemin.

En m'apercevant, Henri VIII est sorti de sa niche comme un projectile.

— Non, Henri, non ! Assis, Henri !

Trop tard. Le chien a poussé un aboiement de douleur en arrivant au bout de sa chaîne beaucoup plus vite qu'il ne l'avait prévu. Piteux, il s'est assis sur son gros derrière, a gémi encore un peu, pour enfin se laisser glisser sur le sol, le menton posé sur ses pattes avant. En soupirant, il m'a jeté le regard misérable qu'il avait mis des années à perfectionner.

— Gros imbécile, Henri VIII. Tu oublies ta chaîne, hein mon gros pouf ? lui ai-je dit en le grattant entre les oreilles.

Sur le perron, la porte s'est entrouverte.

— Rentre, Clarence ! Il fait à peu près moins deux cent cinquante ! m'a crié ma grand-mère.

— Rente, Carence, on zèèèèèle ! a insisté la voix fluette du petit Francis, dont je voyais la salopette rouge et les grosses bottines derrière la jupe de Mamie.

— Est-ce qu'Henri VIII peut rentrer avec moi ? Lui aussi, il trouve qu'il fait froid !

— Il est tout crotté, j'ai ciré mon plancher hier ! Et puis, c'est un husky, c'est pendant l'été qu'il est malheureux !

Henri a levé un sourcil. Il était possible, en effet, qu'il y ait eu un husky parmi ses ancêtres, en plus d'une bonne dizaine d'autres races.

— S'il te plaît, Mamiiiiiiiiie !

— Bon, amène-le, mais tu t'arranges pour qu'il reste sur le prélart ! S'il a le malheur de mettre une patte sur le bois ou le tapis, il retourne dehors ! a tempêté ma grand-mère, les mains sur les hanches.

J'ai détaché Henri et j'ai marché jusqu'à la porte en le tenant par le collier.

— Allô, ma grande !

Elle m'a embrassée sur les deux joues. Sa peau était douce et froide, et elle sentait le parfum *Neiges* de Lise Watier, que je lui avais offert à Noël.

— Allô, ma belle Mamie, tu sens tellement bon ! Salut mon champion, ai-je dit à Francis en m'accroupissant à sa hauteur de petit bonhomme. Tu nous as fait une station spatiale, il paraît ?

— Oui ! Viens dans le salon, ze vais te la montrer ! On va être attaqué par les tyrannosaures, là ! Veux-tu faire semblant d'être un brontosaure, Carence ?

— Après dîner, Francis, a répondu Mamie. Maintenant, c'est le temps de manger ta soupe.

— Z'aime pas la soupe.

— Voyons, Francis, tout le monde aime la soupe ! lui ai-je assuré en enlevant mon manteau et mes bottes.

Mamie m'a tendu une paire de pantoufles qu'elle avait tricotées.

— Spider-Man aime la soupe, Luke Skywalker aime la soupe... même les dinosaures aiment la soupe.

— Bon, OK d'abord, mais pas de grosses tomates molles dedans ! a-t-il précisé, l'air méfiant. Toi, Mamie, dans ton temps, est-ce qu'il y avait des dinosaures ?

Mamie a éclaté de son rire clair et j'ai attrapé Francis par la taille pour le faire basculer comme un sac de patates sur mon épaule. Il s'est mis à hurler de plaisir et c'est de cette façon que nous sommes entrés dans la cuisine. Une odeur de feuilles de laurier planait au-dessus des casseroles qui mijotaient sur le feu.

La maison de Mamie ressemblait à celle, miniature, qu'elle m'avait offerte pour mes sept ans afin que j'y loge ma collection de poupées en carton : les rideaux à volants jaunes agencés aux coussins des chaises, les assiettes de porcelaine anglaise accrochées au mur comme des tableaux, les fauteuils antiques et leurs minuscules repose-pieds, les tapis ronds et multicolores tissés à la main avec des bouts de guenille, l'horloge bavaroise qui chantait coucou toutes les quinze minutes. Le tout d'une propreté presque absurde.

— Henri, coussé! a ordonné Francis au chien qui reniflait la bordure du tapis du salon.

Henri VIII s'est laissé tomber sur le flanc droit, comme s'il avait été atteint d'une balle.

Mamie a versé de la soupe dans trois bols.

— Clarence qui veut pas de nouilles et Francis qui veut pas de tomates, c'est ça? Vous êtes pas mal difficiles avec vos demandes spéciales, on n'est pas au Ritz-Carlton ici. Vous les enlèverez vous-mêmes, vos nouilles et vos tomates!

Francis m'a lancé un regard complice en fronçant le nez.

— On est difficiles, nous, Carence! Moi z'aime mieux la tarte, les *grilled seese* et le macaroni au fromaze. Toi, Carence, c'est quoi les soses que tu préfères manzer dans tout l'Univers?

Mamie, qui coupait du pain sur le comptoir, s'est arrêtée à mi-tranche. J'ai vu sa nuque se raidir. Clarence, elle aime le café et les ongles, l'ai-je entendue penser.

— Ah, tu me poses une colle, mon Francis!

— Quoi, tu manzes de la colle?

— Non, ça veut dire que ta question est difficile. Ce que j'aime le plus manger dans tout l'Univers... hum, c'est grand l'Univers!

J'ai levé les yeux au ciel et me suis gratté la tête.

— Les tartes au sucre de Mamie, les Life Savers, de la vache enragée et puiiiiiiis...

J'ai levé les bras et fait une moue de monstre.

— ... des petits garçons de trois ans et demi!

Je me suis jetée sur lui, lui mordillant le cou, les oreilles, les épaules. Il a crié jusqu'à ce qu'il soit aussi rouge que sa salopette.

Mamie a déposé les bols sur la table. Elle m'a fait un sourire plein d'ironie avant de retourner chercher le pain et les crudités. Je savais à quoi elle pensait. J'avais quatorze ans la dernière fois que j'avais voulu avaler un morceau de sa tarte au sucre.

Mamie ne pouvait rien me cacher. Je voyais toujours ce que ses sourires dissimulaient et ses yeux me traduisaient ses réflexions en simultanée. Là, pendant qu'elle installait Francis sur son siège d'appoint, elle ruminait une autre des histoires qu'elle avait aimé me raconter, une histoire qui avait commencé au milieu d'une nuit de décembre, quand j'avais neuf ans.

Incapable de trouver le sommeil, j'étais descendue dans la cuisine pour me verser un verre de lait et peut-être chaparder quelques biscuits si j'arrivais à atteindre l'étagère. J'avais été surprise de voir Mamie se bercer en silence près de la grande fenêtre, l'air infiniment triste dans sa jaquette en ratine usée, presque méconnaissable sans son dentier et ses lunettes. Ce que je ne savais pas encore, c'est qu'elle se berçait comme ça toutes les nuits depuis plusieurs semaines.

Les mains posées sur son tricot, le regard flottant entre le fleuve immobile et les chapelets d'étoiles, ma grand-mère n'osait même pas prier. Non, elle s'en sortirait toute seule, pas question de déranger le bon Dieu ou les enfants avec ces ennuis-là, ils avaient d'autres chats à fouetter. Il fallait trouver une solution et vite. Les tracas financiers qu'elle tentait de camoufler depuis le départ prématuré de mon grand-père passeraient bientôt le point de non-retour. Depuis son dernier rendez-vous à la banque, elle s'était rendue à l'évidence : elle devait vendre la maison. Elle tombait en morceaux depuis trois ans : ça avait d'abord été le toit qui coulait, puis le balcon qui avait pourri en dessous, ensuite le chêne centenaire qui avait trouvé le moyen d'étouffer la plomberie avec ses racines.

Vendre la maison ! Aussi bien lui demander de s'amputer les deux jambes avec son épluche-patates. Elle irait où ? Dans un établissement pour retraités autonomes ? Elle détestait les publicités qui passaient à la télé l'après-midi et qui en faisaient la promotion comme si c'étaient des centres de villégiature. Si au moins elle avait pu travailler... mais son C.V. n'impressionnerait personne : une cinquième année du primaire, aucune expérience, aucune référence et une paire de genoux qui ne veulent pas toujours suivre le reste.

— Mamie, t'es pas encore couchée ? lui avais-je demandé avec prudence.

— Jésus Marie, Clarence, tu m'as fait peur ! Je ne t'avais pas entendue descendre.

— Je voulais juste un verre de lait.

— Bien sûr, mon ange.

Je me souviens encore du son du lait versé au fond du verre, de celui de la chaise berçante qui grinçait lentement. Ce n'était pas tout à fait le silence : c'était beaucoup plus lourd et je savais très bien, dans ma tête d'enfant, que ma grand-mère se faisait du souci.

— Viens-tu te coucher, Mamie ?

— Pas tout de suite, trésor. Je vais continuer à me bercer un peu, j'ai du mal à dormir cette nuit.

Elle avait froncé les sourcils, m'avait regardée intensément.

— Toi, Clarence, qu'est-ce que tu penses que je fais le mieux ?

— Ben franchement, Mamie... des desserts !

C'était indiscutable, une évidence même.

— Bonne nuit, ma belle Mamie, lui avais-je dit après avoir embrassé son front inquiet.

— Merci, Clarence, merci.

C'est à ce moment précis qu'avait germé, dans l'esprit de ma grand-mère, l'idée qui deviendrait un an plus tard Le Goût du Paradis. Ma grand-mère a réussi à garder sa maison en créant une fabrique de desserts qui, après dix ans d'existence, comptait vingt-neuf employés et faisait un chiffre d'affaires qui lui avait mérité plusieurs honneurs dans le journal de l'île et même dans *Le Soleil*. On trouvait maintenant ses tartes et ses pâtisseries dans toutes les épiceries de Québec. Elles se vendaient un peu plus cher que les autres, mais tout le monde s'entendait pour dire qu'elles le valaient bien. Elle m'avait remis tous les articles de journaux parus depuis les débuts de son entreprise. Dans chacun d'eux, sans faute, Mamie s'assurait d'attribuer le mérite « à son ingénieuse petite-fille, Clarence Paradis, qui s'était levée au milieu d'un rêve pour lui dire de se lancer dans la production de pâtisseries maison ». Les faits étaient toujours un peu enjolivés, mais je ne me plaignais pas : toute la famille me surnommait, à neuf ans, le « petit génie des affaires ».

Même si ma grand-mère et moi n'avions pas officialisé la succession de l'entreprise, je savais que son plus grand rêve était de me voir un jour prendre la relève. Sans moi, son commerce n'aurait pas vu le jour, elle me le disait assez souvent. Dès la création de la première pâtisserie, Mamie m'avait nommée « goûteuse officielle ». Chaque recette devait d'abord recevoir mon approbation avant que sa production ne soit autorisée. Elle m'avait même fait faire un sceau qui disait « Approuvé par Clarence », que j'apposais sur chaque produit qui passait avec succès le test de mes papilles. Jusqu'au jour de mes quatorze ans, où j'avais refusé d'évaluer la nouvelle variété d'œufs de Pâques dont elle était si fière.

Elle avait créé un genre de croisement entre le Kinder Surprise et le biscuit chinois : quand on cassait l'œuf en chocolat, plutôt que de trouver un présage plein de fautes d'orthographe, on lisait soit une citation d'un grand écrivain, soit une farce ou, pour les plus pieux, un passage de la Bible. Le client choisissait le type de message qu'il voulait. Les œufs étaient joliment décorés et se vendaient à l'unité ou à la douzaine dans un joli carton. Ça s'était écoulé comme des petits pains et, aujourd'hui, la collection comptait plus de trente variétés de messages. Il y avait désormais de quoi inspirer tout le monde avec le contenu des Œufs du Paradis : des pensées pour les amateurs de golf, de cuisine, de pêche à la mouche, des conseils pour les femmes enceintes, pour les vieux couples ou les jeunes mariés. Ça faisait fureur et ça se vendait à longueur d'année. Cinq ans après leur mise en marché, ma grand-mère attendait toujours que j'y goûte.

Mamie s'est assise à la table, a allongé le bras pour essuyer le menton de Francis et elle a commencé à beurrer un morceau de pain.

— Toi, Carence, t'es belle comme une princesse, a déclaré Francis en trempant son craquelin dans la soupe.

— Pas vieux, mais pas fou, a chuchoté ma grand-mère.

Elle a soufflé sur sa cuiller pour effacer un sourire moqueur.

— Toi, Mamie, as-tu dézà été belle ?

Mamie et moi avons ricané un peu jaune, puis, en voyant Francis dérouté par notre réaction à sa très sérieuse question, nous avons été prises d'un accès de fou rire.

— Mon snoreau, toi, a fait Mamie, la main sur la poitrine, reprenant son souffle. Je vais te montrer mes photos de jeunesse, tu vas voir que j'étais tout un pétard ! Je ressemblais à Audrey Hepburn !

Francis ne comprenait plus rien. Il est descendu de sa chaise, m'a tendu les bras pour que je le hisse sur mes genoux et s'est lové contre moi, ses mains collantes et chaudes sur ma nuque.

— C'est vrai que Clarence a l'air d'une princesse, mon Francis. Tu fais bien de le lui dire. Dans mon jeune temps, si quelqu'un me disait que j'étais belle, je ne le croyais pas! Puis plus tard, quand je l'ai cru, eh bien je ne l'étais plus!

Mamie avait le don de faire passer ses messages d'une façon insidieuse, mais efficace. J'ai pris ma dernière cuillerée de soupe. J'avais mangé les nouilles.

— Bon, s'il y en a qui ont encore faim, j'ai des cigares au chou. Sinon, c'est le temps du dessert! C'est le carême, alors pas de tarte au sucre avant dimanche. Pour faire pénitence, j'ai une tarte aux pommes sans sucre.

Mamie s'est levée de table.

— J'ai mis du sirop d'érable par contre, a-t-elle murmuré pour que Francis n'entende pas.

Elle ne respectait pas le carême, mais étant donné la ferveur religieuse démontrée par l'autre grand-mère de Francis, elle ne voulait pas mélanger le petit, qui lui avait fièrement annoncé que sa Mamie Lucette lui offrirait un lapin plus grand que lui s'il ne mangeait pas de cochonneries avant Pâques.

Je sentais approcher le moment où la pointe de tarte viendrait atterrir sur mon napperon. La soupe me pesait dans l'estomac comme si j'avais avalé la casserole complète. Une bouchée de plus et j'aurais des sueurs froides. C'était une angoisse que personne ne pouvait comprendre, à part les filles des blogues Pro-Ana. L'existence des sites en question avait récemment été portée au grand jour: il y avait eu un article dans *Le Soleil*, et un autre dans *La Presse*. L'intention était louable, j'imagine… Il fallait prévenir les parents du danger qu'ils représentaient pour leurs vulnérables adolescentes. Pourtant, depuis la parution des articles, le trafic des adresses Web mentionnées s'était multiplié et le nombre d'utilisatrices était devenu étourdissant. Moi, je les consultais chaque matin, mais je ne participais pas aux discussions. Les témoignages que j'y lisais m'inquiétaient en même temps qu'ils m'apaisaient : « J'ai mangé 112 calories aujourd'hui, au lieu des 100 prévues. Pour me punir, j'ai fait une heure et demie de corde à sauter et je me suis entaillé le ventre avec mon *exacto*. » Parfois, elles mettaient une photo pour le prouver. Entre leurs côtes et leurs vertèbres, de petites incisions nettement tracées en rang, de légères blessures de guerre servant à détourner la vraie douleur, celle qui reste invisible et qui ne saigne pas.

Si un jour j'en arrivais là, s'il devenait trop difficile de garder la tête hors de l'eau, je me rendrais à l'hôpital en courant, promis. Pour l'instant, leurs histoires me donnaient la conviction d'avoir le dessus sur le dragon qui campait dans mon ventre. Je n'étais peut-être pas la plus mince ni la plus acharnée, mais au moins j'étais la moins folle.

J'ai déposé Francis sur sa chaise et j'ai entrepris de couper sa pointe de tarte en petits morceaux. Il fixait mon couteau, les yeux tout endormis.

— Après le dessert, mon champion, je pense que ça va être l'heure de la sieste. Si tu veux, je vais te raconter une histoire.

Il n'a pas rechigné.

— L'histoire de la fois où tu as sauvé la vie de Corneille, OK, Carence ?

Mamie a posé mon assiette sur la table. Elle était convaincue que sa persistance finirait par me faire flancher. Le morceau était petit, mais épais. Au moins 400 calories.

— Prendrais-tu un thé ou une tisane avec ta tarte?

— Si tu te fais une tisane, j'en prendrais une, oui.

— Verveine ou citronnelle?

— Verveine, s'il te plaît. Mamie, tu le sais que je ne mange pas de…

La sonnerie du vieux téléphone à cadran s'est fait entendre. Je lui étais reconnaissante d'interrompre cette conversation que j'avais eue cent fois. Mamie s'est levée pour aller répondre.

C'était mon père.

— J'ai de la visite royale! a annoncé Mamie. La belle Clarence!

Le long silence qui a suivi m'a fait me tortiller sur ma chaise.

— D'accord, je te la passe.

Mamie m'a tendu le combiné.

— C'est ton père, il veut te parler.

— Papa?

— Bonjour, ma grande, je pensais que tu avais des cours le mardi après-midi?

— Oui, mais le prof nous a laissé la journée pour préparer notre examen. Il rencontre les étudiants qui ont encore des questions sur la matière, dans son bureau.

— Tu n'avais pas de questions, toi?

— Non, non, je n'avais pas de questions. J'ai décidé de venir passer l'après-midi avec Mamie. Je vais peut-être dormir ici.

— Je serai à Ottawa pour les trois prochains jours, mais j'aimerais vraiment te voir à mon retour. En fait, il faut que je te parle. On pourrait peut-être aller prendre un café quelque part, vendredi?

— Je travaille à quatre heures.

— Vers deux heures et demie, alors?

— OK, où?

— Où tu veux.

— Au café Temporel?

— Je vais être là.

Il y a eu un silence.

— Me repasserais-tu ma mère, s'il te plaît?

— Oui. À vendredi. Mamie, il veut te reparler.

Francis s'était endormi sur sa chaise. J'ai soulevé son corps lourd de sommeil et, doucement, j'ai enlevé les miettes de tarte collées sur ses joues. Il a grogné un peu, a enfoui son visage dans mon t-shirt et a marmonné.

— Pas de cossoneries… un lapin zéant!

Je l'ai porté jusqu'au canapé et je l'ai regardé dormir, avec ses paupières qui frémissaient, ses petits spasmes et son air content.

Chapitre 10

Mon père était en retard d'une demi-heure. J'ai bu une gorgée de ma camomille et j'ai grimacé en constatant qu'elle était déjà froide. Espérant y trouver quelque chose à lire, j'ai saisi mon fourre-tout sous la table et je l'ai posé sur mes genoux. En plus des deux dépliants d'information du docteur Cousineau, j'avais le guide sur la Nouvelle-Zélande et le roman d'Olivier, toujours emballés dans leur sac de plastique. Je n'avais pas encore osé les ouvrir, ni l'un ni l'autre. Maintenant que mon départ était relégué à un futur incertain, je ne voyais pas l'intérêt de m'autopersécuter avec une poignée d'images grandioses et de descriptions captivantes. J'ai donc fait semblant de lire le menu.

Depuis mardi, j'étais restée barricadée chez Mamie sans mettre le nez dehors sauf pour attacher Henri à sa niche. J'avais surtout consacré mes journées à m'occuper de Francis, qui se faisait garder chez Mamie pendant la grève des garderies. Ma grand-mère avait profité de mon aide pour commencer son grand ménage du printemps et pour aller faire son don annuel de vêtements et d'articles de toutes sortes à l'Armée du Salut. Quand arrivait le mois de mars, elle faisait une centaine de téléphones et partait sillonner l'île pour recueillir le plus de dons possible. Chaque fois, elle réussissait à battre le record de l'année précédente en nombre de sacs de vêtements et de boîtes de nourriture. Elle ajoutait toujours à sa cargaison une liasse de chèques-cadeaux échangeables contre des produits Paradis, une caisse pleine de romans best-sellers sélectionnés avec soin, des pots de crème à mains, une pile de sous-vêtements et de pyjamas neufs, et une spectaculaire quantité de pantoufles tricotées. Il fallait voir le mal qu'elle se donnait pour rafraîchir l'allure de chaque vêtement, recousant des boutons, reprisant des ourlets et pliant chaque article de façon impeccable avant de le mettre dans un sac étiqueté.

— Ça fait tellement de bien de donner, ça libère de l'espace dans le cœur pour le bonheur ! disait-elle en revenant de ses livraisons, les joues rouges et les cheveux saupoudrés de frimas.

Sur le tapis du salon, après la victoire fulgurante des brontosaures sur les tyrannosaures, Francis et moi avions construit un hôpital de brousse pour soigner ceux qui revenaient du combat avec diverses blessures. La boîte de couture de Mamie faisant office de salle d'opération, nous avions pansé des pattes, recollé des yeux et même recousu des têtes. J'étais restée trois jours vêtue d'un immense pyjama de tartan écossais ayant appartenu à mon grand-père, l'unique vêtement dont Mamie n'était jamais arrivée à se défaire après son départ. Même si elle démentait mes soupçons avec véhémence, j'étais persuadée qu'elle y était attachée parce que Papi y avait rendu son dernier souffle. Puisqu'elle n'avait rien conservé d'autre, c'était la seule raison plausible. Je savais qu'il était mort pendant la nuit, que Mamie l'avait trouvé à l'aube, un dimanche de mai, assis dans son fauteuil devant la télévision encore allumée. Selon le médecin, son cœur s'était arrêté vers vingt-trois heures, ce qui correspondait environ au but gagnant des Canadiens couronnant en deuxième prolongation un match crucial des séries éliminatoires. Toute la famille s'entendait pour dire que même s'il était parti beaucoup trop tôt, nous n'aurions pu lui souhaiter une façon plus glorieuse de tirer sa révérence. Le Tricolore avait remporté la coupe Stanley cette année-là, et nous avions tous attribué sa victoire providentielle aux instructions du *coach* Papi, debout quelque part sur un nuage de sainte-flanelle.

Abandonner l'école juste avant Pâques m'avait fourni l'excuse idéale : j'avais pu mettre mes trois premiers jours de congé sur le compte des malheurs du Christ, et Mamie ne m'avait pas posé de questions. Elle m'avait un peu boudée, la veille, quand j'avais levé le nez sur ses galettes de sarrasin et préféré un souper de betteraves et de bouillon de légumes. Nous avions fait la vaisselle en silence, je l'avais observée du coin de l'œil astiquer les verres bien plus longtemps que nécessaire et s'acharner sur la coutellerie pour frotter des taches qu'elle seule voyait. Ensuite, elle avait pris son panier de tricot et s'était installée dans sa chaise berçante. Les yeux rivés sur le fleuve, le cliquetis furieux de ses aiguilles s'escrimant sur une hideuse pantoufle en laine marbrée. Elle ne m'avait pas adressé la parole du reste de la soirée. Avant d'aller me coucher, j'étais parvenue à l'amadouer en lui donnant ses quatre magazines oubliés dans mon sac d'école et j'avais eu droit à un câlin de bonne nuit et à une tape sur les fesses.

Le docteur Cousineau m'avait appelée pour m'annoncer que compte tenu des circonstances, mon état de santé était plutôt satisfaisant. J'avais une carence en calcium, en magnésium et en vitamine D, mais tout le reste semblait normal. Pas d'anémie, de MTS ni de problèmes immunitaires. Après avoir remercié le ciel, j'étais passée à la pharmacie chercher les suppléments prescrits, et je m'étais promis de faire plus attention à mon corps avant qu'il ne me laisse tomber pour de bon.

J'ai commandé une autre infusion de camomille. J'avais intérêt à me calmer, puisque j'avais choisi ce moment-là pour annoncer mon décrochage à mon père. Je le laisserais d'abord parler de ce qu'il avait de si important à dire. En l'écoutant gentiment, je préparerais le terrain avant de lancer mon missile nucléaire.

J'étais arrivée à la conclusion que notre tête-à-tête concernait un certain centre spécialisé dans les troubles alimentaires dont il avait visité le site Internet à plusieurs reprises la semaine précédente. J'avais découvert, toujours en consultant l'historique de son ordinateur, qu'il avait cliqué sur l'option «Comment nous joindre». Le numéro était noté sur un papier à côté du téléphone dans son bureau, sous une date (le 8 mai, veille de mon vingtième anniversaire) et un prix exorbitant.

Le lieu en question, une ferme transformée en clinique privée, près du lac Brome dans les Cantons-de-l'Est, était sans contredit le *nec plus ultra* des établissements du genre. À côté des autres cliniques, L'Éden (c'était son nom, un acronyme fallacieux pour *Eating Disorders Educational Network*) aurait pu passer pour un spa. Équitation, approche holistique, yoga, massages aux pierres chaudes, cuisine biologique, ambiance champêtre, tout y était.

Fondé par une Montréalaise dont la fille Kimberly était morte à 25 ans d'un arrêt cardiaque causé par son anorexie, L'Éden semblait d'abord s'adresser aux jeunes filles anglophones, ce qui avait dû énerver mon père. Je me souvenais encore de son air outragé, trois ans auparavant, face à mon insistance pour m'inscrire au collège

St. Lawrence plutôt que de poursuivre mes études au Séminaire. On aurait pu croire que je lui annonçais mon désir de me convertir à l'islam. Il avait fini par accepter, en grande partie grâce à ma mère qui s'était rangée de mon côté. J'avais donc pu peaufiner la langue dont j'avais appris les rudiments en écoutant les DVD de *One Tree Hill*, motivée par l'amour fanatique que je vouais aux frères Scott.

L'Éden offrait un séjour estival de douze semaines pour répondre aux besoins de celles qui ne désiraient pas interrompre leurs études, et dont le cas était assez bénin pour espérer un progrès concret au bout de trois mois de thérapie intensive. Apparemment, je faisais encore partie des folles récupérables, puisque les dates et le prix notés par mon père correspondaient précisément au forfait de guérison express.

Je comptais écouter sa suggestion jusqu'à la fin, avant de lui proposer un marché. Je m'engagerais à consacrer mon été entier à mon rétablissement. Je verrais un psychologue, une diététiste, je trouverais un groupe de soutien où j'irais déclarer haut et fort: «Bonsoir, mon nom est Clarence et je suis anorexique-boulimique.» Je tiendrais un journal alimentaire, ferais des séances d'hypnose, prendrais mes Prozac, mes vitamines, mes protéines, mes fibres et ma glucosamine. Tout ça à une seule condition: retourner vivre dans mon appartement dès maintenant. Si, à la fin du mois d'août, mes démarches n'avaient pas abouti à des résultats quantifiables (à en juger par ses discours de campagne électorale, mon père aimait bien cette idée de quantifier les résultats) et à une amélioration visible de mon état général, je consentirais à me cloîtrer à L'Éden jusqu'à ce que son équipe d'experts estime raisonnable de me remettre en liberté. C'est là que papa me dirait qu'en septembre, ce serait plus compliqué, avec les cours qui recommencent. Il m'expliquerait qu'une fois qu'on arrête l'école, c'est difficile, voire improbable, d'y retourner. Qu'il connaissait plein de ses anciens étudiants dans cette situation : il nommerait quelques noms, des élèves brillants, promis à un bel avenir, qui s'étaient laissé prendre dans le sournois engrenage de l'année sabbatique et qui, une décennie plus tard, gagnaient encore le salaire minimum en vendant des cellulaires aux Galeries de la Capitale.

Ce serait le temps de réunir mon courage et de vider mon sac : ma décision était prise, je ne m'assoirais pas sur les bancs de l'université en septembre. Oui, je risquais de devoir me débrouiller toute seule lorsque le jour viendrait de retourner aux études, parce que j'y retournerais, il n'y avait aucun doute là-dessus. Mais pas avant d'avoir bien réfléchi. Si je continuais d'avancer sur cette voie juste pour leur faire plaisir, je me retrouverais au point de départ dans dix ou quinze ans, avec l'impression d'avoir perdu mon temps, d'avoir orienté ma vie selon la vision des autres et surtout d'avoir été peureuse. Pour le rassurer, je lui dirais que moi aussi, je voulais des diplômes, une carrière, un mari, une maison, un chien, deux enfants et un bon régime de retraite. Je finirais par y arriver, mais de tout obtenir selon ses échéances à lui, c'était trop me demander.

Voilà ce que je lui dirais. Advienne que pourra, ai-je pensé, il est trop tard pour revenir en arrière de toute façon.

Une longue voiture noire a déposé mon père devant le café. À travers la vitrine embuée, je l'ai vu descendre, se débattre avec son parapluie, son attaché-case qui pesait toujours une tonne, son chapeau et un grand sac de chez Mountain Equipment. Il a fait un signe de la main au chauffeur et il est entré dans le café. L'air essoufflé, toujours échevelé, les lunettes inclinées vers la gauche, il a balayé l'endroit du regard pour me trouver. Quand j'ai vu son visage, le choc a été immédiat. Ma main couvrant ma bouche ouverte, je l'ai regardé s'avancer vers ma table.

— T'aimes pas ça! s'est-il exclamé, inquiet.

— Je ne te reconnais même plus!

— Est-ce que j'ai quand même droit à mes becs?

Sans répondre, je l'ai embrassé et nous nous sommes assis l'un en face de l'autre. J'étais sidérée.

— Pourquoi t'as fait ça, un coup de tête?

— J'avais envie de faire changement, c'est tout.

— Je n'aurais jamais cru te voir un jour sans ta moustache, papa. Excuse-moi, je vais m'habituer... Ce n'est pas que ce n'est pas beau, c'est juste... tellement différent!

— Ta mère ne m'a pas encore vu, a-t-il indiqué avant d'avaler d'un trait le contenu du verre d'eau qu'une serveuse venait de déposer sur la table.

Ma mère aurait un choc, elle aussi. La moustache de mon père, c'était sa marque de distinction, son logo, quelque chose que nous croyions aussi indélébile qu'un tatouage. Avec ses extrémités retroussées dans un perpétuel sourire, et le tic qu'il avait de la rouler entre ses doigts, elle avait tellement de présence qu'on oubliait parfois tout le reste du visage. On ne savait plus la couleur de ses yeux, la forme de son nez, s'il avait les dents droites ou pas.

— Tu parais beaucoup plus jeune, c'est certain.

— Aussi jeune que ta mère?

— Exagère pas, quand même.

Mes parents avaient dix-huit ans de différence, et ma mère était abonnée au Botox depuis au moins cinq ans. Le mieux qu'on pouvait espérer, c'était que le nouveau style de papa fasse en sorte qu'elle passe moins souvent pour sa fille.

La serveuse est revenue, et j'ai été surprise d'entendre mon père, qui buvait très rarement, commander un café irlandais. « Bonne idée », ai-je pensé. Si une quantité d'alcool, même négligeable, pouvait rendre la conversation plus facile, je ne voyais pas de raison de m'en priver.

— La même chose pour moi. Sans la crème fouettée.

Mon père s'est éclairci la gorge et, sur le point de tirer sur sa moustache, s'est arrêté en chemin et m'a souri.

— Ça y est, c'est le membre fantôme.

— Le quoi ?

— Le membre fantôme. C'est comme ça qu'on appelle la partie du corps amputée qu'on sent comme si elle était encore là. Savais-tu que c'était possible, pour quelqu'un qui se fait couper les deux jambes, d'avoir encore les orteils qui piquent ? Peut-être que ma moustache va continuer à me chatouiller pour un bout de temps.

Tiens, tiens, j'avais peut-être un muffin fantôme. Même si d'un angle rationnel, je pouvais constater sa disparition, il m'arrivait encore de le sentir déborder quand j'attachais le bouton de mes jeans.

Mon père a posé ses coudes sur la table, a fait craquer ses jointures une par une.

— Comment t'as trouvé Mamie ?

— En tournant à gauche après l'église.

— Ha ! ha ! Tu ne penses pas qu'elle a l'air un peu fatiguée ?

Il s'est mis à déchiqueter sa serviette de table.

— Pas particulièrement. Quoiqu'elle aurait toutes les raisons de l'être. Elle n'arrête pas deux minutes, si tu voyais tout ce qu'elle a ramassé pour donner aux pauvres. Le garage déborde !

Mon père était fier des activités charitables de sa mère, mais pour une fois, j'ai vu un sillon d'inquiétude se creuser sur son front.

— Il me semble qu'elle pourrait s'arrêter un peu, prendre du temps pour elle. Elle va avoir soixante-dix-huit ans cet automne ! Ça fait des années que l'entreprise fonctionne sans qu'elle ait besoin d'être aux fourneaux…, des petites vacances, ça ne lui ferait pas de tort. Une croisière dans les Antilles, quelque chose du genre. Il y en a qui sont conçues spécialement pour le troisième âge. Elle se ferait des amis, se changerait les idées. C'est pas comme si elle avait pas d'argent pour se gâter, saint-ciboire ! Tu ne pourrais pas essayer de la convaincre ?

— C'est pour me demander ça que tu voulais me voir aujourd'hui ?

J'ai croisé mes doigts sous la table.

— Non. Mais si tu pouvais parler à ta grand-mère, je te serais reconnaissant. Elle va peut-être t'écouter, toi.

— Je vais essayer. Promis. Mais tu la connais, ne t'attends pas à un miracle.

La serviette de papier était en confettis sur la table.

— Nerveux ?

— En sevrage de moustache ! Je ne sais plus quoi faire de mes dix doigts !

La serveuse a déposé deux tasses en verre opaque sur la table. L'odeur soyeuse de l'Irish Cream a plané jusqu'à mes narines. Évidemment, elle avait couronné mon café d'un Everest de crème fouettée. J'ai poussé un soupir d'impatience et, avec ma cuiller, j'ai transféré l'offensante substance du verre à la soucoupe.

— La vraie raison pour ta moustache, c'est quoi, papa ?

Il m'a contemplée d'un air confus.

— Si je me pointais demain matin avec les cheveux coupés en brosse ou teints en noir, tu me croirais si je te disais que j'avais juste envie de faire différent, alors que j'ai passé toute ma vie avec la même tête ? Je te connais mieux que ça, tu sais. Il y a quelque chose que tu ne me dis pas.

Mon père a baissé les yeux et réprimé un sourire gêné. D'un geste résolu, il a bu une grande lampée du liquide encore trop chaud pour moi et il a cogné le fond de son verre sur la table, faisant trembler mon café, la salière et la poivrière.

— J'abandonne la politique, Clarence. Je me suis retiré de la campagne électorale.

Je me suis levée comme si ma chaise m'avait mordu une fesse.

— Pardon ? ai-je crié.

J'ai senti les têtes se retourner vers nous. Je me suis rassise, gênée.

— Quand ça ? ai-je sifflé entre mes dents.

— Aujourd'hui. Je voulais t'en parler avant que tu voies la une du *Soleil* demain matin. Je donne une conférence de presse dans trois heures.

— Maman est au courant ?

— Elle sait que je prévoyais l'annoncer au parti ce matin. Je pense qu'elle attend de voir ma déclaration publique avant de le croire. Ça fait trois semaines que je réfléchis, qu'on en discute.

— Puis tu ne m'as rien dit ?

— Je voulais être certain de ne pas changer d'idée. Je pensais aussi attendre la semaine prochaine, après tes examens, pour annoncer tout ça. Je voulais te laisser l'esprit tranquille pour étudier, mais avec ce qui s'est passé le week-end dernier...

Il s'est éclairci la gorge.

— ... je me dis que si tu arrives à étudier comme d'habitude après ce stress-là, c'est parce que tu es capable d'en prendre, ma grande. Je suis pas mal fier de toi !

Il a fait une pause.

— Ça se passe toujours bien, les études ?

— Essaie pas de changer de sujet, papa. Pourquoi tu ne te présentes plus aux élections ? T'es en avance dans tous les sondages ! Si c'est vrai que tu y pensais depuis trois semaines, j'imagine que ça n'a rien à voir avec mon arrestation ?

J'avais besoin de l'entendre me dire que sa décision n'était pas liée à mes petits ennuis criminels. Mon seuil de tolérance à la culpabilité était dépassé depuis samedi soir.

— Disons que ça a été une goutte de plus dans un vase bien rempli. J'ai décidé de ne pas attendre qu'il déborde, parce qu'au point où il en est, ça ne prendra plus grand-chose pour faire un méchant dégât d'eau.

Si j'avais été un personnage de bande dessinée, un point d'interrogation flottant serait apparu au-dessus de ma tête.

— Qu'est-ce qu'il y a d'autre, dans le vase ?

Le visage de mon père s'est assombri d'un coup.

— Ta mère et moi, ça ne va pas tellement bien ces temps-ci, a-t-il risqué comme s'il prononçait pour la première fois les mots d'une langue étrangère.

— Es-tu sérieux ?

Je m'en suis voulu tout de suite de ne pas avoir trouvé quelque chose de plus intelligent à lui répondre.

— On ne plaisante pas avec ces choses-là, Clarence.

— T'as raison, excuse-moi. Euh, ben… je sais pas quoi dire.

— Il n'y a rien à dire.

— Vous vous disputez ?

J'avais beau ratisser ma mémoire, je ne pensais pas avoir été témoin d'une vraie querelle entre mes parents. De vagues escarmouches ici et là, au sujet du motif d'un nouveau papier peint ou d'une chaussure préférée grignotée par un des saint-bernards, mais rien de plus sérieux.

— Non, pas vraiment.

Il a froncé les sourcils.

— Quoique… des fois je n'aurais rien contre une bonne engueulade.

— Plutôt que… ?

— Plutôt que le silence, je suppose. Il y a des silences qui parlent fort dans notre famille, tu trouves pas ?

— Je ne suis pas certaine de comprendre ce que tu veux dire, ai-je menti.

— Ça fait cinq ans que tu ne manges pas, mais on n'en parle pas vraiment. On fait semblant de ne pas remarquer que tu as encore maigri. On se fait croire que c'est une phase, un caprice d'adolescente qui tarde un peu à guérir, on contourne le sujet comme un paquet de dynamite ! Ça fait des années qu'on se doute que Sébastien est gai, mais on n'ose pas non plus aborder le sujet avec lui. On l'écoute nous laisser entendre qu'il a une blonde à Montréal, on joue le jeu : « Comment va ta copine, quand est-ce que tu nous la présentes ?… »

Il a encore eu le réflexe d'attraper sa moustache.

— Sébastien avait des manières efféminées à cinq ans et demi ! Ta mère et moi, on ne l'a jamais aimé moins pour ça ! Pourquoi on ne se parle pas ? Je me demande de quoi on a peur, au juste.

J'ai haussé les épaules, le regard dans mon verre vide. Je n'avais pas de réponse à lui donner.

— Ça affecte beaucoup ta mère, tout ça. Elle n'en parle pas, mais elle a l'air bien morose depuis que vous êtes partis, ton frère et toi.

Avec empressement, il a posé sa main sur mon avant-bras, avant de murmurer :

— Je ne dis surtout pas ça pour que tu te sentes coupable, mais… j'ai trouvé quelque chose dans son sac à main. Je ne fouillais pas, j'avais juste besoin d'un numéro de téléphone dans son carnet. Je suis tombé sur un gros contenant de pilules, prescrit par le docteur Cousineau. J'ai mené ma petite enquête. C'étaient des antidépresseurs. C'est pas la fin du monde, ça peut arriver à tout le monde de broyer du noir trop longtemps et c'est bien correct de prendre des moyens pour s'aider. Non, je pense que ce qui me fait le plus de peine, ce n'est pas que ta mère soit dépressive. Ce qui m'attriste dans cette histoire-là, c'est qu'elle ne m'en ait pas parlé.

— Elle ne voulait pas t'inquiéter pendant ta campagne, j'imagine.

— Il n'y a plus de campagne maintenant. Je n'aurais pas pu aller représenter mon parti, essayer d'améliorer le sort des citoyens, faire mon fin finaud dans les réceptions, sourire en serrant des mains et en coupant des rubans, pendant que ma propre femme et mes deux enfants ne me font même pas assez confiance pour me parler !

— Ce n'est pas une question de confiance, papa.

— C'est quoi, alors ? Peux-tu me le dire, toi ? Il me semble que je ne suis pas méchant ! Je ne vous ai jamais crié par la tête, je ne vous ai pas battus !

— Ce n'est pas de ta faute.

Mon père a soupiré.

— J'avais promis des choses à ta mère, tu sais, quand je l'ai convaincue de laisser ses montagnes pour venir vivre ici. Au mois de juillet, ça va faire vingt et un ans qu'elle a quitté la Suisse. Quand on s'est mariés, on s'était dit qu'on aurait nos enfants ici, au Québec, puis qu'on retournerait en Suisse à ma retraite.

— Je le sais. Maman m'en parlait souvent quand j'étais petite. Une maison en bois dans le Valais, une famille de saint-bernards, l'air pur des Alpes, les vignes, les vaches

187

et leurs cloches. Moi, j'avais juste hâte de pouvoir dire à mes amis : «Je pars visiter mes parents dans leur maison en Suisse. » Je trouvais que ça faisait tellement chic !

— Tu vas pouvoir le dire, bientôt.

— Ah bon ?

Dans cinq ans, ce n'était pas tout à fait ma définition de bientôt.

Il s'est penché pour saisir le sac de chez Mountain Equipment et il en a sorti deux boîtes. Sur la table, il les a ouvertes en même temps. Il y avait deux paires de bottes de randonnée, en cuir brun robuste, avec des lacets rouges et de grosses semelles à crampons.

— C'est une surprise pour ta mère. On déménage. Au début, on va échanger notre maison contre celle d'un couple suisse, pendant un an. J'ai trouvé un site formidable sur Internet. Ça s'appelle *Home Switch Home.* On va aller vivre à Yvorne, une commune du canton de Vaud. La maison est petite, mais elle a tout ce qu'il faut, et le balcon donne sur un vignoble. Du pinot noir, le vin préféré de ta mère !

— Eh ben… j'en reviens pas. Il y a des gens qui vont venir habiter notre maison ?

— Un jeune couple avec un bébé d'un an. On a échangé en ligne. La femme vient enseigner la linguistique à l'université et son mari est artiste peintre.

— Ils arrivent quand ?

— Le 1er mai. Ta mère et moi, on partirait le lendemain.

— Papa ! Tu ne viendras pas avec moi au tribunal ? Tu m'avais promis ! ai-je protesté en m'efforçant de garder une voix calme, une voix d'adulte mature pouvant masquer l'autre, celle d'une bambine de trois ans qui, démunie et terrifiée, s'accrochait aux jambes de son père en le suppliant de ne pas la laisser seule à la garderie.

— C'est aussi de ça que je voulais te parler.

Mon père a saisi la salière et l'a fait rouler entre ses paumes. Je me suis assise sur les miennes pour m'empêcher de me grignoter un autre ongle.

— Ce que je vais te dire maintenant, ma fille, il faut que ça reste ici, entre toi et moi. Tu n'en parles à personne, c'est clair ? À personne, ça veut dire pas à ton journal ni à ta grand-mère, même pas à ton chat. Est-ce que je me fais bien comprendre ?

— Très bien. Je ne dirai rien. Juré sur la tête de Mamie Rose.

Il a pris une grande inspiration.

— J'ai vu ton oncle Roger.

— Ah bon ?

— Tu ne vois pas souvent mon frère, mais tu sais ce qu'il fait dans la vie ?

— Évidemment que je le sais. Il est dans la police à Toronto.

— La Gendarmerie royale. Il vit à Ottawa depuis le mois de janvier. Il est maintenant sous-commissaire pour toute la région de la capitale nationale, a-t-il précisé avec une pointe de fierté.

— Ah oui ?

— Grâce à ton cher oncle, ma grande, ton dossier criminel a été transféré à la « filière treize ».

— La « filière treize » ?

— Aussi connue sous le nom de « déchiqueteuse à papier ».

— Et ça veut dire quoi, au juste ?

Je sentais qu'il était en train de m'annoncer une bonne nouvelle, mais j'avais besoin qu'il l'exprime plus clairement pour empêcher la montée trop rapide d'une fausse joie.

— Ça veut dire qu'il n'est rien arrivé vendredi dernier. Du moins, selon les archives de la police.

Mon père s'est bombé le torse.

— Tu ne diras pas que ton père est trop dur avec toi !

Je me suis levée d'un bond et, faisant fi des clients du café, je me suis mise à applaudir, avant de me jeter sur mon père pour le serrer dans mes bras.

— Merci, papa, merci ! Je te jure que je ne toucherai plus jamais à la drogue, jamais ! Tu me sauves la vie !

— Tu remercieras ton oncle.

Il m'a regardée droit dans les yeux en levant un index autoritaire.

— Tu peux te compter chanceuse que j'aie décidé de quitter la politique. Si je m'étais présenté comme prévu, je n'aurais pas pu me résoudre à magouiller comme ça, même pour ma fille. Une entrave à la justice, c'est sérieux. Tu peux être certaine que t'auras pas deux fois un traitement de faveur.

Il n'y aurait pas de deuxième fois. Je deviendrais un modèle pour la société, la quintessence même de la citoyenne irréprochable. J'allais être un ange. Un ange qui allait bientôt s'envoler vers la Nouvelle-Zélande.

Je me suis rassise devant mon père, le dos bien droit, les fesses serrées et la bouche pincée pour garder mon sérieux. Ce n'était pas facile : j'avais l'impression d'avoir un morceau de soleil dans la poitrine. J'avais juste envie de faire des pirouettes, de grimper sur la table et de danser le twist.

— Il y a une dernière chose dont je voudrais te parler, a annoncé mon père en tirant sur le nœud de sa cravate.

J'ai posé mon menton sur mes doigts entrelacés et haussé les sourcils.

— Je t'écoute.

— Je ne passerai pas par quatre chemins.

Il a déboutonné le collet de sa chemise.

— Il y a un centre pour les troubles alimentaires dans les Cantons-de-l'Est. J'ai trouvé ça sur Internet. Ça s'appelle L'Éden. C'est privé et, crois ton vieux père, c'est le grand luxe comme endroit. Ils acceptent seulement six nouvelles patientes par mois.

— Hum.

— Tu aurais ta chambre, ta salle de bain, ton téléphone.

Il a fait une pause, bu sa dernière gorgée de café.

— Tu connais peut-être Micheline Francœur?

— Non.

— Elle a publié un livre sur l'anorexie. Ça s'appelle *Les Maux de la faim*. Ta mère et moi, on l'a lu le mois dernier. Son approche thérapeutique est unique et elle a fait ses preuves depuis presque dix ans. Elle travaille comme psychologue à L'Éden.

— Tant mieux pour elle.

C'était plus fort que moi, je me refermais comme une huître chaque fois qu'un doigt se posait sur mon coin d'âme écorché.

— Tu sais, Clarence, je ne te parle pas de ça pour t'embêter. Je t'offre de payer ton séjour là-bas cet été, mais je ne t'y traînerai pas de force. Tu vas avoir vingt ans dans six semaines, tu n'es plus une petite fille. Si tu choisis de continuer à vivre comme ça, si tu penses que tu n'es pas encore prête à t'en sortir…

Ses yeux se sont voilés.

— Si c'est comme ça, on ne peut rien faire pour toi.

La vérité, c'est que j'avais lu *Les Maux de la faim* un an plus tôt, à la bibliothèque de l'université. C'était même grâce à ce livre que j'avais appris, dans le témoignage très instructif d'une certaine Évelyne T., à enfiler deux combinaisons de flanelle sous mes jeans et à gonfler mon soutien-gorge à l'aide de chaussettes chaque fois que je voyais mes parents. Si ma mémoire était bonne, la dernière partie du bouquin s'adressait aux parents et aux amis. Le message principal étant de « lâcher prise » et d'accepter l'impossibilité d'aider une personne qui n'était pas prête à s'aider elle-même. Visiblement, mes parents avaient lu l'ouvrage jusqu'à la fin.

— Est-ce que je peux y penser ?

— Penses-y, mais donne-moi la réponse avant la mi-avril. Ils ont une longue liste d'attente pour les admissions. Il a fallu que je fasse bien des simagrées pour qu'ils mettent ton nom en haut de la liste.

— Merci, papa. Des fois je me demande pourquoi tu fais tout ça pour moi.

— Parce que je t'aime, ma grande fille. Tu verras bien, quand tu auras des enfants.

— Te rappelles-tu quand j'avais six ou sept ans et que je disais que j'en voulais neuf, comme Mamie Rose ?

— Bien sûr que je m'en souviens ! Quoi, ne me dis pas que tu as changé d'idée ?

J'ai souri en me remémorant mes naïves ambitions.

— Je voulais des triplets et trois paires de jumeaux. Je pense que vous ne m'aviez pas tout à fait bien expliqué la reproduction humaine. J'avais vu accoucher les saint-bernards tellement de fois, j'étais certaine que ça pouvait se commander en portée de trois…

— Te souviens-tu quand Sardine en a eu neuf d'un coup ?

— Bien oui ! C'était pour mes neuf ans ! Comme si elle l'avait prévu exprès !

J'ai regardé ma montre du coin de l'œil. Mon quart de travail commençait dans vingt-cinq minutes. Le ton de notre entretien s'était avéré très différent de ce que j'avais imaginé et il me paraissait désormais impensable de clore la conversation d'un : « Ah, en passant, avant que j'oublie, j'ai décidé de ne plus aller à mes cours. » Tout avait changé. Maintenant que le projet de voyage renaissait de ses cendres, je devais retravailler le scénario.

— Il va falloir que j'y aille. Je commence bientôt.

Mon père a fouillé dans la poche de son veston.

— Tiens. Ça va être moins compliqué que de retourner à l'île après ta soirée.

Il m'a tendu les deux clés de mon appartement. Je les ai serrées fort dans la paume de ma main.

— Pense à mon offre. Ça nous rassurerait beaucoup, ta mère et moi, de savoir que tu prends soin de toi. On va être loin, ça va être difficile de ne pas s'inquiéter. Tu n'as pas grand-chose à perdre à essayer, il me semble.

Il s'est retourné pour faire signe à la serveuse de nous apporter l'addition. Nous nous sommes levés pour enfiler nos manteaux.

— Veux-tu que je te dépose au Château?

— J'aimerais ça, mais t'as pas d'auto.

Mon père s'est donné une tape sur le front.

— Eh bien, c'est la première journée officielle de ma retraite et je commence déjà à être sénile!

— Je vais marcher avec toi jusqu'à la station de taxis.

— Ce ne sera pas nécessaire, je prends l'autobus. Finis les petits luxes! Il faut que je me serre la ceinture, il y de grosses dépenses qui s'en viennent. La Suisse, c'est loin d'être une destination bon marché. Et puis, quatre billets d'avion, ce n'est pas donné!

— Quatre?

— Penses-tu que ta mère va laisser Sardine et Merlot ici?

— Sûrement pas.

J'ai réalisé qu'il me faudrait trouver une famille d'accueil pour Corneille pendant mon année au bout du monde. J'ai aussi supposé que dans la liste des grosses dépenses imminentes, mon père comptait les quatorze mille dollars exigés par L'Éden pour son camp de guérison express. À ce prix-là, le moins qu'on puisse leur demander, c'était de réussir à faire manger leurs patientes trois fois par jour.

— Je t'accompagne à l'arrêt d'autobus ?

— Si tu veux.

Mon père a mis vingt dollars sur la table et nous sommes sortis.

Le ciel avait la couleur du vieux papier journal et il tombait une petite neige légère, qui disparaissait au contact de l'asphalte. Dans un claquement de sabots, une calèche a tourné le coin de la rue Couillard. La magnifique jument caramel qui tirait un couple de touristes japonais portait une couronne de roses accrochée à sa crinière blonde.

— Viens-tu chez Mamie dimanche ? m'a demandé mon père.

— Sûrement, oui.

Un autre événement conçu exprès pour déclencher l'hyperventilation : l'incontournable brunch de Pâques en famille. Un énorme jambon caramélisé à l'ananas, un gratin de pommes de terre inondé de béchamel, les brioches au fromage de ma tante Carole qui contiennent au moins mille calories au centimètre cube, sans oublier tous les meilleurs desserts de Mamie, pour mettre un terme au carême que personne n'observait. Juste à m'imaginer tout le monde autour de la table, reprenant encore un peu de ci, un troisième morceau de ça, se bourrant jusque tard dans l'après-midi, j'étais dégoûtée. Quand ils se retrouvaient tous affalés sur les fauteuils à gémir en avalant des Tums et des verres d'eau minérale, je me disais : « C'est bien mérité ! »

L'année précédente, pour éviter les questions et les regards mi-inquiets, mi-fascinés de mes tantes, je m'étais résignée à manger une assiette pleine et une pointe de flan meringué au citron. C'est Francis qui m'avait sauvée. Après le repas, en voyant passer le marchand de sable dans ses grands yeux, je lui avais offert de lui raconter une histoire avant la sieste. Nous étions montés dans une chambre à l'étage et il s'était endormi avant même que j'aie pu dire «Il était une fois». J'en avais profité pour m'enfermer dans la salle de bain adjacente à la chambre d'ami et j'avais tout vomi. Après avoir tamponné mes yeux rouges d'un peu d'eau froide et pris une bonne rasade de rince-bouche, j'étais redescendue, soulagée, l'estomac vide et propre. J'avais dit à ma cousine que Francis s'était endormi juste avant la fin de l'histoire.

— Tu n'oublieras pas de parler à Mamie au sujet des vacances?

— Je ne suis pas certaine qu'elle ait envie de partir en croisière, papa. Mamie, elle est bien dans ses affaires. En plus, elle n'est pas au courant qu'elle fait partie du troisième âge, alors ne te sens pas obligé de l'en informer.

— Tu ne la trouves pas amaigrie et pâlotte depuis un bout de temps?

— Oui, un peu, mais c'est la fin de l'hiver. Tout le monde a l'air anémique. Et comme tu le dis, elle a soixante-dix-sept ans, ne lui en demande pas trop. Elle est en forme, j'étais essoufflée juste à la regarder aller cette semaine. L'été va arriver, tu vas voir, elle va reprendre des couleurs.

— Justement, cet été, ta mère et moi on ne sera plus ici. On part dans trente-huit jours, je les ai comptés. Hé, fais attention!

J'avais failli glisser sur une plaque de glace. Mon père a passé son bras sous le mien.

— Tiens-toi serrée! Veux-tu bien me dire ce que tu fais sans mitaines?

— Je les ai oubliées chez Mamie.

— Tiens, mets ça.

Il m'a donné ses gros gants en Gore-Tex bleu marine.

— Mais non, ils sont bien trop grands !

— Allez, allez ! Tu vas voir, ils sont doux à l'intérieur !

Je les ai enfilés, ils étaient en effet doux et chauds, et me faisaient ressembler à un robot.

— Comme ça, tu es prête pour tes examens ?

J'ai senti mon ventre sursauter. C'était comme si le bébé… non, impossible, un embryon de onze semaines ne pouvait quand même pas donner de coups de pied.

— Tu me connais, je ne suis jamais prête. Peu importe si j'ai étudié cent heures, et même si j'ai l'impression d'avoir le manuel transplanté dans le cerveau, j'arrive toujours à mes examens avec le mal de cœur et la certitude que je vais me planter.

— Tu n'as jamais raté un examen, Clarence. Tu devrais avoir un peu plus confiance en toi. Tu as toujours été l'élève la plus brillante de ta classe.

— Changement de sujet… Mis à part les raisons de ta démission, ça te fait quoi d'avoir abandonné la politique ? Il me semblait que c'était ton rêve ?

— Un vieux rêve, oui. Mais tu connais ton père, des fois le bonhomme est un peu trop idéaliste… Je n'ai pas assez pensé à ta mère, dans tout ça. Elle ne m'a rien reproché, mais tu sais comme moi que Solange ne parle pas beaucoup. Il faut savoir la décoder. Son côté nébuleux ajoute à son charme, mais il ne lui rend pas toujours service.

— Elle était fière de toi, quand tu as décidé de te présenter.

— Oui, c'est vrai, elle m'a appuyé du début à la fin. Mais je sais que si ça avait été son choix, j'aurais pris ma retraite l'an dernier et on serait déjà assis sur le perron en train de regarder pousser les edelweiss.

— T'as pas peur d'avoir des regrets?

— Non. J'ai laissé mariner ça dans ma tête assez longtemps pour savoir que c'est la bonne décision. J'en ai discuté avec des collègues du parti aussi. Ils étaient tous d'accord pour dire qu'une nouvelle carrière en politique, ce
n'est rien pour raccommoder un couple qui commence
à se découdre. Je serais tellement misérable sans ma
Solange. J'ai décidé que ma politique serait de la rendre
heureuse.

Nous sommes arrivés à l'arrêt d'autobus où une vingtaine de personnes attendaient.

— As-tu remarqué que personne ne te regarde
comme avant? Ils ne te reconnaissent même pas, sans ta
moustache.

— C'est exactement ce que je voulais. Je n'ai pas envie
qu'on me montre du doigt une fois que les pancartes élec-
torales auront changé de visage. Je pense que je vais la
laisser repousser en Suisse. Je voudrais me raser les cheveux aussi. Pour le peu qu'il me reste...

L'autobus est arrivé et a freiné brusquement.

— On se voit dimanche? m'a dit mon père avant de
m'embrasser.

— C'est ça.

— Fais attention à toi, ma grande. Et étudie bien!

— Merci encore, mon papou... pour la «filière treize»!
lui ai-je crié pendant qu'il montait dans le bus.

— Papou? Ça fait des années que tu ne m'as pas appelé
comme ça! a-t-il répondu en m'envoyant la main.

J'avais sept minutes pour me rendre au Château avant
d'être en retard. Ce serait bien la première fois. Bruno
m'appelait l'horloge atomique tellement j'étais ponc-
tuelle. Il serait déçu que je lui donne ma démission. En faisant de la marche rapide pour remonter la rue D'Auteuil,

j'ai calculé sur mes doigts les jours qu'il restait avant que je parte. J'avais déjà une date de départ précise en tête. Il valait mieux le mettre au courant dès ce soir, pour lui laisser le temps de trouver une nouvelle barmaid. Quatre semaines. Ça devait suffire.

Olivier allait me rejoindre dans une heure. Quelle chance inouïe d'avoir un père qui n'hésitait pas à se servir de ses contacts. Je ne risquais plus de rougir de honte devant le beau libraire en lui expliquant que le voyage en Nouvelle-Zélande était reporté à mes vingt-cinq ans.

Je m'étais résignée, après réflexion, à lui dire la vérité. Il pouvait penser ce qu'il voulait. De toute façon, j'avais décidé qu'il ne m'intéressait pas. Dommage, il était mignon malgré sa petite taille. Six mois plus tôt, il aurait réussi à me charmer, j'en étais persuadée. Malheureusement, il avait manqué le bateau. Je venais tout juste de prendre une ferme résolution pour mes vingt ans. Je l'avais écrite dans mon journal avec ma plus belle calligraphie, en empruntant le jargon des documents juridiques. *Je soussignée Clarence Paradis, en ce jour du 24 mars, je m'engage à consacrer ma vingtième année à trouver l'équilibre dans mon assiette et à regagner ma santé physique et mentale. Au bout de douze mois, la signature d'un traité de paix devra mettre fin à la guerre froide entre mon frigo et moi.* J'avais même signé devant témoin : Francis, avec le plus grand sérieux, avait ratifié le document d'un gribouillage officiel.

Il était hors de question que cette vingtième année soit aussi désastreuse que la précédente. C'était décidé, j'allais régler mon problème avec la bouffe. Plus la peine de me raconter des histoires : il était clair que mon obsession se trouvait à la source des récentes catastrophes. Si je n'avais pas obéi à mon désir de maigrir, je n'aurais jamais touché à la cocaïne et j'aurais évité l'humiliation de me retrouver au poste de police à pleurnicher dans les bras de mon père. Si mon régime n'avait pas détraqué mes règles cinq mois plus tôt, j'aurais été plus vigilante avec Philippe Blanc et j'aurais pu m'épargner l'encombrement d'un être humain qui squattait mon ventre. Si j'avais mangé comme tout le monde, Mathieu ne m'aurait peut-être pas trompée avec ma seule amie.

Il n'avait jamais osé m'expliquer les vrais motifs de son geste. Il avait fui comme un voleur et je lui en voulais encore d'avoir été aussi lâche dans sa façon de me quitter. Je connaissais ses raisons, mais j'aurais aimé les entendre de sa bouche, pas de celle de Maryse. C'était l'un des principes de base de l'éthique de la rupture et il me devait bien ça.

Mathieu en avait marre de ma relation fusionnelle avec la balance. Il trouvait insupportable de la voir dicter mes humeurs et mes décisions. Je ne me cachais même plus avec lui. Je ne prenais plus la peine de fermer la porte de la salle de bain quand je m'y rendais après chaque bouchée. Il me regardait enlever ma bague au petit orteil, l'élastique dans mes cheveux et la poussière sous mes talons avant de monter, le cœur palpitant, sur le gourou en inox. J'avais même pensé retirer mes verres de contact et je l'aurais fait s'il n'y avait pas eu la nécessité de voir le nombre qui clignotait à mes pieds. Le pauvre Mathieu, avec son appétit de géant et son petit bedon de nounours, était complètement dérouté.

Il y avait aussi notre «vie intime» qui, disons-le, était devenue presque inexistante. Je pouvais refuser de me déshabiller pendant des semaines à cause d'un demi-kilo en trop.

À la fin, on s'engueulait tout le temps. Il lui était arrivé de me hurler après quand je me jugeais trop grosse pour accepter son invitation au resto, pour partager un pop-corn au cinéma ou pour goûter ses crêpes le dimanche matin. Une fois, après mon refus de l'accompagner à une fête sur un bateau, un genre de *beach party* où il était mal vu de ne pas se présenter en bikini, il m'avait fait mal.

— Il n'est absolument pas question que j'aille parader avec mes bourrelets devant tes amis, avais-je déclaré.

Ce matin-là, il m'avait prise par les épaules, très fort, pour me pousser jusqu'au miroir de la salle de bain.

— Regarde-toi! avait-il crié. Comment peux-tu te trouver grosse?

Il avait tenu mes poignets fermement pendant qu'il tirait sur la ceinture de ma robe de chambre. Nue devant la glace, j'avais fermé les yeux.

— Allez, Clarence, regarde-toi! J'ai dit: regarde-toi! T'as la peau sur les os! On voit toutes tes côtes! Une, deux, trois, quatre, cinq… Si tu penses que c'est excitant de coucher avec une fille qui est toute faite en coins! J'ai peur de m'égratigner quand je te touche!

Il était parti de chez moi en claquant la porte. J'étais restée assise sur mon lit à me ronger les ongles en attendant qu'il revienne. Deux heures plus tard, réapparu avec un bouquet de fleurs, il s'était excusé, avait versé deux ou trois larmes et m'avait dit qu'il s'inquiétait au point de perdre la tête. Il m'avait fait promettre de demander de l'aide. J'avais juré d'entreprendre des démarches. Mais, comme trois mois plus tard je ne m'étais toujours pas décidée à remplacer le psychologue que j'avais congédié, Mathieu avait baissé les bras et n'abordait plus le sujet.

Il était devenu de plus en plus distant, puis vers la fin d'août, il n'avait pas répondu à mes appels pendant cinq jours. J'avais laissé des messages dans sa boîte vocale jusqu'à ce qu'elle soit pleine. Je ne dormais plus et j'avais envie de m'arracher la peau. J'étais restée paralysée toute une semaine, incapable d'aller travailler, de sortir de chez moi et même de me laver. Le soir du dernier dimanche avant ma rentrée à l'université, alors que j'étais recroquevillée en cuiller avec Corneille et que je flottais entre les larmes et le sommeil, trois coups à ma porte m'avaient fait sursauter. Je ne voulais plus lui répondre, j'avais les cheveux sales, je portais les mêmes sous-vêtements depuis trois jours, mes draps sentaient la poussière et le plancher était jonché de mouchoirs.

— Clarence, c'est moi… Sophie, ta voisine, avait chuchoté une voix douce sur le palier.

Je connaissais à peine Sophie, mais elle était venue se présenter à Mathieu et à moi le jour de mon arrivée. Elle nous avait même invités à nous joindre à elle et à ses amis pour manger une paëlla ce soir-là. J'avais refusé d'emblée, le riz fait grossir, mais je lui avais promis de l'inviter à prendre un café quand je serais bien installée. Un mois plus tard, je ne lui avais toujours pas reparlé. Ce soir-là, après avoir longuement hésité à se mêler de mes affaires, Sophie avait décidé de me prévenir : elle avait vu Mathieu deux fois au bistro en face du Château. Il ne l'avait pas reconnue. Les deux fois, il était en conversation intime, mains et regards entrelacés, avec « la rousse de la crêperie, tu sais, celle qui aurait eu avantage à se faire installer des broches au lieu d'une paire de seins en plastique ». Sophie ignorait qu'elle décrivait ma meilleure amie.

Le lendemain, j'étais allée attendre Maryse à sa sortie du travail. Elle n'avait pas pris la peine de nier. Mathieu était en effet passé la voir une semaine plus tôt, sous prétexte de lui demander conseil au sujet de mes problèmes. Ils s'étaient immédiatement découvert, et je cite, « … une attirance viscérale. On voulait te le dire ensemble, on attendait la fin de son camp d'entraînement de hockey, jeudi. »

Quel altruisme !

— Ce n'est pas comme si on l'avait planifié, Clarence ! C'est arrivé comme ça, c'est tout !

J'étais restée de glace pendant qu'elle balbutiait toute son histoire. Elle se justifiait en me rappelant que je lui avais déclaré mot pour mot qu'il n'était pas l'homme de ma vie. Quand j'en ai eu assez de la voir se mordiller les lèvres et se tordre les mains devant mon silence, j'ai pris une grande inspiration et j'ai avalé la salive que j'avais envie de lui cracher au visage. Madame avait même eu le culot de me dire que je méritais beaucoup mieux que lui. Il fallait le faire.

Je m'étais rappelé le conseil de mon père, donné une dizaine d'années plus tôt, après une bataille de filles dans la cour d'école à laquelle j'avais participé.

— Perdre son sang-froid, c'est se soumettre, m'avait-il dit, et les Paradis ne sont pas des gens soumis. Laisser la rage prendre le contrôle, c'est faire plaisir à son ennemi. C'est le meilleur moyen de s'abaisser à son niveau et même de l'inciter à recommencer. Si quelqu'un te fait un sale coup, tu respires profondément et tu feins l'indifférence. Plus tard, quand tu as repris ton calme, si tu veux encore lui faire savoir ta façon de penser, tu prends ton crayon. Si tu as besoin d'inspiration, viens me voir ! Ton père est passé maître dans l'art de composer des insultes déguisées en politesses !

« Ne lui fais pas le plaisir de te voir en train de piquer une crise, Clarence, me suis-je dit en me rappelant cette conversation avec papa. Lève le menton, redresse les épaules, jette-lui ton regard le plus méprisant et tourne les talons. Quitte les lieux avec la grâce hautaine de Cléopâtre. Ne te retourne surtout pas. »

Je n'avais plus jamais adressé la parole à Maryse ni à Mathieu. Après ce dernier entretien, je m'étais dirigée tout droit vers l'épicerie. J'en étais sortie avec une douzaine de beignets fourrés à la crème anglaise, un paquet de biscuits au chocolat, un litre de crème glacée et un pot de caramel pour verser dessus.

Hypnotisée par un besoin soudain et irrépressible de sucre, j'avais marché jusque chez moi en mangeant un biscuit après l'autre, en ne pensant à rien, en sachant que je me remplirais jusqu'à ce que ça fasse mal. Assise sur mon lit, j'avais avalé tout ce que je pouvais et, quand plus une seule bouchée n'avait pu passer mes lèvres tellement j'avais des nausées et l'estomac rempli à pleine capacité, j'avais étendu les restes sur le comptoir de la cuisine pour les vaporiser avec du récurant pour le four. Comme ça, je ne risquais pas de les terminer plus tard. J'étais allée vomir, puis j'avais dormi jusqu'au lendemain midi. Je n'avais plus l'énergie d'en vouloir à qui que ce soit.

Très peu de mes pensées avaient été consacrées à Mathieu ou à Maryse depuis. Au moins, une obsession, c'est pratique pour ça : ça prend tellement d'espace que ça empêche de penser au reste. En plus, une fois célibataire, c'était beaucoup plus facile de m'enfermer tous les soirs avec mon dragon. Je pouvais lui consacrer tout mon temps.

Tout ça ne pouvait pas durer et je le savais. C'était devenu impossible de ne pas penser à la mort, surtout quand je me levais le matin, si faible que je devais m'appuyer sur les meubles pour me rendre à la cafetière. J'avais ressenti dernièrement d'étranges pressions dans la poitrine, un genre de crampe au cœur qui me faisait craindre le pire. En plus, j'étais toujours déshydratée, j'avais mal aux articulations, les commissures de mes lèvres se fendillaient et je remarquais de plus en plus de cheveux sur le carrelage de la douche. Grâce à des produits de maquillage hors de prix, je pouvais encore dissimuler mon teint jaunâtre et mes cernes, mais bientôt Coco Chanel et Bobbi Brown ne pourraient plus grand-chose pour moi. La solution reposait sur ma propre volonté, ici et maintenant.

J'allais donc consacrer l'année de mes vingt ans à ma rémission. Si je voulais toujours faire le tour du monde, j'avais intérêt à rester en vie. En signant un contrat avec moi-même, je prévoyais donner le coup d'envoi à « la nouvelle moi » le jour de mon anniversaire. Maintenant que j'étais libre de partir, il me semblait de rigueur de commencer ma transformation au moment exact où je mettrais le pied de l'autre côté de la planète.

Ce serait un nouveau départ, je le sentais. Qui sait, peut-être que le simple fait d'être à l'envers d'ici changerait tout ! Le montant de mes économies me permettrait de me tourner les pouces pendant un mois ou deux avant de devoir trouver du boulot, et j'allais profiter de ce répit pour me remettre à manger. Je passerais mes journées au bord de la mer quand il ferait beau et j'irais au musée et à la bibliothèque quand il pleuvrait. La vie rêvée. Trois fois par jour, je m'attablerais devant un repas sain et équilibré et en avalerais chaque bouchée, lentement, sans paniquer. Je composerais de jolies assiettes pleines de couleur, je couperais mes radis et mes carottes en forme de fleurs comme chez Mamie. Je me permettrais même un bout de chocolat le dimanche et de la crème dans mon café le matin. J'allais enfin pouvoir manger comme tout le monde.

Dans le grand hall du Château, l'horloge m'a rassurée en m'indiquant que j'étais en avance d'une minute. J'ai couru jusqu'aux toilettes du salon des employés, j'ai enfilé à la hâte mon uniforme et attaché mes cheveux en chignon. Ça allait être une soirée chargée. C'était le long week-end de Pâques et l'hôtel était presque complet. Je n'aurais sans doute pas beaucoup de temps pour discuter avec Olivier.

Mon patron était en train de compter la caisse derrière le comptoir.

— Salut, Bruno, ça va ?

— Tiens, mon horloge atomique. Il doit être quatre heures pile.

— Quatre heures deux. Mon premier retard. Bruno, si tu as une minute, pendant qu'il n'y a pas encore de clients, il faudrait que je te parle.

— Pas de problème. Viens, on va aller s'asseoir.

— Je te fais un café ?

— S'il te plaît. Oh, avant que j'oublie, il y a un jeune homme qui est venu porter ça pour toi vers midi.

Il s'est penché sous le comptoir et m'a remis une enveloppe sur laquelle était écrit « Mademoiselle Paradis ».

Chapitre 11

Les rayons du soleil avaient déjà réchauffé mes draps quand je me suis réveillée, mardi matin, au milieu du grand lit festonné de dentelle lavande réservé aux invités de Mamie Rose. Pendant quelques minutes, je suis restée blottie sous les couvertures, un coin d'oreiller sur les yeux pour bloquer la lumière vive et blanche qui entrait par les lucarnes et inondait la pièce. C'était une lumière nouvelle qui ne laissait place à aucun doute quant à la nature de ses intentions : elle venait faire fondre l'hiver et injecter des couleurs dans le paysage.

— Ça ne pouvait vraiment pas attendre à demain, ai-je grogné en sortant du lit.

Si le soleil avait eu la moindre considération pour mon présent état d'âme, il se serait couvert, ou mieux encore, il n'aurait pas pris la peine de se lever. Jusqu'à ce qu'elle commence, je n'avais pu imaginer la journée d'aujourd'hui autrement que pluvieuse, sale, peinte dans toute la gamme de gris. Certainement pas avec des rouges-gorges qui s'époumonaient sur leurs branches et une bonne humeur propagée dans toute la population.

J'entendais des entrechoquements de vaisselle juste au-dessous et le faible bourdonnement de la radio. Mamie était déjà debout. En étirant mes bras et en bâillant, je me suis traîné les pieds jusqu'à la salle de bain. J'ai enfilé la robe de chambre en chenille suspendue derrière la porte, j'ai mis mes lentilles, attaché mes cheveux et pris ma montre. Il était huit heures vingt. Sophie devait me prendre dans un peu plus d'une heure.

Dans la cuisine, Mamie arrosait les plantes. Les violettes africaines étaient en fleurs et les boutures de géranium mises à tremper dans des verres d'eau avaient produit de délicates racines. Mamie avait un don pour les fleurs. L'année précédente, elle avait remporté le concours Maisons fleuries organisé par la Société d'horticulture de l'île. Moi, je n'arrivais pas à garder un cactus en vie.

— Pas trop mal dormi ? m'a-t-elle demandé en arrachant une feuille jaunie d'une violette.

— Pas trop, non.

— Ça avait l'air d'être un cauchemar épouvantable, en tout cas.

Le souvenir m'est revenu avec la force d'une bourrasque. Le cauchemar que Mamie, réveillée par mes gémissements, était venue interrompre au milieu de la nuit.

— Je ne m'en souviens plus, ai-je menti, laissant les images de mon rêve refaire surface dans ma mémoire : la crème glacée aux pistaches, le clic de la cabine de photos, la surprise de la fin.

Je me suis assise à la table. Lentement, Mamie a rempli ma tasse.

— Du sucre dans ton café ?

— Non, merci.

Au moment où j'anticipais le plaisir simple de la première gorgée, le téléphone m'a fait sursauter et j'ai renversé quelques gouttes sur le collet de ma robe de chambre. J'ai couru au salon pour répondre.

C'était Sophie.

— Salut, la petite, je veux juste te dire que si tu penses être prête, je passerais te prendre dans une quarantaine de minutes.

Sa voix était encore rauque de sommeil.

— Oui, je vais être prête. Je t'ai donné l'adresse ?

— Oui. Je tourne à gauche après l'église et c'est la dernière maison au bout du chemin, celle avec la niche bleue devant. Si je ne suis pas là dans une heure, appelle-moi sur mon cellulaire.

— Je vais te surveiller par la fenêtre.

Mamie avait éteint la radio et tartinait sa rôtie d'une épaisse couche de confiture aux cerises.

— Je sais que tu vas me dire non, a-t-elle bougonné sans lever les yeux de son assiette, mais je m'essaie quand même : prendrais-tu une toast ? C'est du pain de seigle et de la confiture maison, il n'y a rien d'engraissant dans ça. Tu vas être sur la route pendant trois heures, il me semble que tu vas avoir mal au cœur si tu ne te mets pas un petit quelque chose dans l'estomac avant de partir.

Je me suis retenue pour ne pas la contredire en décortiquant le contenu nutritionnel de sa tartine. Mamie ne connaissait rien aux régimes. Elle croyait que tout ce qui était « fait maison » ne pouvait pas être néfaste, comme si l'amour incorporé aux ingrédients annihilait les calories. Du pain et de la confiture ! Tout le monde savait que c'était mortel pour la ligne.

— D'accord, je vais en prendre une.

C'est vrai que la nausée pouvait être en train de mijoter dans mon estomac. Je m'étais levée avec des maux de cœur trois matins de suite, mais je n'avais pas vomi et je n'avais pas intérêt à ce que ça arrive dans la nouvelle voiture de Sophie.

Mamie, prise de court par ma réponse, a déposé la tranche de pain au milieu de mon assiette avec prudence, comme si elle craignait que le moindre faux mouvement me fasse changer d'idée.

— Tu me fais regretter de te l'avoir dit, Clarence, a-t-elle soupiré. Je n'aurais pas dû. À ton âge, on ne devrait pas se tracasser avec des problèmes de vieux. Parfois, c'est comme si j'oubliais que tu as vingt ans.

— Dij-gneuf, ai-je marmonné en croquant le coin de ma rôtie.

— On a presque soixante ans de différence, toi et moi, mais il m'arrive de me dire que si on avait été de la même génération, on aurait pu être les meilleures amies du monde, non?

« On l'est quand même », ai-je pensé.

— J'en suis certaine. Tu as bien fait de me le dire, Mamie. Je ne comprends pas pourquoi tu gardais ça pour toi et je ne comprends pas non plus pourquoi je suis la seule à le savoir.

— Je te l'ai dit, mon ange, ça ne donne rien d'inquiéter tout le monde avant d'être certaine. Quand j'aurai les résultats de mon scanner, au mois de mai, si les nouvelles sont mauvaises, je ferai un conseil de famille. En attendant, je ne veux pas risquer de les alarmer pour rien. Tout le monde a ses petits soucis, je ne ferai pas exprès d'en rajouter.

— Tu ne pourrais pas le passer avant que je parte, ton scanner?

— Ça a l'air que non. Je me trouve chanceuse de l'avoir aussi tôt, en fait. Thérèse Tardif a attendu cinq mois pour le sien, l'an dernier. Quand elle a eu les résultats, son cancer avait eu le temps de s'étendre de la tête aux pieds. Six semaines plus tard, elle était partie.

— C'est épouvantable.

— C'est comme ça! Ils mettent les plus jeunes en haut de la liste, c'est normal.

— Tu as les moyens d'aller te faire soigner aux États-Unis, Mamie, si tu veux. Ton argent, tu peux t'en servir de temps en temps. C'est fait pour ça, tu sais ! Laisse-moi donc en parler à mon père...

— Ça ne m'intéresse pas, Clarence. J'ai fait ça dans le temps, pour mon premier cancer. T'étais trop petite, tu peux pas t'en souvenir. J'étais allée dans un hôpital au New Hampshire. C'est là qu'ils m'ont fait mon opération dans le passage.

— Pardon ? ai-je crié en recrachant mon morceau de pain. Tu paies une fortune et ils ont le culot de t'opérer dans le corridor ? Je comprends pourquoi tu veux être soignée au Québec ! Ça n'a aucun bon sens !

Mamie a ricané dans sa main.

— Non, pas dans le corridor, Clarence ! Dans le passage.

Du doigt, elle a montré sa jupe, à la hauteur de son entrejambe.

— Ce passage-là.

J'ai couvert mes yeux, gênée.

— Mamie, appelle donc les choses par leur nom. Tu m'as fait peur !

— Faut croire que c'est là que la différence d'âge se manifeste.

J'ai saisi une serviette de papier et j'ai commencé à la plier comme on me l'avait appris dans un atelier d'origami dix ans plus tôt. Celle-ci deviendrait un oiseau, ensuite je ferais un coquillage. Tout pour éviter de concentrer mon attention sur le poids de la tranche de pain dans mon estomac. Si j'y pensais trop, les gouttes de sueur perleraient sur mon front et Mamie s'inquiéterait.

— Je ne pourrai pas revenir de Nouvelle-Zélande facilement, tu sais. Si jamais les nouvelles sont mauvaises, tu me promets de m'appeler là-bas ?

— Je ne veux pas que tu te tracasses, Clarence. Le plus beau cadeau que tu peux me faire, c'est d'en profiter. Ton premier voyage, chanceuse ! Si tu savais comme je t'envie de partir voir le monde. Dans mon jeune temps, les filles ne pouvaient pas être téméraires comme ça... C'était la famille ou le couvent !

— Je me serais révoltée.

— J'aurais dû !

Deux jours plus tôt, le dimanche de Pâques, une fois les tantes, les oncles et les cousins partis, j'avais offert à Mamie de rester chez elle pour l'aider à nettoyer la vaisselle accumulée sur le comptoir. Le brunch en famille s'était plutôt bien déroulé. Anne, Rachel et Paule, mes cousines par alliance, avaient monopolisé l'attention des femmes avec leurs ventres ronds comme des globes terrestres. Pendant tout le repas, ça n'avait parlé que d'allaitement, d'épidurale et de vergetures. Les hommes, à l'autre bout de la table, n'en avaient que pour mon père et le tapage médiatique causé par sa démission. Tout le monde était trop occupé pour surveiller le contenu de mon assiette.

J'avais décidé d'annoncer mon départ à Mamie dès que je me retrouverais seule avec elle. Je n'arrivais pas tout à fait à croire que je partais pour de vrai. La peur qu'un événement apocalyptique se produise et vienne tout bousiller persistait. L'annoncer à quelqu'un m'aiderait peut-être à me calmer. Si ça ne fonctionnait pas, j'irais à l'agence de voyages. Une fois le billet d'avion en main, j'y croirais.

J'étais certaine que Mamie allait être contente pour moi, qu'elle ne jugerait pas ma décision d'interrompre mes études. J'avais toujours senti qu'elle approuvait l'idée en se gardant bien de le laisser paraître, pour ne pas contredire mes parents. J'étais aussi persuadée qu'elle ne l'annoncerait pas à mon père avant que je sois prête à lui en parler moi-même, et ce n'était pas demain la veille. Pendant le repas, il s'était encore vanté à tout le monde que j'étais arrivée première de ma classe au premier semestre. Personne n'avait osé lui faire remarquer qu'il se répétait, mais j'avais vu ma tante Carole lever les yeux au ciel en mangeant son gâteau des anges.

Comme chaque dimanche de Pâques, Mamie m'avait offert un chèque de plusieurs centaines de dollars. J'avais déjà commencé à dresser une liste d'achats : trousse de toilette, chaussures de marche, appareil photo numérique, maillot de bain (si je survivais à l'essayage), sans oublier une bonne grosse brique à lire pendant le vol de vingt-sept heures.

— Tu sais ce que je vais m'acheter avec l'argent que tu m'as donné, ma belle Mamie ? lui avais-je demandé en frottant l'intérieur de la soupière.

— Tu t'achèteras bien ce que tu voudras, mon ange.

— Oui, oui, mais je voulais te le dire… Je vais m'acheter une valise. J'en veux une comme dans ton temps, tu sais, rigide avec des courroies de cuir et des coins en métal ?

Elle avait enlevé ses lunettes pour me lancer un regard perplexe.

— J'aurais peut-être quelque chose qui ferait ton bonheur, dans ce cas-là.

Elle s'était essuyé les mains sur son tablier, avait remis ses lunettes.

— Veux-tu bien me dire pourquoi tu n'en choisirais pas une plus pratique, plus légère, avec des roulettes ? Les valises, dans ce temps-là, elles étaient trop lourdes à transporter ! Tu vas te déboîter le dos.

— Oui, mais Mamie…, j'ai toujours voulu une valise comme on en voit dans les vieux films ! Je vais au moins essayer.

— Attends-moi deux minutes. Si ma mémoire est bonne, elle est encore dans le débarras. J'espère juste qu'elle ne sent pas trop la boule à mites.

— Je vais avec toi. Si elle est aussi lourde que tu le dis, ce n'est pas le moment de te l'échapper sur la tête.

Nous avions gravi l'escalier et ouvert la porte du débarras. Dans la pièce étroite, flottait une odeur de naphtaline que les pelures d'orange et les pommes de pin dispersées dans tous les coins n'arrivaient pas à dissimuler. Contre le mur du fond, la machine à coudre accumulait la poussière. Même chose pour la boîte de vieux jouets et de jeux de société qui avaient amusé deux générations de Paradis : la piste de course, la ferme Fisher-Price, deux poupées Barbie échevelées, un nounours décati.

— Je pense qu'elle est sur l'étagère, dans la garde-robe. Tu es assez grande pour l'atteindre. Si elle est trop loin, je vais aller chercher le petit escabeau.

Au fond du placard, au-dessus d'une robe de mariée et d'un manteau de fourrure enveloppés dans des housses de plastique, à côté du raton laveur empaillé par mon grand-père, elle était là, plus que parfaite. Juste assez grande, couleur chamois, avec des coins cloutés en cuivre et une jolie poignée en acajou sculpté.

— Mamie, c'est un miracle !

— C'est ce que tu cherchais, Greta Garbo ?

— Encore mieux ! Je n'aurais jamais pu en trouver une aussi belle !

Je l'avais embrassée.

— Es-tu sûre que je peux te l'emprunter ? Elle a tellement de style, tu devrais la prendre pour ton prochain voyage.

Son visage s'était rembruni.

— Malheureusement, là où je vais pour mon prochain voyage, ils ne prennent pas de valises.

Il m'avait fallu quelques secondes pour saisir. Ses paroles ont continué à faire écho dans mon ventre et, en descendant l'escalier derrière elle, je savais que Mamie me cachait quelque chose. Quelque chose de gros.

— Mamie… tu me fais peur quand tu dis ça.

— Allez, tire la valise, on va l'aérer un peu sur le perron.

— Tu as quelque chose à me dire, je te connais.

— Viens dans la cuisine, on va se faire un thé. On finira la vaisselle plus tard.

À genoux sur le plancher en bois gris du balcon, j'avais ouvert la valise pour l'exposer à l'air frais. J'avais caressé du revers de la main l'intérieur en satin, admiré son imprimé sobre de petits losanges marron sur fond crème. Le tissu était comme neuf. Elle n'avait dû servir qu'une fois, quand Mamie et Papi étaient allés en France en paquebot pour leur lune de miel. Je crois que c'était en 1947. De ce voyage, il restait un objet que je chérissais, posé sur la commode à côté de mon lit: une vieille photo de ma grand-mère, assise sur les marches du Trocadéro. Jeune, l'air sage, les joues pleines et les yeux rieurs, elle portait un chapeau cloche sur une coupe au carré et des bottes en cuir patiné. C'est vrai qu'elle avait quelque chose d'Audrey Hepburn.

Dans la cuisine, la bouilloire sifflait.

— On va boire mon thé des grandes occasions. Sens-moi ça ! m'avait-elle ordonné en me passant la jolie boîte en métal vert tendre sous le nez. C'est du Earl Grey que Jacqueline m'a ramené de Londres l'hiver dernier. C'est cette sorte-là qu'ils boivent à Buckingham, il paraît !

Elle était allée chercher le lait dans le réfrigérateur et un plateau dans le vaisselier, puis avait sorti ses plus fines tasses en porcelaine rose.

— Prendrais-tu une pointe de tarte ? J'ai remarqué ton petit manège pendant le repas, alors ne perds pas ton temps à me faire croire que tu as déjà trop mangé. Mon beau jambon, mes belles petites patates... t'as jeté ça dans les toilettes, je suppose ?

— Mamie, si j'ai été incapable d'avaler quoi que ce soit tout à l'heure, je ne pourrai pas plus manger un morceau de tarte maintenant. Je te l'ai dit, je ne le fais pas exprès.

Sa persistance finissait par m'agacer. Depuis une semaine, elle avait paru plus mal à l'aise que d'habitude chaque fois que je refusais de la nourriture. Moi qui pensais qu'elle avait décidé de ne plus s'en mêler...

— C'est juste qu'étant donné la nature de ce que je vais t'annoncer... disons que... enfin, c'est le genre de nouvelle qui passe mieux avec du sucre.

— Si jamais ça s'avère nécessaire, je ne me gênerai pas, promis.

Elle avait déposé le plateau en argent au milieu de la table. Pendant qu'elle versait le thé, que la calmante odeur des fleurs d'oranger se répandait dans la cuisine, elle fuyait mon regard et se mordait la lèvre inférieure. Moi, je commençais à avoir mal au ventre. Une fois nos tasses remplies, elle s'était assise au bout de sa chaise, les genoux serrés, les doigts entrelacés sur les cuisses. En levant les yeux, elle avait poussé un long soupir.

— Allez, Mamie, dis-moi ce qui te tourmente, je fais de l'angoisse, là !

— Je ne suis pas certaine que c'est une bonne idée de te le dire. C'est un peu... tôt. Je ne sais pas ce qui m'a pris, Clarence. Je me suis échappée, il faut croire. D'habitude, je suis meilleure que ça pour tenir ma langue.

— Mamie, arrête de tourner autour du pot. Visiblement, tu te fais du souci, ça va te soulager d'en discuter. Je sais que tu n'aimes pas parler de tes problèmes, mais...

— Tu ne tiens pas des voisins, je te ferai remarquer.

Elle s'était tamponné le front, comme pour vérifier si elle faisait de la fièvre.

— Bon. Aussi bien cracher le morceau. C'est mon cancer. Il est revenu.

Impossible de prétendre ne pas y avoir pensé. Depuis que mon père avait partagé son inquiétude à propos de la pâleur et de l'allure exténuée de Mamie, le mot « cancer » avait élu domicile dans un coin de mon cerveau. Elle l'avait eu deux fois au cours des vingt dernières années. Elle ne m'avait jamais parlé du premier, il faut croire qu'elle en avait honte parce qu'il s'était développé « dans les parties privées ». Le deuxième, un adénocarcinome au poumon, six ans plus tôt, lui avait fait perdre ses cheveux et ses joues, mais pas un iota de sa bonne humeur. Je la trouvais tellement belle avec ses turbans et ses perruques ; cette période de sa vie m'avait longtemps laissé l'impression qu'il suffisait, pour anéantir un cancer, de se parer de couleurs carnavalesques et d'aller aborder l'ennemi en duel avec une bravoure de mousquetaire. À l'époque, ça ne m'était jamais venu à l'esprit qu'elle puisse en mourir.

— Ton cancer est revenu, avais-je répété, comme si de m'entendre le dire pouvait réussir à m'en convaincre. Où ?

— Encore aux poumons ! Une maladie de fumeur, veux-tu bien me dire comment j'ai pu… ah, peu importe ! J'ai eu les résultats de ma biopsie jeudi dernier. Mais aussi…

Elle avait enlevé ses lunettes pour se frotter les paupières du bout des doigts.

— Le médecin pense que ça pourrait déjà avoir atteint les ganglions lymphatiques. Je passe un scanner le 25 mai.

Le champignon atomique s'amplifiait dans ma tête. Figée, la main sur la bouche, j'avais attendu que les débris retombent, que tout s'immobilise et je m'étais levée pour étreindre Mamie. Au creux de mes bras trop longs, mon petit moineau de grand-mère m'avait semblé plus chétif que jamais.

— Mamie, Mamie...

Elle tapotait ma main, ses yeux gris fixés sur le fleuve de la même couleur.

— Est-ce que tu souffres ?

Un haussement d'épaules, un non qui voulait dire oui.

— Il y a des traitements pour me prolonger un peu, mais je ne repasserai pas par là. Pas une autre fois.

Je mordais la jointure de mon pouce très fort pour ne pas pleurer. Quand j'ai cligné des yeux, deux grosses larmes ont réussi à s'échapper et à rouler sur mes joues.

— Je ne pense pas que je vais accepter le traitement. Me vois-tu, Clarence, me promener avec une bonbonne d'oxygène ?

— Pas vraiment, non.

Elle avait esquissé un sourire triste.

— Je n'en ai pas pour bien longtemps, si je refuse la chimio.

La question me brûlait les lèvres, mais j'avais peur de vomir si je la posais.

— Le docteur a parlé de neuf à dix-huit mois.

Elle avait lu dans mes pensées.

— Si jamais j'ai des métastases ailleurs qu'aux poumons, ça pourrait être fini dans six mois.

— Ils ne peuvent rien faire d'autre ?

J'avais mal à la poitrine à force de contenir le reste de mes larmes. Si je me laissais aller, je me mettrais à hurler comme un chien perdu.

— Rien. Ce n'est pas facile de retaper une vieille carcasse ! Je m'en suis déjà sauvée deux fois, mais là... je pense que l'heure est venue d'aller rejoindre mon homme. Quand on parle de prolonger la vie, à mon âge, la qualité prend le bord. Aussi bien faire ça court et finir en beauté, quant à moi.

— Mamie, c'est que… moi aussi, il faut que je te dise quelque chose. Je ne l'ai pas encore annoncé à qui que ce soit.

— Quoi, t'es pas enceinte toujours?

— Mais non, voyons.

Bam, mon cœur était tombé au fond de mon estomac.

— Où tu vas chercher des idées pareilles?

— Quoi, ce n'est quand même pas impossible!

— Que je sois la deuxième Sainte Vierge? avais-je demandé en plissant les yeux.

Je ne voulais pas laisser Mamie s'imaginer que sa petite-fille puisse avoir si peu de vertu. Malheureusement, ma grand-mère n'était pas dupe.

— Clarence, essaie pas de me passer un sapin! Je lis les magazines, je sais bien que les temps ont changé.

— Quand même, Mamie, ce n'est pas ce que je voulais te dire. C'est une bonne nouvelle. Enfin, c'était une bonne nouvelle. Maintenant je ne sais plus trop quoi penser. Il va falloir que tu me dises ce que toi, tu en penses.

Elle avait levé un sourcil.

— La valise… elle va me servir plus tôt que prévu.

J'avais mis un sucre dans ma tasse de thé.

— Je n'attendrai pas la fin de mon bac. Je pars en Nouvelle-Zélande. Pour un an. Dans six semaines.

Elle avait ricané doucement.

— Qu'est-ce qu'il y a de drôle?

— Je me doutais que tu manigançais quelque chose.

— Comment as-tu pu le savoir? Je ne l'ai même pas dit à mon chat!

— Clarence… au nombre de fois où tu t'es plainte que tu n'aimais pas ça, la géographie, j'ai deviné que tu te cherchais une excuse pour tout arrêter et lever les pattes. T'étais haute comme ça quand tu m'as annoncé que tu ferais le tour du monde ! Tu lisais *Tintin* comme si c'était la sainte Bible ! Il va bien falloir que tu commences quelque part.

— Je m'en vais le plus loin possible.

— Ça non plus, ça ne me surprend pas. Te souviens-tu de l'ancien papier peint dans la chambre d'ami ?

— La carte du monde ?

— Hum, hum. Te rappelles-tu pourquoi j'ai été obligée de repeindre les murs ?

— J'avais tracé des lignes partout avec du crayon-feutre ! Je pensais que tu serais contente de voir tous les itinéraires que j'avais planifiés.

— Dans ce temps-là, j'avais été un peu fâchée, mais aujourd'hui, je regrette de ne pas avoir gardé ça. Des morceaux de rêves... Tu ne devais pas avoir plus de sept ou huit ans et, déjà, tu savais où tu t'en allais.

— Je pense que je le savais plus qu'aujourd'hui, c'est ça le problème.

— Bah ! Tu vas retrouver ton chemin, je ne suis pas inquiète.

— Tu me fais penser... Je pourrais partir le 8 mai, comme ça j'arriverais le 10 en Nouvelle-Zélande.

— Tu passerais toute la journée de ton anniversaire dans les airs ?

— Je ne peux pas imaginer une plus belle façon de commencer ma vingtaine. Je ne serais pas loin du septième ciel.

J'avais décidé de rester chez ma grand-mère jusqu'à mon départ pour Montréal avec Sophie. Nous n'avions pas reparlé de son cancer, même si le sujet planait dans l'air comme une mauvaise odeur qu'on avait choisi d'ignorer.

Nous avions parlé de mon voyage dans les moindres détails et je lui avais pratiquement lu tout mon guide *Lonely Planet.* Je lui avais montré les photos des fleurs de pohutukawas, qui poussaient en bordure de mer, des volcans qui dormaient sous la neige, des oiseaux sans ailes qui sortaient la nuit pour picorer le sol de la forêt tropicale. Nos discussions avaient réussi à me convaincre que je partais vraiment. C'est seulement le soir, dans mon grand lit, que je me retrouvais avec les pensées noires qui me forçaient à entrevoir ma vie sans Mamie Rose. Sur le plafond, je regardais défiler des images sans arriver à les censurer : sa maison vide, sa chaise berçante immobile, une pantoufle à moitié tricotée, une dernière tarte que personne n'oserait manger. Qu'est-ce que l'entreprise allait devenir ? Qui voudrait adopter Henri VIII ? Qui s'occuperait de tenir bien serrées les mailles de la famille, une fois qu'on ne pourrait plus se réunir ici, dans la cuisine, attablés devant huit variétés de desserts ? Je me trouvais tellement sans-cœur de considérer toutes ces questions pratiques. Elles venaient à mon esprit sans invitation et je les chassais aussitôt.

Je m'interdisais d'espérer une fausse alarme, un diagnostic erroné ou un miracle médical de dernière minute. Si Mamie elle-même n'entretenait pas d'espoir de s'en tirer indemne, elle qui était l'incarnation de l'optimisme, je devais me ranger du côté de la réalité, aussi douloureuse soit-elle. Tout ce que je pouvais souhaiter, c'était qu'elle tienne jusqu'à mon retour. Je ne pouvais pas accepter que ça se termine par un appel au milieu de la nuit, probablement de mon père, pour me l'annoncer. Je voulais être là. Je voulais être guérie, aussi. J'avais besoin de lui montrer que je m'en sortais, que je n'avais plus peur, même de la tarte au sucre, avec deux boules de crème glacée dessus, comme avant.

Tard, le dimanche soir, après avoir laissé la nouvelle faire quelques allers-retours entre mon cœur et ma tête, j'avais pleuré pendant deux heures en mordant l'oreiller pour qu'elle ne m'entende pas. Lundi, même chose. Je m'étais tortillée dans mes couvertures toute la nuit, j'avais donné des coups de poing et de pied dans le matelas pour m'épuiser, j'avais ragé chaque fois que l'aiguille des minutes atteignait le douze sur le réveil posé sur ma table de chevet. Finalement, un peu avant trois heures du matin, je m'étais endormie. Peu de temps après, Mamie m'avait réveillée en chuchotant.

— Clarence, Clarence, réveille-toi ! Tu fais un cauchemar !

Dans mon rêve, je me trouvais dans un centre commercial avec une petite fille blonde d'à peine trois ans. Elle ressemblait à Francis, mais en version féminine. Elle avait une fossette au menton et des sourcils en accent circonflexe. Nous avions marché, main dans la main, jusqu'à ce que nous arrivions à un photomaton et qu'elle me demande de faire des photos. Derrière le rideau de la cabine, nous avions souri, grimacé, elle m'avait fait un câlin sur la dernière. Pendant le délai du développement, je lui avais acheté une crème glacée à la pistache, beaucoup trop grosse pour elle. Quand les photos avaient glissé de la fente, la petite était allée les récupérer. Moi, je cherchais des mouchoirs dans mon sac à main, pour essuyer son menton. C'est là que je l'avais entendue sangloter.

— Qu'est-ce qu'il y a, ma poulette, tu ne les aimes pas, nos photos ? On peut en faire d'autres, tu sais !

Elle m'avait tendu la bande de papier sur laquelle étaient imprimées nos photos et j'avais alors constaté que j'étais seule sur les clichés.

La fillette s'était sauvée en pleurant. En voulant l'appeler, j'avais pris conscience que je ne savais pas son nom. Je m'étais mise à courir derrière elle. Chaque fois que j'étais sur le point de l'attraper, elle me glissait entre les mains comme un fantôme.

— Reviens! avais-je crié. On va refaire les photos, je te le promets!

— Mais non, maman, on ne peut pas…, tu m'as tuée!

Misère. Quel rêve épouvantable! Le genre de scénario sur lequel les militants Pro-Vie auraient aimé mettre la main pour concevoir leurs campagnes et leurs dépliants mégatragiques.

Pendant deux jours, le cancer de Mamie avait fait diversion à mon angoisse et j'avais à peine pensé à mon avortement. Ce n'est que dans mes rêves que la peur et les remords arrivaient à courir assez vite pour me rattraper. Je ne pouvais pas dire que j'en faisais un énorme cas de conscience, ou que j'avais peur que ça me traumatise à vie. Je ne m'attendais même pas à ressentir le deuil décrit dans les dépliants. C'était effrayant à avouer, mais j'avais davantage l'impression d'aller me faire enlever une tumeur qu'un bébé. La seule chose qui m'attristait, c'était d'imaginer la personne adulte qui aurait existé si j'avais fait un autre choix. J'étais incapable de concevoir le nouveau-né, mais quand je le projetais vingt ans plus tard, comme un être humain unique, aux mille possibilités, ayant des rêves, une personnalité et un visage, j'avais un petit pincement. Une partie de moi aurait voulu savoir à quoi je mettais fin. Une fille, un garçon, une scientifique, un artiste, une athlète, un blond comme sa mère, un brun comme son père? Je ne le saurais jamais, il n'y avait que ça de certain. Et puis, il ne fallait pas nier qu'après les abus des derniers mois, il n'aurait pas été surprenant que le bébé naisse avec trois bras et deux cornes...

Après avoir terminé mon café et aidé Mamie à débarrasser la table, je suis remontée dans ma chambre pour me préparer à partir pour Montréal. Sophie devait arriver dans une quinzaine de minutes. J'ai pris une douche à la hâte et je me suis coupée au tibia en me rasant. J'y ai collé un pansement de Dora l'exploratrice trouvé dans la pharmacie et j'ai enfilé les sous-vêtements que j'avais prévus exprès pour cette journée-là : une culotte et un soutien-gorge de bonne fille, en gros coton d'un blanc immaculé, couvrants au maximum. Il n'était pas question de porter un *string* en dentelle. Je ne voulais pas avoir l'air de celle pour qui une grossesse non désirée n'était qu'un petit inconvénient, entre deux amants et une pilule oubliée.

Devant le miroir, j'ai décidé d'enlever mes verres de contact et de remettre mes lunettes. Comme ça, pendant l'intervention, il me serait facile de les retirer pour que tout devienne embrouillé autour de moi. Mes souvenirs de cet après-midi resteraient flous, ce qui ne pouvait pas nuire. J'ai attaché mes cheveux dans une torsade sur ma nuque et enfilé mes jeans, qui traînaient sur le plancher de la salle de bain. Pour le haut, j'ai choisi un grand pull de laine noire à col roulé. «Parfait», me suis-je dit en reculant pour mieux me voir dans la glace. J'avais l'air d'une jeune étudiante sérieuse avec une propension à la sainteté. Sainte nitouche de l'île d'Orléans, patronne des accidents de parcours.

J'ai dévalé les marches et je suis allée me poster devant la fenêtre du salon pour attendre Sophie.

Ma grand-mère, qui croyait me voir partir pour une journée de magasinage intensif avec Sophie dans les boutiques de Montréal, avait commencé son époussetage, munie d'un énorme plumeau.

— As-tu besoin d'argent? m'a-t-elle demandé en enlevant les bibelots du dessus de la vieille télévision.

— Non, ça va aller, merci quand même.

De la poussière et quelques poils de chien dansaient dans le rai de lumière qui s'allongeait de la fenêtre jusqu'au plancher.

— Excuse-moi si je ne me mêle pas de mes affaires, Mamie, mais il me semble que tu devrais arrêter de faire des cadeaux aux autres et commencer à te gâter, toi... Une femme de ménage, par exemple, ça te permettrait de te reposer un peu, non?

— Une femme de ménage! Écoutez-la donc, celle-là! C'est ma thérapie, le nettoyage! Quand je frotte, je pense à mes affaires. Quand je lave, je trouve des solutions. C'est pas mal moins cher qu'un psychologue. En plus, après, la maison est propre.

— Même pas un lave-vaisselle?

— Pour quoi faire? Ça me repose de laver la vaisselle. J'écoute mes émissions à la radio en même temps, si tu savais tout ce que j'apprends. En plus, pour le temps que mes mains trempent dans l'eau chaude, mon arthrite me laisse tranquille.

— Un séjour dans un spa, alors?

— Un quoi?

— Un spa, Mamie. Tu sais, un centre où tu pourrais te faire bichonner pendant une fin de semaine. Des massages, des manucures, tout ça.

— Nan, nan, c'est pas mon genre. J'ai pas la patience. J'ai eu un massage une fois, quand je me suis fait un tour de rein en pelletant, l'hiver dernier. C'est Alexandre et Dominique qui m'avaient donné un chèque-cadeau, je n'avais pas d'autre choix que d'y aller. Une heure et demie de temps! Je n'en pouvais plus! La petite musique, les chandelles... j'étais tellement gênée ; en plus, c'était un jeune homme. Je suis sûre qu'il a eu des cauchemars. Voir mémère toute nue, c'est loin d'être aphrodisiaque.

— Franchement, Mamie, tu es bien conservée pour ton âge.

— Conservée, exactement! Comme une vieille potiche dans un musée.

Le bruit des pneus sur le chemin de gravier m'a fait tourner le regard vers la fenêtre. Une Coccinelle vert lime s'était garée derrière la Cadillac de Mamie.

— Dis-lui donc d'entrer, elle mangerait peut-être un petit quelque chose?

— On est pressées, Mamie. Sophie a un rendez-vous pour une entrevue à midi. Si tu veux, on arrête ce soir en revenant?

— Tu reviens coucher ici?

— À moins que tu sois tannée de me voir?

Elle a levé les yeux, s'est gratté le menton.

— Hum... non, je devrais être bonne pour t'endurer encore un bout de temps, a-t-elle répondu, le sourire en coin.

— Allez, il faut que j'y aille!

Je l'ai embrassée sur les deux joues.

— Amusez-vous bien. Oh, attends... As-tu dit que ton amie Sophie passait une entrevue?

— Oui, pour euh... travailler en marketing chez Holt Renfrew. Ça fait longtemps qu'elle a envie de quitter le Château Frontenac.

— Si jamais ça ne fonctionne pas, dis-lui donc de venir me voir. On ne sait jamais, j'aurais peut-être quelque chose à lui proposer.

— Je lui fais le message.

J'ai attaché le dernier bouton de mon manteau et j'ai ouvert la porte.

— Hummm… ça sent le printemps! s'est exclamée Mamie.

— T'as raison. Ça sent la neige qui fond.

— Mes crocus vont sortir bientôt. Ça, ma petite fille, pour ta grand-mère ça vaut bien tous les spas du monde!

— On se voit ce soir.

— Soyez prudentes sur la route!

J'ai embrassé Henri VIII en passant. Sophie s'est allongée pour ouvrir la portière.

J'ai jeté mon sac sur la banquette arrière et je me suis assise.

— Ça va?… Pas trop nerveuse? m'a-t-elle demandé.

— Pas trop. Je ne pense pas avoir eu le temps de le réaliser. Quand je vais être dans la salle d'attente, je vais sûrement m'évanouir.

— Ça ne dure pas longtemps, il paraît.

— Je sais, j'ai fait des recherches sur Internet. Comment se porte Corneille?

— Comme un charme. Ça fait deux soirs qu'elle couche dans mon lit. Est-ce que c'est nouveau, son grignotage de boucles d'oreilles? Elle m'a réveillée deux fois en tirant sur mes anneaux. Il a fallu que je les enlève.

— Ah oui? Je ne pourrais pas te le dire… je n'ai jamais eu le courage de faire percer les miennes. Je suis assez douillette, tu vois. Penses-tu que je peux passer à travers ce qui m'attend aujourd'hui ou si je devrais demander une anesthésie?

— Tout va bien aller. C'est épouvantable de dire ça, mais j'ai entendu dire que ce n'est pas plus compliqué que l'extraction d'une dent. En plus, je t'ai apporté de la musique. Il paraît que ce qui est le plus pénible, c'est le bruit de succion que ça fait quand… tu sais. Je t'ai préparé des heures de détente, tu monteras le volume au max, comme ça tu n'entendras rien.

— T'es vraiment gentille Soph, je ne sais pas ce que j'aurais fait sans toi.

Nous étions arrivées au bout du pont de l'île. Devant nous, quatre silhouettes chaussées d'énormes bottes et armées de pics et de cordages escaladaient la chute Montmorency encore prisonnière des glaces. Sophie a changé de vitesse et tourné à gauche en direction de l'autoroute Félix-Leclerc. Sans quitter la route des yeux, elle a appuyé sur le bouton rouge d'un GPS accroché au pare-soleil.

— Montréal, a dit Sophie.

Une voix de jeune femme, plutôt agréable, lui a répondu.

— Vous êtes à 267 kilomètres de Montréal. Vous arriverez à destination dans deux heures cinquante-quatre minutes.

Le tableau de bord indiquait qu'il était neuf heures trente. J'ai fait le calcul dans ma tête.

— On va arriver vers midi ?

— Si tout va bien, oui. On va avoir le temps d'aller luncher au centre-ville, je connais un bon petit resto rue Stanley.

— Mon rendez-vous est à quatorze heures trente. Si on a le temps et si on en trouve une, est-ce qu'on pourrait s'arrêter dans une agence de voyages ?

— Pour quoi faire ?

— Oh, un petit rien… juste acheter mon billet d'avion pour la Nouvelle-Zélande.

Sophie a tourné la tête vers moi. Malheureusement, elle a aussi tourné le volant, faisant chevaucher sa Coccinelle sur la ligne blanche pendant quelques secondes.

— Sophie, regarde devant ! me suis-je exclamée.

— Comment ça, un billet pour la Nouvelle-Zélande ? a-t-elle demandé en reprenant calmement le contrôle. Je pensais que tu étais une criminelle trop dangereuse pour quitter le pays ?

— J'ai promis d'être muette comme une tombe. S'il te plaît, ne me pose pas de questions. Tout ce que je peux te dire, c'est que j'ai maintenant le droit de partir.

— C'est ton père qui a graissé des pattes, c'est ça ?

— Je viens de te dire que je n'expliquerais rien.

— Alleeeeeez, Clarence. Mon père était diplomate, je connais le genre de magouille. Dans ce monde-là, c'est monnaie courante de voir des infractions disparaître par magie. Et pour des crimes bien pires que le tien, crois-moi.

— J'ai promis, Sophie.

— OK, OK, j'arrête !

Les mains serrées sur le volant, les sourcils froncés, elle a concentré son regard sur le long ruban d'asphalte qui se déroulait devant nous.

— Ce n'est quand même pas pour ça que ton père a quitté son poste ?

— Sophiiiiie !

— Quoi ? La raison de sa démission, c'est une question d'intérêt public !

— Ça n'a rien à voir avec moi. Les raisons qu'il a données aux médias sont vraies. Il veut passer plus de temps avec sa famille.

— Ton frère descend de Montréal deux fois par année et toi, tu pars au bout du monde. Il risque d'être déçu !

— C'est surtout ma mère qui a besoin de lui. Elle fait une dépression.

— Ta mère ?

— Eh oui, ma belle petite Suissesse de mère carbure au Zoloft.

— Je suis désolée de l'apprendre.

— Mes parents déménagent en Suisse dans un mois, pour un an au moins. Ma mère a le mal du pays depuis longtemps, paraît-il. Ils ne savent pas encore que j'ai arrêté l'école et que je pars, moi aussi.

— Tu vas quand même leur dire avant qu'ils quittent Québec ?

— Peut-être.

Sophie a secoué la tête, mi-amusée, mi-découragée.

— Et comment va Wondermamie ?

C'est le surnom que Sophie donnait à ma grand-mère. Je n'avais pas envie de lui dire qu'elle avait un cancer et qu'elle n'en avait plus pour longtemps à faire des Wondersugarpies. Pas maintenant.

— Elle va bien.

— J'ai pensé à elle dimanche soir. Je recevais cinq personnes à souper et j'étais dans une panique totale. J'avais peur de ne pas avoir assez de bouffe, peur que mes crèmes brûlées soient trop brûlées, que mon porc soit trop sec, mes patates trop cuites… Si je m'étais écoutée, j'aurais annulé tout le monde et j'aurais mangé du Kraft Dinner en pyjama avec Corneille.

— Voyons, Sophie, je suis certaine que tu es super bonne cuisinière. Tu as à peu près cent cinquante livres de recettes dans ta bibliothèque !

— Ah ! Ah ! C'est là toute l'ironie, ma chère ! J'achète des livres de recettes compulsivement et je les regarde dans mon lit avant de m'endormir. Je fantasme sur mes futures réalisations culinaires, tu comprends. La preuve que je n'utilise pas mes livres pour cuisiner, tu vas l'avoir en les feuilletant : pas une seule tache de gras ou de sauce sur les pages ! Ils sont décoratifs, Clarence, j'ai honte de le dire, mais c'est vrai. Tout ce que je sais faire dans une cuisine, c'est des brownies et des muffins. À la seule idée de cuire un rôti, j'ai des boutons.

— C'est vrai que tes brownies, ils sont durs à battre.

La dernière fois qu'elle en avait fait, j'en avais mangé jusqu'à me rendre malade.

— Tout ça pour dire qu'au moment où j'étais sur le point d'annoncer à mes convives que j'avais attrapé la grippe porcine en grillant mes escalopes, j'ai pensé à ta grand-mère. J'ai réfléchi au fait que chaque jour, matin, midi, soir, elle avait dû faire à manger pour son mari et ses neuf enfants. Dans ce temps-là, il n'y avait pas l'option «Maman-est-fatiguée-on-commande-une-pizza». Il n'y avait pas non plus le genre de recettes «Ajoutez-de-l'eau-remuez-et-savourez». Il n'y avait même pas de micro-ondes, penses-y!

— Et mon grand-père ne savait même pas se faire un café.

— Le mien non plus! Quand ma grand-mère est morte, il n'a pas attendu trois mois pour se marier avec la femme de ménage.

— Imagines-tu s'il fallait endurer des hommes comme ça, nous?

— Moi, je serais déjà en prison pour meurtre.

Elle a allongé le bras pour allumer la radio.

— Tourne donc le machin, il y a peut-être quelque chose d'intéressant.

Au lieu de l'écouter, j'ai éteint le poste.

— Raconte-moi donc quelque chose à la place! Une histoire de voyage... tu sais comme je ne m'en lasse jamais. J'ai besoin de me changer les idées, Soph, sinon je vais penser au sang et au spéculum.

— Ouache! OK, OK! Je commence par la fois où je me suis perdue dans le souk de Marrakech et que j'ai été obligée d'acheter un tapis pour en sortir. Ensuite, je t'emmène au Malawi faire une journée de stage à la banque de Lilongwe.

J'ai tourné mon visage vers la fenêtre. Le soleil avait disparu et le paysage était gris et flou, comme une ébauche dessinée au fusain. Au bord de l'autoroute, quelques arbres rabougris défilaient et des touffes d'herbe haute sortaient de la neige qui avait commencé à fondre. J'ai fermé les yeux et j'ai laissé Sophie me transporter au milieu des bols d'épices multicolores, des étalages de babouches et des charmeurs de serpents.

Chapitre 12

À Montréal, la neige était presque toute fondue. Il en restait quelques tas gris, saturés de calcium, mais sinon, c'était le printemps. L'air était gonflé d'une odeur de terre détrempée et les pigeons s'ébrouaient au bord des flaques d'eau. Au coin de la rue Union, la terrasse d'un café était remplie de clients, manteaux ouverts, leurs visages inclinés comme des tournesols.

— Et voilà, le centre-ville s'est transformé en centre de cure thermale !

— Ce n'est pas trop tôt ! Mais toi, la petite... sais-tu que tu vas arriver à Auckland au début de leur hiver ?

— Oui, mais bon... ce n'est quand même pas comme ici. Il pleut un peu, mais le mercure ne descend pas au-dessous de zéro.

— Tu fais quoi avec ton appartement ?

— J'ai peut-être trouvé quelqu'un à qui le sous-louer. Si ça fonctionne, je pense que tu vas aimer ton nouveau voisin. Il a voyagé autant que toi. Vous allez avoir plein de choses à vous raconter.

J'ai plongé la main dans mon sac et j'en ai sorti une enveloppe un peu fripée.

— Vas-tu à la librairie Pantoute, des fois ?

— Toutes les semaines. Ils ont une impressionnante

sélection de livres de cuisine. J'ai justement acheté le dernier Nigella avant-hier.

— As-tu remarqué le libraire qui travaille les soirs de semaine ? Frisé, brun, avec des petites lunettes rondes en écaille ?

— Hummmmmmouiiiii, a fait Sophie comme si elle venait d'avaler une lampée de caramel. Tu peux être sûre que je l'ai remarqué. Il a les yeux comme du cacao liquide… Et ses bras ! As-tu vu ses biceps ?

— Pas remarqué, ai-je menti.

J'ai sorti la feuille de l'enveloppe, l'ai dépliée d'une main.

— Il devait venir prendre un verre au Saint-Laurent vendredi dernier. Il a passé un an en Nouvelle-Zélande et il voulait me donner des trucs pour la recherche d'emploi, l'hébergement, tout ça. Finalement, il n'a pas pu être là. Il m'a laissé ça au bar.

Je lui ai remis la note.

— Regarde son écriture !

— Oh, on dirait celle d'une fille ! Penses-tu qu'il est… ?

— Non, non, je ne pense pas.

Elle a lu à voix haute.

— Gente demoiselle, c'est avec un profond regret que je me vois contraint d'annuler la causerie de ce soir. Une situation fortuite m'oblige à m'exiler à Pointe-au-Pic, chez madame ma mère, jusqu'à la nouvelle lune. Je ne peux que souhaiter avoir le privilège de vous revoir avant votre départ vers les mers du Sud…

Son numéro de téléphone se trouvait au bas de la page.

— Il se prend pour le vicomte de Valmont ou quoi ?

— C'est un écrivain.

Je lui ai tendu le recueil de nouvelles, resté dans mon sac depuis le soir où il me l'avait offert.

— Woaaaouuuu !

— Je lui ai téléphoné samedi. La raison de son exil est assez peu poétique : son coloc l'a mis dehors. Le gars s'est amouraché d'une danseuse du Lady Mary-Ann et elle veut emménager avec lui. Il a donné deux semaines à Olivier pour partir. Il paraît que c'est la deuxième fois qu'il lui fait le coup, pour la même raison. La première fois, ça n'a pas marché avec la fille et le coloc a supplié Olivier de revenir au bout de six semaines. Cette fois-ci, ça a plutôt mal tourné. Olivier ne l'a pas pris, il s'est fâché, ils ont failli se battre. Il a été obligé de partir *subito presto*. Il est à la recherche d'un nouvel appartement et, comme il est un peu nomade et qu'il n'a pas vraiment de meubles… j'ai pensé lui offrir de sous-louer mon loft pendant mon voyage.

— Il emménage ? a dit Sophie, la main sur la gorge.

— Rien n'est encore officiel… Il faut que j'en parle à mon père.

— Wow ! Je pourrais vivre à côté de ce pétard-là, moi ? Merde, Clarence, je vais être obligée de mettre du mascara chaque fois que je vais sortir les ordures ! Je ne pourrai même plus aller chercher mon courrier en pyjama !

— Tiens, vous feriez un beau couple, maintenant que j'y pense…

— Il ne t'intéresse pas, toi ? Tu dois lui être tombée dans l'œil.

— Non, pas mon genre. Je le dépasse d'une tête ! Il est parfait pour toi.

— Il est trop jeune.

— Il a vingt-huit ans, Soph !

— Exactement. J'en ai trente et un maintenant, tu sais.

— Ouais, j'avoue que… quand il va avoir soixante-quinze ans, tu vas en avoir soixante-dix-huit.

— Ça n'a pas de bon sens.

— Le choc des générations.

Elle a remonté la manche de son manteau pour vérifier sa montre.

— Il nous reste à peine deux heures. Tu veux commencer par le billet d'avion ?

— Ouiiiiiiiii ! ai-je répondu en applaudissant.

— Je connais une agence de voyages pas loin. Suis-moi.

Nous sommes entrées à la Place Ville-Marie et nous avons pris l'escalier roulant qui menait au sous-sol.

— C'est en bas. Ils ont des tarifs spéciaux pour les étudiants. N'oublie pas de prendre une assurance au cas où tu aurais besoin de changer les dates.

Elle a dénoué son foulard, enlevé son manteau. Elle portait une magnifique chemise indienne turquoise garnie de petites perles de bois à l'encolure.

— Qu'est-ce qui va arriver à ta Corneille ?

J'ai prétendu ne pas y avoir pensé.

— Aucune idée. La Nouvelle-Zélande a une politique de mise en quarantaine, mes parents vont être en Suisse, Mamie a assez de son chien…

— Je vais la garder, moi, si tu veux. Un an, pas plus !

— Sophie ! Ce serait trop *cool* ! Elle t'aime tellement !

— Ben voyons, Clarence. C'est un chat. Et un chat, ça n'aime personne, ça s'attache seulement à son environnement.

— Non ! Corneille est spéciale ! Elle t'aime, Sophie, je te le jure. Tu sais bien qu'elle va toujours se coucher sur tes genoux.

— Pfff ! Pour elle, je ne suis rien d'autre qu'un fauteuil au sang chaud avec options gratte-oreille et ouvre-boîte.

— Mauvaise foi ! ai-je dit en l'embrassant sur la joue. Merci, Soph.

Nous étions en face de l'agence de voyages. Dans la vitrine, les affiches promouvaient les forfaits tout inclus pour la cure de soleil d'urgence que beaucoup s'offraient après cinq mois d'hiver. Punta Cana, Puerto Vallarta, Riviera Maya, Pina Colada, Bronzi Bronza... tout ça me laissait complètement indifférente. Si, pour plusieurs, les images de palmiers, de sable blanc et de mer turquoise représentaient le summum de l'évasion, pour moi elles dégageaient un conformisme au parfum de noix de coco synthétique.

— Ah, Sophie, je suis énervée! C'est la plus grosse dépense de toute ma vie...

— Allez, courage, je t'attends à côté.

Elle a désigné une boutique de matériel d'art. Sophie était une maniaque de *scrapbooking*.

Derrière un fouillis de brochures, de photos de voyage et de verres en carton, une jeune femme au visage criblé de taches de rousseur m'a saluée d'un hochement de tête. Je suis allée m'asseoir devant elle. Mon sourire était tellement grand qu'il me faisait mal aux joues.

— Bonjour, madame, je voudrais un billet ouvert d'un an pour la Nouvelle-Zélande, le départ idéal serait le 8 mai.

Vingt minutes plus tard, je suis allée retrouver Sophie qui lisait l'endos d'une boîte d'aquarelle. Arrivée devant elle, j'ai sauté à pieds joints en lui montrant mon billet d'avion.

— Ta-daaaam! ai-je chanté avant d'entreprendre un dandinement effréné.

Elle s'est jointe à moi en s'accrochant à mon bras et nous avons tournoyé comme ça entre les paquets de Prismacolor et les chevalets de bois.

— Youpi, youpi! Clarence s'en va au pays des kiwis, youpi! pépiait Sophie.

— J'en reviens pas, Soph! Je n'ai jamais pris l'avion avant, tu te rends compte! Et là, je vais faire le tour de la Terre.

— Je suis vraiment, vraiment contente pour toi, la petite.

Elle m'a serrée dans ses bras.

Du coin de l'œil, elle a de nouveau regardé l'heure. La culpabilité m'a rappelée à l'ordre. Il ne fallait pas oublier que j'allais mettre fin à une vie cet après-midi même. Pas de quoi danser la java.

— Il faudrait peut-être aller manger maintenant, si on ne veut pas être en retard.

— Je n'ai pas faim, mais je prendrais bien un café.

Sophie est passée à la caisse avec sa peinture et ses pinceaux, et nous sommes sorties de la boutique.

— On va aller à La Lucciola. Ils font la meilleure soupe minestrone en dehors des frontières de l'Italie. Tu vas quand même pouvoir avaler un bol de soupe?

— Je vais faire de mon mieux, mais j'ai un nœud dans le ventre. Aussi, quand j'ai pris mon rendez-vous, la secrétaire m'a dit de manger le moins possible le jour de l'intervention.

Ma main s'est crispée sur la rampe de l'escalier roulant. Encore un autre repas à esquiver. Au moins, j'avais l'excuse de la nervosité.

— Clarence, est-ce que je peux te poser une question vraiment TRÈS personnelle? Tu n'es pas obligée de me répondre.

— Je t'écoute.

— Est-ce que tu as un problème avec la nourriture?

— Pourquoi ça?

Le ton de ma voix a suffi pour lui confirmer qu'elle touchait un point sensible. S'il y avait pourtant quelqu'un à qui je croyais avoir caché mon jeu, c'était Sophie. Quand elle s'était inquiétée de ma maigreur une fois, je lui avais dit que c'était un cadeau génétique exacerbé par le stress. Je pensais même qu'elle m'enviait.

— Juste une intuition. Il y a toujours un genre d'inconfort qui plane dans l'air quand il est question de bouffe... comme si j'insistais pour te parler de tes MTS ou de tes dettes de jeu !

Je suis restée muette jusqu'en haut de l'escalier.

— Oui.

Le mot s'est échappé de ma bouche, rond et inattendu comme une bulle de savon. J'ai réuni mon courage avant de poursuivre.

— Oui, Sophie, j'ai des problèmes avec la bouffe. Manger me stresse plus que n'importe quoi. Je trouve que j'ai des grosses cuisses et un dépôt de gras disgracieux autour du nombril. En plus, j'ai une couche de cellulite en dessous des fesses et mes bras sont trop mous. Voilà.

Sophie a écarquillé les yeux.

— Si toi, tu es grosse... moi, je suis quoi ? Une boulette de suif ?

Pas la peine de chercher, il n'existait pas de bonne réponse.

— C'est moi qui suis folle, pas toi, Sophie. Mais ne t'en fais pas, je vais régler mes problèmes en Nouvelle-Zélande et je vais revenir guérie. C'est ma résolution pour mes vingt ans.

Elle continuait à me regarder avec inquiétude.

— C'est assez, la névrose ! ai-je ajouté d'une voix joviale, que j'espérais convaincante.

— Je te souhaite que ça marche. Si jamais ça ne va pas bien, n'hésite pas à m'appeler, n'importe quand, à frais virés. Des fois, on pense que nos problèmes vont cesser parce qu'on change de décor, mais malheureusement, il n'y a pas de politique de mise en quarantaine pour les bibittes dans le traîneau. On marche dehors ou on prend le corridor souterrain ?

— Dehors !

Après dix minutes de marche, nous sommes arrivées devant la façade de La Lucciola. Sur un tableau noir accroché au mur extérieur, les plats du jour étaient inscrits à la craie : tagliatelles alla puttanesca, risotto alla milanese, osso bucco, saltimbocca, scaloppinis. J'ai soupiré. Un jour, peut-être. Pour le moment, par contre, impossible d'apprécier tout ce lyrisme culinaire sans sentir mes cuisses prendre de l'expansion dans mes jeans.

Le restaurant, long et étroit, ne comptait qu'une dizaine de tables. Au milieu de chaque nappe blanche, à côté d'un bol d'olives noires bien luisantes, un gerbera rouge s'ouvrait dans un vase en forme d'éprouvette. L'endroit était à moitié plein d'une clientèle presque exclusivement composée d'hommes d'affaires en complets sombres et de bon goût. La seule femme, une blonde platine en tailleur crème, au maquillage très prononcé, nous a regardées d'un œil dédaigneux.

La cuisine se trouvait tout au fond, derrière un rideau de vapeur où on pouvait observer le chef et deux cuisiniers s'activer aux fourneaux. De mains de maître, ils ajoutaient une poignée de sel dans l'eau bouillante, secouaient une passoire pleine de pâtes, faisaient sauter des échalotes dans un poêlon.

Le maître d'hôtel et unique serveur, un homme d'une soixantaine d'années, avait une chevelure à la Beethoven et le nez d'un oiseau de proie. Il nous a aperçues et s'est avancé, une pile de menus dans une main et une carafe d'eau dans l'autre.

— Pour deux personnes ?

— Pour deux personnes, a répété Sophie avec un large sourire. Monsieur Guido et madame Lucia ne sont pas ici aujourd'hui ?

— Ils sont à *Napoli* pour le mariage de leur fils, *signorina*.

— Ah ! *Che bello !*

Nous avons suivi le serveur jusqu'à notre table.

— Ce restaurant était le préféré de mon père, a chuchoté Sophie. Il m'amenait ici quand j'étais petite.

— Tu parles italien ?

— Je me débrouille. *Molte grazie a Massimo de Milano !* a-t-elle clamé avec l'accent musical. J'ai eu un copain italien quand j'avais ton âge. Il ressemblait à Al Pacino en plus jeune.

— Cette table vous ira-t-elle, mesdemoiselles ?

— *È perfetto, signor.*

Il a déposé la carafe sur la nappe, a pris nos manteaux et nous a remis les menus avant de s'éloigner pour accueillir quatre nouveaux clients à l'entrée.

Sophie s'est jetée sur le bol d'olives comme un loup affamé.

— Tu fais fureur ! a-t-elle lancé, la bouche pleine.

Elle faisait allusion aux quatre hommes assis à la table voisine. J'avais senti leurs regards me disséquer dès notre arrivée.

— Bah ! Des Italiens ! Ils flirtent avec tout ce qui porte une jupe.

— Tu es en jeans.

— Tu sais ce que je veux dire.

— Ils te bouffent des yeux, Clarence, c'est incroyable. Chanceuse !

— C'est juste parce que je suis blonde, tu le sais bien.

— Mais non, ce n'est pas juste parce que tu es blonde. Crois-le ou non, tu es vraiment mignonne… même avec tes lunettes et ton chignon de vieille fille.

Mignonne ! S'il y avait bien quelque chose que je n'étais pas, c'était mignonne. Mignonne, c'est un mot qui allait aux femmes minuscules, fines comme des fleurs, celles qui avaient de petits pieds et qui marchaient à petits pas... Ce n'était pas un adjectif approprié aux girafes.

— Remarque, tu serais encore plus belle avec dix kilos de plus.

Dix kilos! Ça y est, Sophie était devenue folle. Dix kilos!

— Tu sais, j'ai une tante qui est anorexique. Hélène, la jeune sœur de ma mère. Elle a quarante-quatre ans et elle a l'air d'en avoir soixante. Il lui manque des touffes de cheveux partout et elle a toujours froid, même à trente degrés à l'ombre. Du plus loin que je me souvienne, je ne l'ai vue manger que du popcorn. Sans sel ni beurre, évidemment, et un à la fois. Si j'ai bien compris, elle compte les grains chaque matin avant de les mettre dans le micro-ondes et elle en mange un toutes les quinze minutes.

«Tiens, tiens, ce n'est pas une mauvaise idée», ai-je pensé malgré moi.

— Je ne te souhaite pas ça. Elle n'a pas eu de vie, ma tante Hélène. Pas de mari, pas d'enfants, pas vraiment d'intérêt. On ne la voit presque jamais. Ne te rends donc pas là! Si tu règles ça maintenant, quand tu y repenseras dans dix ans, ça va te paraître complètement absurde.

Je lui ai lancé un regard lourd, qui voulait dire: «Arrête ton bla-bla, Sophie, j'en ai assez entendu.» En trois minutes, elle avait réussi à me faire regretter ma confidence.

— Tu sais, moi aussi j'ai un secret. Tout le monde a au moins un squelette dans son placard.

— Ah bon?

— Étant donné que tu m'as confié le tien, je te confie le mien. Comme ça, on va être quittes.

— Je suis tout ouïe.

— Ce que tu vas faire dans...

Elle a regardé l'heure.

— … dans une heure et demie. Moi aussi, je l'ai fait.

— Attends, là, je ne comprends pas… Pourquoi tu ne me l'as pas dit avant, Soph? Je suis dans une assez mauvaise position pour te juger, il me semble.

— C'est parce que…

Elle a caché ses yeux de sa main gauche, a levé la droite pour me montrer trois doigts.

— Trois fois? ai-je chuchoté, beaucoup trop fort.

Sophie a enfoui son visage au creux de ses bras, sur la table. J'ai serré son poignet.

— Ces demoiselles sont-elles prêtes à commander? a interrompu le serveur, qui a dû se sentir de trop en nous voyant. Ou avez-vous encore besoin d'un peu de temps?

— Quelques minutes. Si vous pouviez nous apporter une bouteille d'eau minérale en attendant, ce serait gentil.

— San Pellegrino, San Benedetto, Perrier?

— San Pellegrino, s'il vous plaît.

Sophie avait relevé la tête et serré ses bras contre elle. Ses épaules étaient tendues et elle fixait la poivrière, les lèvres pincées, dans un effort visible pour retenir ses larmes.

— J'ai tellement honte.

— Mais non.

— Je me sens comme une *serial killer.*

— Mais non, Soph.

Je lui serrais le bras de plus en plus fort, faute de savoir quoi lui dire. Elle m'a pris la main et m'a regardée droit dans les yeux.

— J'ai été stupide, Clarence. Pire que stupide. Je me compte chanceuse de ne pas avoir attrapé une cochonnerie, ça aurait pu être grave.

— Ouais, moi aussi je l'ai échappé belle pour ça…

— Une erreur, une fois, je ne dis pas, il faut bien apprendre… mais trois fois ? Trois fois ?

— T'avais quel âge ?

— Au premier, dix-neuf, comme toi. Avec Massimo de Milano justement. Ça aurait donné un beau bébé. Il aurait douze ans, aujourd'hui. Tu te rends compte ? Douze ans !

Le serveur est arrivé avec notre bouteille et un ramequin plein de quartiers de citron. Il a rempli nos verres avant de repartir sans dire un mot.

— Le deuxième, c'était avec Thomas. Tu sais, le gars avec qui je suis sortie pendant quatre ans. Une ligne bleue de trop sur le bâton de pipi, encore une fois. J'étais loin d'être fière de moi, je te jure.

Elle a bu une gorgée d'eau.

— Et le dernier, c'était l'été dernier. Un *one night stand*.

Elle a fermé les yeux, a pris une profonde inspiration, les a ouverts.

— Ce jour-là, en sortant de la clinique, je suis allée à la petite église à la place Royale. J'ai allumé trois lampions et j'ai fait un vœu de chasteté.

— Tu n'es pas sérieuse !

— Pas pour toujours. Quand même ! Juste pour un an.

— L'as-tu respecté ?

— Plus ou moins.

Elle a pris un quartier de citron et l'a pressé au-dessus de son verre.

— Pas vraiment.

J'ai réalisé que je n'avais jamais vu Sophie triste. Je ne m'étais même jamais imaginé qu'elle puisse être autre chose que mon petit boute-en-train, celle qui essayait toujours de me faire voir le verre à moitié plein. Je ressentais un malaise devant sa peine, mais il y avait aussi autre chose. Ça ne pouvait pas être du soulagement, mais c'était dans la même famille. J'avais tellement d'admiration pour Sophie, pour sa solidité, sa farouche indépendance, pour son aptitude au plaisir surtout. J'avais toujours envié les soirées qu'elle passait toute seule au cinéma et, juste après, la flamme avec laquelle elle me décrivait le dernier Almodóvar, aussi excitée que si elle revenait d'une *date* avec le cinéaste. J'étais jalouse quand je la voyais arriver le week-end avec une pile de films de Bollywood et un sac du Taj Mahal Café plein de petites boîtes de carton qui sentaient le garam masala et le riz biryani.

— Je me fais un festival de cinéma indien dans mon salon, tu veux venir?

Et moi qui disais toujours non: «Il faut que j'étudie, que je termine une dissertation, que je me couche tôt.» Moi qui finissais par passer la soirée à angoisser devant le miroir en me pinçant la peau du ventre et des cuisses, pendant que les airs de sitar et les éclats de rire me parvenaient en sourdine du palier.

Sophie s'enthousiasmait de tout, du petit resto mongol récemment ouvert au coin de la rue, des cours de calligraphie orientale qu'elle suivait au centre culturel chinois. Elle connaissait l'horaire des spectacles, les dates des festivals, recevait des invitations pour des soirées «vins et fromages», des vernissages, des lancements et des déjeuners-causerie. Elle participait à des conférences sur le réchauffement climatique d'où elle revenait soulevée d'indignation, déterminée à installer un système de compostage dans le stationnement de l'immeuble. Pour Sophie, la vie était un buffet à volonté, un étalage d'intérêts, d'aventures et de plaisirs. Elle comprenait l'urgence d'en profiter maintenant. Elle n'attendait pas demain, ni d'avoir perdu cinq kilos, d'être plus jolie, d'être ailleurs, d'être amoureuse. La vie de Sophie se déroulait toujours là, en direct.

Je lui souhaitais son bonheur autant que je le lui enviais. Sa peine ne me soulageait pas, je l'aimais trop pour ça. Il s'agissait davantage d'un vœu secret pour qu'existe un certain équilibre dans la distribution du bonheur : si la bienheureuse Sophie pouvait être si triste, peut-être que la malheureuse Clarence pouvait espérer voir ses jours saupoudrés d'un peu de joie de vivre.

Je ne connaissais pas beaucoup de gens heureux. Elle était mon modèle. En me comparant à Sophie, j'en venais à considérer le bonheur comme un talent inné, une connexion cérébrale très spécifique avec laquelle certains naissent et d'autres pas. L'idée d'avoir été choyée par la vie ne me quittait jamais complètement. Chaque jour, ma conscience venait me rappeler que j'aurais pu naître dans le tiers-monde ou dans un pays en guerre. J'aurais pu avoir des parents méchants ou indifférents, c'était loin d'être rare. J'aurais pu être handicapée de mille et une façons : retardée mentalement, aveugle ou atteinte de cette atrocité congénitale qui donne à des gamines de cinq ans l'apparence de centenaires difformes. J'aurais pu être laide ! Mon physique était peut-être l'antithèse de celui que j'aurais choisi si j'avais eu un quelconque pouvoir de décision sur la chose, il n'en restait pas moins que je savais avoir reçu un certain capital dans le département esthétique. J'avais peine à voir autre chose que mes défauts de fabrication lorsque je me regardais dans un miroir, mais j'avais aussi reçu assez de compliments dans ma vie pour soupçonner que dans l'alliage de mes imperfections se trouvait une certaine harmonie qui plaisait à des regards moins critiques.

— On devrait peut-être commander, a dit Sophie en ouvrant le menu.

— Je ne suis pas sûre que je vais pouvoir manger.

— Tu veux dire que tu es sûre que tu ne vas pas pouvoir manger.

— Je suis nerveuse.

— Ce n'est pas aussi épouvantable que ça peut paraître. Crois-en l'expérience d'une sommité.

Sa voix était traversée d'un filet de sarcasme.

— Tu sais, même si tu avais eu quarante-trois avortements, je ne t'aimerais pas moins.

Elle m'a fait un sourire amer.

— Excuse-moi, j'ai les bleus quand je pense à tout ça. Je croyais que je pourrais oublier, repousser le souvenir dans un coin de la cave et mettre un gros cadenas. Ça a marché un certain temps, mais depuis un moment, je ne sais pas pourquoi, je l'ai sur le cœur…

— C'est à cause de moi.

— Pas du tout. Je pense que la trentaine a changé quelque chose. Le décès de mon père l'an dernier aussi. J'aurais voulu qu'il connaisse mes enfants, il aurait fait un grand-père génial.

— Tu veux des enfants ?

— Oh ! oui. Depuis un an, je ne peux même plus voir une femme enceinte sans que ça me tiraille dans le ventre. Mais d'un autre côté, tous les hommes que j'ai rencontrés depuis cinq ans… étaient plutôt démoralisants.

— Tu vas être une super maman.

— T'es gentille. J'ai toujours pensé que j'en aurais trois. Mais des fois…

Sa voix s'est affaiblie. Elle a regardé le plafond, cligné des yeux plusieurs fois pour forcer les larmes à reculer.

— … des fois je me dis que je les ai déjà eus.

— Tu regrettes tes choix ?

— Je pense que non. Je ne sais plus. J'aurais été toute seule, obligée de travailler comme une folle…

— Oh !

J'ai porté la main à ma bouche en sursautant.

— Quoi ?

— Excuse-moi, je ne voulais pas t'interrompre. C'est juste que je viens de me souvenir que ma grand-mère m'a demandé de te faire un message. Elle aimerait te parler. J'ai l'impression qu'elle veut t'offrir un emploi.

— Dans son entreprise ?

D'un coup, les yeux verts de Sophie ont retrouvé leur effervescence.

— Ce matin, elle voulait que tu entres manger un petit quelque chose avant de prendre la route. Je ne pouvais pas lui dire pourquoi on était pressées, alors j'ai improvisé une excuse. Je lui ai dit que tu avais une entrevue pour un boulot chez Holt Renfrew.

— Holt Renfrew ?

Sophie m'a regardée avec dédain, comme si j'avais suggéré un poste de bourreau dans un abattoir.

— C'est sorti tout seul !

— Je n'ai pas fait une maîtrise en marketing à la meilleure école de Londres pour aller convaincre des dames riches d'acheter des pantoufles griffées pour leur caniche.

Elle a avalé la dernière olive. Le serveur se tenait maintenant debout à deux mètres de notre table, les mains dans le dos, un regard par en dessous qui semblait dire : « Vous commandez ou vous partez ? » Courtois, mais clair. Sophie lui a décoché son plus grand sourire.

— Je commande pour nous deux, m'a-t-elle prévenue.

— Mesdemoiselles ?

— Alors ! Ce sera deux minestrones et, pour partager, la salade de calmars et l'artichaut vinaigrette.

— Excellents choix… Du vin ?

— Non, merci.

D'une main, il a saisi les deux coupes posées sur notre table et s'est dirigé vers la cuisine.

— Tu manges ce que tu peux, et rien si tu veux.

— Je vais goûter à tout, promis.

Par un heureux hasard, Sophie avait commandé un des rarissimes aliments dont je n'avais aucune crainte : l'artichaut. Il était peu calorique, diurétique et assez discret dans l'estomac pour qu'on l'oublie presque instantanément.

— Tu disais, au sujet de ta grand-mère ?

— Je pense qu'elle aimerait te fixer un rendez-vous pour une entrevue. Le gérant de son entreprise, monsieur Goldstein, prévoit prendre sa retraite à la fin de l'été. Il était temps ! Il a l'air d'avoir 110 ans ! Il a toujours été l'homme de confiance de Mamie, mais il est de la vieille école, il n'a jamais touché à un ordinateur de sa vie.

— Ça lui donne encore plus de mérite.

— C'est vrai. La santé financière du Goût du Paradis est irréprochable.

— Je n'en doute pas.

— Ma grand-mère sait que tu as étudié en marketing et en gestion. En plus, quand je lui ai dit que tu avais fait ton bac à Londres, à la même école que John F. Kennedy…, tu aurais dû la voir.

— Ça m'intéresse vraiment, Clarence !

— Quand on sera de retour chez elle ce soir, entre prendre une tasse de thé.

— Avec plaisir.

Sophie avait retrouvé sa bonne humeur.

— Si tu passes un an en Nouvelle-Zélande, a-t-elle poursuivi, je ne te promets rien, mais je vais essayer d'aller te voir. J'ai une amie là-bas, Becca Montgomery, elle vit dans l'île du Sud. Elle pilote de petits avions avec son mari. Ils ont démarré une entreprise l'an dernier, elle vient de m'envoyer un lien vers leur site Web. Ils emmènent des groupes de touristes sur les glaciers, dans les vignobles ou sur la crête des volcans. C'est une activité pour gens riches, à trois cents dollars l'heure, mais pour son ancienne coloc, je suis certaine qu'elle ferait un prix d'ami. Je n'aurais qu'à lui rafraîchir la mémoire au sujet de qui s'occupait de la lessive et du ménage dans le temps.

— Tu l'as connue où ?

— En Angleterre, justement. On habitait un appartement minuscule dans Chelsea, avec Gwen de Glasgow... tu sais, tu l'as rencontrée l'été dernier quand elle est venue à Québec me montrer sa fille ?

— Sûr que je m'en souviens. Corneille aussi.

La petite Fiona lui avait tiré la queue jusqu'à ce qu'une grosse touffe lui reste dans la main.

Ah, Sophie et ses amis. J'avais cessé de les compter, il y en avait trop. Rien que l'automne dernier, ils avaient défilé comme des délégués des Nations Unies. Ils arrivaient d'un bout du monde ou de l'autre pour passer un week-end rue Sainte-Ursule. Elle m'avait présenté Solène de Biarritz, Carlos de Buenos Aires, Rachida et son bouledogue, sortis de quelque village berbère du Maroc.

De plus en plus, je considérais Sophie comme une amie. Pourtant, je me demandais parfois si sa présence auprès de moi n'était pas due à ses bonnes manières. Il fallait bien qu'elle me parle, j'étais sa voisine... et, de toute façon, elle parlait à tout le monde. Elle connaissait le nom des trois enfants de la caissière du dépanneur et savait que le concierge de notre immeuble participait à des tournois de karaoké. Il n'y avait rien d'exceptionnel à ce qu'elle s'intéresse à moi. J'étais loin d'être convaincue qu'elle m'aurait choisie, ça c'est sûr. Je ne me serais pas choisie moi-même.

Les plats sont arrivés et j'ai entrepris de leur faire honneur à ma manière. Je me suis fixé l'objectif de manger la moitié du bol de soupe et quatre feuilles d'artichaut. Cinq, si tout se passait bien. La salade de calmars, ce serait pour une autre fois. Sophie m'avait convaincue d'en manger un et je l'avais avalé avec peine. Beaucoup trop huileux. Il ne fallait quand même pas trop m'en demander. C'était déjà beau d'être dans un restaurant sans manigancer une stratégie pour finir le repas aux toilettes. Après tout, des médecins allaient m'alléger de quelque chose dans peu de temps, ça compenserait bien pour le calmar.

Près d'une heure plus tard, nous remontions la rue Stanley en direction de la clinique.

Je l'ai entendue avant même de l'apercevoir. Assise sur le trottoir, vêtue d'une combinaison de neige pour enfants, elle jouait de la flûte. À ses côtés, roulé en boule sur une couverture de laine, son fidèle labrador jaune dormait, indifférent aux fausses notes, le museau dans un carré de soleil.

Ça devait faire au moins douze ans qu'ils étaient là. Sur ce même bout de trottoir. Elle mendiait du matin au soir, peu importe qu'il fasse trente-cinq en dessous ou au-dessus de zéro. Je l'avais vue là quand j'étais petite, chaque fois que ma mère m'emmenait à Montréal acheter mes vêtements pour l'école. Après, nous marchions rue Sainte-Catherine pour admirer la vitrine de Noël chez Ogilvy ou pour partager un morceau de gâteau au fromage géant chez Reuben's. Avant de partir, j'insistais toujours pour aller donner des sous à la dame qui jouait de la flûte.

— Elle est encore là, Soph !

J'ai désigné la vieille aveugle du menton.

— Ça fait tellement longtemps, je m'attendais à ce qu'elle soit morte... Elle a coupé ses tresses. Viens avec moi.

En tirant la manche de son manteau, j'ai traîné Sophie jusqu'à la pharmacie, au coin de De Maisonneuve.

— Je vais lui faire un cadeau. Ça m'a toujours pincé le cœur de la voir là. Je devais avoir sept ou huit ans quand je l'ai croisée la première fois. J'avais fondu en larmes en la voyant avec sa flûte et son chien, c'était l'hiver et elle n'avait même pas de mitaines. J'avais demandé à ma mère si on pouvait les sauver. Elle m'avait donné un dollar pour mettre dans son panier. Je sais bien qu'il y a des tonnes de mendiants à Montréal… mais cette petite madame-là, je ne l'ai jamais oubliée.

— C'est vrai qu'elle a quelque chose qui prend au cœur.

Sophie m'a suivie dans les allées de la pharmacie. J'ai choisi une grande boîte de chocolats, de la crème pour les mains, du baume pour les lèvres, des pastilles à l'eucalyptus, une paire de gants en grosse laine rouge, quatre boîtes de Docteur Ballard « festin suprême » et un os en cuir.

— Tu prends la relève de Wondermamie ?

— Je ne sais pas, Soph. C'est peut-être seulement un accès de culpabilité pour ce que je m'apprête à faire… Un genre de remboursement karmique, si tu veux.

— Je comprends.

Sophie s'est emparée d'un énorme sac de rosettes au chocolat.

— Ça ne te dérange pas si j'apaise ma petite rage de sucre ? Je n'ai jamais été capable de voir du chocolat sans sortir mon portefeuille.

Nous avons payé nos achats et nous sommes sorties. Je ressentais une grande gêne à l'idée d'aborder une parfaite inconnue pour lui offrir de l'aide, même si elle ne pouvait pas me voir. Au fur et à mesure que je m'approchais, mon cœur s'affolait dans ma poitrine. Je me suis accroupie devant elle, les genoux tremblants.

En sentant le regard des gens dans mon dos, j'ai réalisé qu'au fond, ce n'était pas la vieille aveugle qui m'intimidait. C'était l'autre forme de cécité, celle du flot de passants pressés avec leurs sacs pleins d'achats et leurs cafés à cinq dollars.

Je me suis approchée d'elle. Elle avait beaucoup vieilli. Son visage, creusé et durci par les saisons, ressemblait à un noyau de pêche.

— Madame?

Elle a cessé de jouer, a posé la flûte sur ses genoux et m'a tendu sa main ouverte. J'ai mis la poignée du sac de plastique contre sa paume.

— Bonjour, je m'appelle Clarence. Je suis venue vous porter quelques petites choses. Ce n'est presque rien, mais j'ai pensé que vous en auriez besoin...

— Merci, *thank you!* a-t-elle clamé, les yeux fixés dans le vide. Sa voix était aiguë et nasillarde, on devait l'entendre dans un rayon de cinquante mètres.

— Je laisse le sac ici, pour vous.

— Merci, *thank you!*

— Il y a des choses pour votre chien aussi. Je peux lui donner un os maintenant?

— Merci, *thank you!*

De toute évidence, la cécité n'était pas son seul handicap.

Après l'avoir sorti de son emballage, j'ai déposé l'os près du museau du labrador, toujours roulé en boule, mais maintenant réveillé. Il l'a reniflé un peu, l'a immobilisé sous une de ses grosses pattes et s'est mis à le lécher lentement.

— Prenez soin de vous, madame.

J'ai touché sa main. Elle l'a retirée, comme si je l'avais brûlée.

— Merci, *thank you!*

Je me suis relevée et j'ai rejoint Sophie qui était restée en retrait. Elle a passé son bras sous le mien et nous avons continué à remonter la rue Stanley jusqu'au coin de Sherbrooke, où il fallait tourner à gauche. Nous avons marché en cadence et en silence vers la maison de briques rouges qui abritait la clinique.

Dans le vestibule, après avoir accroché nos manteaux et chaussé les ridicules pantoufles bouffantes en papier bleu, Sophie a posé ses mains sur mes épaules et m'a regardée droit dans les yeux. J'avais déjà commencé à transpirer et à trouver que l'oxygène se raréfiait.

— Tout va bien se passer. N'oublie pas, ça dure juste quinze minutes. Tu fermes les yeux et tu penses à la Nouvelle-Zélande.

— Je vais faire de mon mieux. Si je meurs, tu hérites de Corneille !

— Entre, espèce de nouille !

Elle m'a ouvert la porte de la salle d'attente.

Dans la pièce peinte en rose, une vingtaine de fauteuils étaient disposés autour d'une table basse croulant sous un fouillis de magazines défraîchis. Trois des fauteuils étaient occupés. Tout au fond, une femme a levé les yeux de son roman et les a baissés immédiatement. Dans la mi-trentaine, elle portait un tailleur gris pâle, des escarpins en cuir verni noir et un rang de perles. Elle avait tout l'air d'être passée chez son coiffeur dans la matinée : les mèches de ses cheveux châtains et courts étaient sculptées autour de son visage. Personne ne pouvait se faire une tête comme ça sans l'aide d'un professionnel. Tiens, elle portait une alliance. Elle avait peut-être eu une aventure.

Les deux autres, des adolescentes qui ne devaient pas avoir plus de quatorze ans, étaient assises ensemble. Elles se partageaient une paire d'écouteurs et ne décollaient pas les yeux de l'écran de leur cellulaire. C'était celle de gauche qui allait passer un mauvais quart d'heure. Ça se devinait aux convulsions qui secouaient son pied droit et à son front inquiet.

Je suis allée me présenter à la secrétaire. J'ai reconnu la voix de Nicole, celle qui avait pris mon rendez-vous au téléphone la semaine précédente. Dans la cinquantaine, corpulente, elle avait les cheveux noirs coupés à la garçonne et des yeux bleus, fatigués, mais affables. Elle m'a souri. Un sourire maternel, un peu triste. Elle m'a dit qu'une infirmière me rencontrerait dans quelques minutes pour m'expliquer la procédure, les risques encourus ainsi que les autres options qu'il était encore temps d'envisager.

— Je suis certaine que je ne changerai pas d'idée, lui ai-je chuchoté au-dessus du comptoir.

J'espérais très fort pouvoir éviter de justifier ma décision devant qui que ce soit.

— C'est le protocole, a-t-elle répondu en haussant les épaules.

Je suis retournée m'asseoir à côté de Sophie, qui lisait un *Châtelaine* en pigeant dans son sac de chocolat.

— Tu en veux un ?

— Non, merci.

— J'ai quelque chose pour toi. Je voulais te l'offrir à ta fête, mais j'ai pensé que tu en aurais besoin dès aujourd'hui. En plus, maintenant que tu pars en voyage…

Dans sa paume, elle tenait une toute petite boîte blanche entourée d'un ruban. Je l'ai ouverte. C'était un iPod rose. Elle savait que je m'étais fait voler le mien avant Noël.

— Un iPod pour les antipodes ! a dit Sophie en enlevant le couvercle de plastique.

— Wow ! Merci, Soph… je ne sais pas quoi dire…

Ma gorge s'est nouée et mes lèvres se sont mises à trembler. J'avais toujours eu du mal à réagir à la générosité excessive. On me donnait quelque chose et je me sentais fautive de tout, sans toutefois pouvoir dire de quoi.

— Je t'ai programmé une dizaine de listes de lecture. Des trucs que tu vas aimer, je crois. Enfin, j'espère. Sinon, tu les effaces!

— Clarence Paradis?

Une jeune femme en sarrau vert pâle m'attendait dans le couloir. Sophie s'est levée la première, m'a pris la main et l'a serrée très fort.

— Je sais que c'est gênant, mais… aimerais-tu que j'y aille avec toi?

J'ai acquiescé de la tête. Elle a sorti un paquet de mouchoirs de son sac, m'a fourré un chocolat dans la bouche et m'a tendu la main pour que je me lève.

« Merci, *thank you* », lui ai-je dit silencieusement, avalant le chocolat en même temps que mes larmes.

Chapitre 13

Par le hublot du 737 d'Air Canada, je devinais le contour de l'aéroport de Vancouver au bout de la piste d'atterrissage. Il s'était écoulé presque une heure depuis que nous avions posé les roues sur le tarmac, mais l'avion n'était toujours pas raccordé à la porte d'embarquement. Ce qui devait être un bref arrêt, le temps de prendre quelques passagers avant de poursuivre le vol vers Honolulu, s'étirait avec une pénible lenteur. La tempe appuyée sur la fenêtre ovale, je regardais les balises lumineuses éclairer l'horizon et j'essayais de faire confiance au capitaine de cabine. À trois reprises, il avait pris l'interphone pour rassurer tout le monde, en anglais d'abord : *We will be leaving shortly, we appreciate your patience*, puis en français, mais dans une version presque incompréhensible.

L'atmosphère était très calme : le cliquetis des claviers d'ordinateurs, le chuchotement des agents de bord qui circulaient dans l'allée, quelques grondements de tonnerre, au loin. J'ai repris mon magazine dans mon nouveau sac à main et je l'ai ouvert à la dernière page. En vingt points, le questionnaire du mois promettait de calculer mon quotient sexuel. Agacée, j'ai feuilleté le reste des pages. « Être lesbienne en Afghanistan », un dossier-choc. « Je couche avec le mari de ma sœur », témoignagevérité. «Dix minutes par jour pour des seins d'enfer», «Les secrets anti-âge des *top models*», «Retrouvez votre *bikini body* sans transpirer».

Découragée, j'ai refermé le magazine et j'ai recollé mon front sur le hublot.

Malgré les protestations de Sophie, j'avais insisté pour me rendre toute seule à l'aéroport Jean-Lesage. Dans le taxi, ma valise pleine à craquer bien serrée sur mes genoux, j'avais vérifié au moins dix fois la présence de mon passeport, de ma carte de crédit et de mon billet d'avion dans une pochette secrète accrochée à mon soutien-gorge.

«Mon Dieu, si vous existez, épargnez-moi les gaffes et les oublis», avais-je prié jusqu'au terminal des départs. J'étais sûre d'afficher le genre d'expression qui éveillait les soupçons du personnel de l'aéroport, un air faussement nonchalant qu'ils avaient dû apprendre à associer à l'existence d'explosifs dans la doublure d'une petite culotte ou de capsules de cocaïne dans un estomac. Ce qui était certain, c'est que tous, de la préposée au comptoir d'embarquement jusqu'aux chiens renifleurs, s'ils ne me soupçonnaient pas du pire, devineraient au moins que je n'avais jamais pris l'avion. Je l'avais pratiquement écrit sur le front. Quelle honte! Pour me donner un peu de courage, j'ai décidé de faire semblant d'être Sophie. Un vol pour Auckland? Pfff… pas plus compliqué que de prendre l'autocar pour Rivière-du-Loup.

J'avais fait des insomnies et des cauchemars toute la semaine. Après une nuit passée à contempler le réveil, je m'endormais à l'aube pour me retrouver dans des scénarios dignes de films de science-fiction, et je me réveillais deux ou trois heures plus tard, tout essoufflée et entortillée dans mes draps.

J'avais rêvé que la Nouvelle-Zélande avait à mon insu instauré une nouvelle politique d'attribution des visas et que seuls les titulaires d'un baccalauréat pouvaient désormais traverser ses frontières. Le douanier me sommait de faire demi-tour et de revenir conformément diplômée. J'étais aussitôt catapultée au pavillon De Koninck où on m'obligeait à recommencer mon bac depuis le début. J'avais aussi rêvé que le Canada, juste après mon départ, était submergé par les eaux, comme dans le film *Waterworld*. Le rêve se terminait par l'engloutissement d'une main accrochée à l'antenne de la tour du CN. Je n'aurais pas été étonnée que ma toute dernière nuit à Québec soit blanche, mais par miracle, ou plus probablement grâce au joint que j'avais fumé chez Sophie, j'avais pu aligner cinq heures de sommeil et je n'avais rêvé de rien.

J'étais partie de chez Sophie à minuit et demi. J'avais insisté pour lui faire mon au revoir chez elle, sur le palier de son appartement, alors que mes émotions étaient engourdies par la fumée et l'alcool. C'était trop triste, les aéroports. Je préférais que les dernières images emportées soient celles qui s'étaient imprimées dans ma tête au cours des heures passées chez Sophie ce soir-là. Pas la peine de les embrouiller avec des larmes et du sentimentalisme. En voyant les grands yeux bleus de Sophie trembloter, je l'avais serrée dans mes bras en lui tapotant le dos doucement.

— Allez, Soph, je ne m'en vais pas combattre les talibans ! Je pars en voyage dans l'un des plus beaux endroits de la planète. C'est le rêve de ma vie, il n'y a vraiment pas de quoi pleurnicher.

— Peut-être que je pleure parce que je suis jalouse ! avait-elle répondu en m'embrassant les joues une autre fois.

D'un geste presque désinvolte, j'avais fermé la porte de son appartement, puis j'étais entrée chez moi. J'avais passé ma dernière nuit avec Corneille enroulée autour du cou. Le lendemain, je l'avais nourrie de saumon fumé et de sardines. J'avais tellement peur qu'elle m'oublie ou qu'elle pense que je l'avais abandonnée à jamais… J'avais même donné un flacon de mon parfum à Sophie pour qu'elle en vaporise là où Corneille irait dormir.

Sophie, bénie soit-elle, avait organisé une soirée extraordinaire pour fêter mon départ. Il n'était même pas question de me plaindre de la migraine que je sentais se préparer depuis le matin. Je me doutais qu'un jour, peut-être bientôt, quand l'hiver en juillet me confirmerait que j'étais bel et bien toute seule au bout du monde, je me retrouverais prête à endurer un mal de bloc d'une semaine juste pour revivre dix minutes de ce dernier dimanche soir.

Nous étions quatre : Sophie, son cousin Benoît le cinéaste, Olivier que j'avais invité à la dernière minute, et moi. J'ai honte d'avouer que le jeudi précédent, en lisant le joli carton d'invitation glissé sous ma porte, je n'avais rien trouvé de plus brillant à faire que de paniquer. « Quoi, un souper pour moi ? Il fallait en plus que j'invite quelqu'un ? Son cousin célèbre serait là ? Non, non, non ! » m'étais-je affolée en cherchant tout de suite une excuse pour me défiler.

Mes parents vivaient en Suisse depuis une semaine, ils ne m'étaient donc d'aucun secours. Même chose pour Mamie : je lui avais déjà dit au revoir et Sophie était au courant de tout, puisque c'est elle qui était venue me chercher à l'île deux jours plus tôt. J'avais fondu en larmes aussitôt assise dans sa voiture et j'avais dû lui expliquer que ma grand-mère était malade. Sophie avait éclaté en sanglots elle aussi et nous nous étions arrêtées au bord de l'autoroute le temps de retrouver notre calme. Sophie ne s'attendait pas à recevoir une si triste nouvelle ; Mamie lui avait offert le poste de directrice des finances et du marketing au Goût du Paradis sans jamais faire allusion à son cancer.

Le samedi soir dans mon lit, je cherchais toujours une façon de m'éviter le souper d'adieu, quand un bout de papier plié en deux a atterri sur le paillasson.

Clarence,
Si c'est l'assiette qui t'inquiète, sache que j'ai prévu un repas de fondue pour les raisons suivantes :

1. Je n'aurai pas besoin de cuisiner et de risquer de salir mes beaux livres de recettes.

2. Mon médecin m'a conseillé une alimentation contenant plus de viande rouge.

3. Le niveau de stress de ma voisine semble proportionnel au nombre de bouchées qu'elle avale dans une journée.

Concernant le dernier point : ma mère, qui a 15 kilos à perdre (les siens sont situés sur ses fesses, et non pas agglutinés entre ses deux oreilles) est au régime depuis 20 ans. Elle fait de la fondue chaque fois qu'elle a des invités pendant la phase la plus difficile d'une diète. Elle dit que ce repas lui permet de manger très peu sans que personne s'en aperçoive. Alors, je t'en prie, viens au moins tremper ta fourchette dans le bouillon pendant quelques heures.

RSVP ! ! ! Sophie xxxx

J'ai tout de suite répondu.

Merveilleuse Sophie,
Tu gagnes le prix de la perspicacité.

Ça te dérange si j'invite le beau libraire ?
MERCI ! ! !

J'ai pris le téléphone pour appeler Olivier. Au cours de la semaine précédente, je l'avais vu trois fois : la première pour prendre un café, la deuxième pour qu'il visite mon appartement et la troisième pour lui faire signer une entente de sous-location. Je l'ai invité pour le lendemain soir.

— J'ai pensé que ce serait bien que tu rencontres ta future voisine et il faut aussi que je te donne mes clés avant de partir, alors… vers huit heures ?

Je suis arrivée tôt pour aider Sophie à préparer le repas, même s'il ne restait qu'à nettoyer les pommes de terre, à couper des légumes pour la salade et à disposer les fines tranches de bœuf, de bison et de poulet dans deux grandes assiettes. Sur la table, Sophie terminait un arrangement qui aurait pu faire concurrence à Martha Stewart. Au milieu de la nappe rose trônaient des tulipes blanches ourlées d'écarlate, vingt bougies et de jolies serviettes de lin blanc retenues par des anneaux en osier. Les pieds des coupes à vin étaient du même rouge que le caquelon à fondue. Par la fenêtre, on voyait la pleine lune coincée entre les toits. Sophie avait même agrafé un gros chou blanc au collier de Corneille. La perfection.

J'avais peine à croire que j'allais participer à un vrai souper entre amis. Je me sentais aussi sûre de moi que si je m'apprêtais à jouer un premier rôle dans une pièce de théâtre en grec ancien. J'étais envahie par le trac, j'avais préparé une poignée de répliques astucieuses applicables à divers sujets de conversation et j'avais changé cinq fois de vêtements. J'allais tout de même passer la soirée avec un écrivain, un réalisateur acclamé dans le monde entier et une directrice du marketing. En plus, ils avaient presque tous au moins dix ans de plus que moi et ils avaient fait le tour de la planète. Heureusement, Sophie avait ouvert une bouteille de vin dès mon arrivée.

Deux grosses coupes de shiraz plus tard, je tranchais des concombres sur l'îlot de la cuisine en chantant *Besame mucho* à tue-tête avec Sophie, qui enveloppait les patates dans l'aluminium. Contre toute attente, ma nervosité s'était volatilisée pour faire place à une débordante gratitude. J'étais reconnaissante pour la voix chaude de Cesaria Evora sous les nôtres qui faussaient en l'enterrant, pour l'odeur réconfortante du bouillon qui mijotait sur la cuisinière, pour le goût poivré du vin rouge et même pour le vert éclatant du concombre si beau à côté du rose des tomates. J'étais consciente d'être en train de vivre l'une des rares et fragiles minutes dont j'aurais un jour la nostalgie.

Olivier est arrivé le premier. Incapable de camoufler son excitation, Sophie s'est ruée vers la porte pour l'accueillir. Il est entré dans l'appartement, une bouteille de cidre de glace dans une main et un gros bouquet de lys calla dans l'autre. Il avait une barbe de trois jours, les cheveux consciencieusement décoiffés, un t-shirt blanc seyant sous un manteau de cuir caramel, des jeans usés à la perfection et une paire de Puma en suède beige que je lui aurais bien piquée. Il était irrésistible.

— Eh, on se connaît ! Ce n'est pas toi qui as acheté l'*Encyclopédie culinaire* il y a deux ou trois mois, avec le dernier di Stasio ?

— Mon Dieu, quelle mémoire impressionnante ! a roucoulé Sophie, ravissante avec ses anneaux de gitane aux oreilles et sa petite robe noire. Elle avait même maquillé ses yeux.

— Non, non, pas si impressionnante… Sélective, tout simplement.

Il lui a fait un baisemain. Sophie a rougi jusqu'à la racine des cheveux.

— Je vais mettre les fleurs dans l'eau. Merci, elles sont splendides !

— La beauté pour la beauté…

Je me retenais pour ne pas pouffer de rire en coupant mes légumes.

— Mademoiselle Paradis !

— Pas de baisemain ! Je viens de couper de l'ail pour la vinaigrette !

— Je ne suis pas un vampire…

Il m'a volé ma main droite.

— Un verre de vin, l'écrivain ?

— Avec plaisir !

Une vingtaine de minutes plus tard, Benoît est arrivé avec du champagne, une bouteille de vin australien au nom très à propos de St. Sophie Estate et une espèce de boîte à chapeau rose pâle.

— Non ! s'est écriée Sophie, les mains jointes.

— Oui.

— Tu les as trouvés !

Elle s'est mise à applaudir comme une petite fille, puis elle lui a sauté au cou.

— C'est qui, ton cousin préféré ?

— Ben là, t'es le seul… Mais c'est toi, c'est toi, c'est toi ! Comment t'as fait pour dénicher ça, Ben ?

— Mon ami Zack revenait de Paris cet après-midi. Je lui ai téléphoné pour qu'il fasse un petit arrêt chez Ladurée avant de sauter dans son avion.

Sophie a soulevé le couvercle de la boîte.

— Clarence, viens voir !

Elle a fait les présentations.

— Clarence, mon cousin Benoît. Ben, mon amie Clarence.

Elle a dit amie. Pas voisine.

— Regarde ce que Ben m'a apporté ! Ça, ma chérie, c'est précieux comme des pépites d'or !

En effet, les macarons pastel étaient disposés comme des bijoux dans leur écrin.

— Les saveurs du moment chez Ladurée… Cassis et violette, grenadine, marron glacé, abricot et gingembre, rose indienne, orange et safran, poivre de Java, cappuccino, champagne, muguet, fraise et coquelicot, anis, caramel au beurre salé.

Sophie a fait semblant de s'évanouir sur le canapé.

— Un verre de vin, Benoît ? ai-je osé.

— Non, on ouvre le champagne !

Nous avons porté un toast à chacune des raisons que nous avions de célébrer : à mon départ, à l'emménagement d'Olivier dans une semaine, à son roman historique qui serait sur les tablettes des librairies en septembre, à mes vingt ans, au nouveau poste de Sophie dans l'entreprise de Mamie Rose et à la nomination de Benoît à Cannes pour son film *Des matins d'Islande*. La première gorgée de Dom Pérignon m'a fait penser à Yoshiko, puisqu'elle était la dernière et la seule avec qui j'en avais bu avant. Il s'était écoulé presque deux mois depuis cette soirée au Cosmos Café. J'avais l'impression qu'il s'était passé deux ans tellement les choses avaient changé, tellement ma vie avait pris son temps pour décoller.

Le souper avait été surréel. Je ne me souvenais pas d'avoir ri autant. Du début à la fin, même si j'étais bien là, assise au bout de la table, à discuter, à resservir du vin, à chanter du Elvis *a capella* après avoir perdu mon morceau de poulet au fond du chaudron à fondue, j'étais aussi ailleurs. Mon esprit avait installé une caméra cachée sur le balcon pour me permettre d'observer la scène à travers la fenêtre. Toute la soirée, j'ai pu m'étonner d'en faire partie, de me voir rire, trinquer, chanter et même manger sans compter les calories. Oui, oui, c'était bien moi. J'aurais voulu que le monde entier se tienne devant cette fenêtre.

— *Could you please put your bag under the seat in front of you, miss ?* a demandé l'agente de bord.

Perdue dans mes rêveries, je n'avais pas senti l'avion qui bougeait enfin. Nous nous sommes reliés à la porte d'embarquement et les nouveaux passagers sont entrés. Une femme s'est arrêtée à côté de moi et m'a saluée d'un hochement de tête, l'air inquiet.

— *Hopefully we won't get struck by lightning !* m'a-t-elle dit en s'assoyant.

« Espérons qu'on ne sera pas frappé par la foudre. »

À sa façon de prononcer *hopefully* en négligeant le *h*, j'ai détecté son accent français.

Elle s'est étirée pour ranger un grand sac de la boutique hors taxe au-dessus du siège. Ne faisant pas plus d'un mètre soixante, elle avait du mal à fermer la porte du compartiment.

— Vous avez besoin d'aide ?

— Non, non… je devrais y arriver… je pense…

Elle s'est hissée sur la pointe des pieds et s'est donné un élan.

— Voilà !

Une fois sa ceinture attachée, elle a sorti la couverture de laine de son sachet de plastique pour s'en couvrir les jambes. Elle a ensuite pris un tube de crème dans la poche de son veston.

— Premier voyage à Hawaii ? m'a-t-elle demandé en s'en enduisant les mains, répandant une odeur d'eucalyptus.

— En fait, je ne descends pas à Honolulu, je reste dans l'avion jusqu'à Auckland.

— Oh là là ! C'est un long voyage !

— Québec-Toronto-Vancouver-Honolulu-Auckland ! Vingt-sept heures de vol. Et vous ?

— Je vais voir ma fille sur l'île de Maui. Elle a épousé un Américain et elle vient d'avoir un bébé.

Elle a sorti une photo de sa poche, m'a montré quelque chose qui ressemblait davantage à un pruneau violacé emmailloté dans une couverture blanche qu'à un nouveau-né.

— La petite Lindsay ! Trois kilos et demi ! Je suis grand-mère pour la première fois !

Elle paraissait tellement jeune, avec sa coupe au carré, ses jeans griffés et son veston en tweed fuchsia. Mamie Rose avait l'air de la Sagouine à côté de cette grand-mère-là.

— Félicitations !

— Merci !

Elle a sorti un iPhone de son sac à main, a appuyé sur une touche.

— Zoé ? C'est maman. Je suis dans l'avion, là. Oui, oui, on part finalement, l'orage est fini. Je voulais juste te dire que je t'aime, au cas où… tu sais quoi ! La petite va bien ? Pas trop fatiguée ? Tu l'embrasses pour moi. Dis-lui que sa grand-maman compte les minutes qu'il reste avant de la voir !

Elle a refermé le téléphone, a glissé ses mains sous la couverture en frissonnant.

— C'est une superstition ! Chaque fois que je prends l'avion, il faut que j'appelle ma fille. Si je l'oubliais, je me sentirais mal tout au long du vol. J'imaginerais l'avion plongeant dans le Pacifique et moi me disant : « Merde, je n'ai même pas pris le temps de dire à Zoé que je l'aime ! »

— Pourquoi pas ? Depuis le 11 septembre, il doit y avoir beaucoup de gens qui font comme vous. Ça aura au moins donné ça.

Les derniers passagers sont entrés et l'avion était plein. J'ai regardé ma montre. J'allais arriver en Nouvelle-Zélande avec au moins deux heures de retard. J'ai repris mon magazine. Incapable de lire, je ne pensais qu'à l'écrasement de l'avion, au fait que moi, je n'aurais dit je t'aime à personne avant de disparaître. Pour la première fois, j'ai regretté d'avoir annulé mon contrat de cellulaire.

J'ai remis le magazine dans la pochette devant moi. Dans mon sac, j'ai pris l'énorme roman apporté pour le vol. Il valait tout de même mieux mourir en lisant Dostoïevski qu'en répondant à un questionnaire bidon dans *Marie-Claire*.

— Tu veux appeler quelqu'un, toi aussi ?

— Je n'ai pas de cellulaire.

Elle m'a tendu le sien.

— Vas-y, tu ne le regretteras pas ! Dépêche-toi avant que les moteurs redémarrent.

— Mon Dieu, vous êtes bien gentille, vous !

— Vite, vite, dans une minute ils vont nous dire d'éteindre.

J'ai regardé ma montre. Il était passé onze heures à Québec. Je n'avais pas peur de la réveiller, Mamie avait toujours été une couche-tard et elle veillait encore plus longtemps depuis qu'elle avait entrepris de se taper tous les bouquins qu'elle n'avait jamais eu le temps de lire.

Elle a répondu d'une toute petite voix, sans doute inquiète de recevoir un appel si tard en soirée.

— Mamie ! C'est moi !

— Clarence ? Ils ont des téléphones dans les avions ?

— On est en transit à Vancouver. Je suis assise à

268

côté d'une dame bien sympathique qui m'a prêté son cellulaire.

— Tout se passe bien, là ? Je prie fort pour toi depuis ce matin. Il a intérêt à m'entendre, Lui, en haut !

— Justement, au cas où le bon Dieu serait dans la lune et qu'il m'arriverait quelque chose pendant ce temps-là… je voulais juste te dire que je t'aime, Mamie.

— Mon Dieu que tu me fais plaisir ! Moi aussi, je t'aime, mon ange.

— Il faut que je raccroche, on décolle.

— Bon voyage… Tout va bien se passer, je suis certaine.

— Je t'embrasse, ma belle Mamie.

— Tu m'envoies un *e-mail* aussitôt arrivée, promis ?

Elle prononçait « i-maille ».

— Promis ! Si tu te souviens de ce que je t'ai montré, tu me réponds tout de suite ?

J'avais créé une adresse de courriel pour Mamie une semaine plus tôt, et passé un après-midi à lui apprendre à se servir de l'ordinateur de son entreprise.

— Tu m'as tout écrit la marche à suivre étape par étape, je devrais être bonne pour me retrouver !

— OK, on se parle bientôt, alors…

— C'est ça, mon ange, je te serre fort !

J'ai raccroché et j'ai redonné le téléphone à ma voisine. Elle avait les yeux tout humides.

— Merci, c'est vraiment gentil de m'avoir offert votre téléphone.

— Je trouve ça tellement émouvant que tu aies appelé ta grand-mère ! Excuse-moi si j'ai les yeux pleins d'eau. Je m'attendais à ce que tu appelles ton petit copain ou tes parents.

— Je n'ai pas de petit copain et mes parents vivent en Suisse. Il est cinq heures du matin en Europe.

— Je m'appelle Suzanne.

— Clarence, enchantée.

— Tu vas faire quoi en Nouvelle-Zélande ? Si ce n'est pas trop indiscret, bien sûr.

— Non, c'est une bonne question. Je ne suis pas sûre de pouvoir vous donner une réponse claire. Je prends une année sabbatique pour voyager et je commence par là. J'ai un visa de travail, je vais essayer de trouver un emploi à Auckland.

— Ma fille aussi, elle a pris ça, une année sabbatique. Je n'étais pas trop contente au début. Je m'étais tellement privée pour pouvoir lui payer des études. J'aurais donc voulu y aller, moi, à l'université, quand j'avais son âge.

— Mes parents non plus n'étaient pas fiers.

— Finalement, Zoé a bien fait de partir. C'est comme ça qu'elle a rencontré Brad, son mari.

— Est-ce qu'elle est retournée à l'école ?

— Pas à l'université, non. Elle est devenue instructrice de yoga. Elle a son propre studio à Maui. Elle a donné des séances privées à Cameron Diaz et à Heidi Klum !

— Wow !

— Et devine qui est allée à l'université à sa place ?

— Vous !

— Eh oui ! Après vingt ans comme secrétaire juridique, je suis maintenant avocate.

— Félicitations. C'est une belle histoire.

— Tu voudrais faire quoi, toi ?

— Aucune idée. J'étudiais en géographie, mais je n'aimais pas ça. Je me donne cette année pour trouver ma vocation.

— Qu'est-ce que tu aimais le plus quand tu étais petite ? Est-ce qu'il y avait une activité particulière que tu faisais pendant des heures ? Je te demande ça parce qu'elle est souvent là, la réponse. Les choses qui te passionnaient quand tu étais enfant, avant que tu commences à te demander si

ça allait être assez payant, si ça allait plaire à tes parents…
c'est peut-être là qu'est la racine de ta vocation.

— Ça fait quoi, une enfant destinée à devenir avocate ?
Ça se plaint tout le temps ?

Elle a souri.

— Pour moi, le droit, ça a plutôt été une passion d'adolescence. Je dévorais les romans qui parlaient de poursuites
judiciaires, je ne manquais pas un épisode des *Grands
Procès*. Malheureusement, je suis aussi tombée enceinte
à dix-sept ans. J'ai eu une fille formidable, mais j'ai dû
mettre mes ambitions de carrière en veilleuse.

— Mais vous avez fini par y arriver quand même.

— Vingt ans plus tard, oui !

— Moi, j'aimais les cartes géographiques et les aventures
de Tintin.

J'ai fait une pause pour réfléchir.

— Et cuisiner avec ma grand-mère. J'aimais la regarder
préparer des desserts et j'essayais de mémoriser les recettes
pour les refaire moi-même. Au début, c'était sur ma
petite cuisinière d'enfant avec des œufs en plastique et de
la farine imaginaire, mais plus tard, mes parents m'ont
laissée utiliser le four. J'avais du talent, je pense.

— Alors, peut-être quelque chose qui allierait le voyage
et la cuisine ?

— Je ne sais pas.

Tellement de choses avaient changé depuis mon enfance.
Je me demandais si c'était bien moi qui passais des heures
chez Mamie à rouler de la pâte et à glacer des petits gâteaux.
Elle me laissait faire de sa cuisine un vrai laboratoire expéri-
mental. C'est la décoration que je préférais, la touche finale
qui transformait la pâtisserie en œuvre d'art. J'aimais couper les pommes en lamelles fines comme du papier pour les
disposer en éventail sur le caramel d'une tartelette, former

des rosettes avec la douille étoilée et coller, une par une, les tranches d'amandes sur le contour d'un paris-brest.

À neuf ans, j'avais fait un gâteau très compliqué, à la crème de moka, une réalisation impressionnante, à plusieurs étages, qui m'avait pris tout mon dimanche. Ma grand-mère m'avait dit que c'était exceptionnellement réussi, presque trop joli pour être mangé. Débordante de fierté, j'avais décidé d'apporter mon chef-d'œuvre à l'école pour souligner le départ de madame Denise, mon institutrice qui partait en congé de maternité. Le lundi matin, quand je lui avais dit que je l'avais fait moi-même, toute seule, elle m'avait toisée avec pitié, comme si j'étais une menteuse de la pire espèce. J'avais regretté de ne pas lui avoir fait des carrés aux Rice Krispies.

Après s'être lentement avancé sur le tarmac, l'avion prenait enfin de la vitesse afin de décoller. Voler n'était pas du tout ce que j'avais imaginé. J'avais dû regarder trop de films. C'était beaucoup plus fluide et, une fois l'altitude de croisière atteinte, c'était aussi stable que si j'avais été assise dans mon salon. Jusqu'à maintenant, il n'y avait pas eu un seul signe de turbulences.

Suzanne avait les yeux fermés, ses mains luisantes de lotion sagement posées sur la couverture. Je me suis concentrée sur mon roman. Quelques pages plus tard, je l'ai refermé après m'être aperçue que je n'avais pas la moindre idée du contenu des trois paragraphes que je venais de lire. Mes yeux avaient parcouru les phrases sans que mon cerveau enregistre un mot. L'intrigue n'arrivait pas à me captiver et les personnages étaient aussi loin de moi que ceux de l'Ancien Testament.

J'ai pris mon journal. Sur la première page se trouvait le brouillon raturé de rouge de la lettre écrite à mes parents pour leur annoncer mon départ.

Cher papa, chère maman,

Nous sommes déjà le 15 avril, date à laquelle je vous avais promis une réponse au sujet du séjour dans les Cantons-de-l'Est cet été. Mon idée est faite depuis déjà quelques semaines.

Je ne ferai pas partie du programme de L'Éden en juin, comme vous l'aviez souhaité et si généreusement offert. Je ne pense pas faire preuve de mauvaise volonté, je suis assez lucide pour savoir que le moment est venu pour moi de mettre un frein à la descente amorcée il y a un peu plus de cinq ans. Je crois qu'il est grand temps de remonter, mais j'ai choisi ma propre voie de guérison. Je suis vraiment désolée pour l'inquiétude que j'ai pu causer à toute la famille. J'espère que vous comprendrez que mes comportements proviennent bien souvent d'une partie de moi sur laquelle je n'ai pas beaucoup de pouvoir.

Le séjour à L'Éden aurait pu être un bon point de départ pour les démarches que je me sens maintenant prête à entreprendre. J'ai longuement réfléchi avant de conclure qu'il en existait une autre qui me convenait davantage.

Je ne tournerai pas autour du pot : je vous annonce que je pars en Nouvelle-Zélande le 8 mai, c'est-à-dire dans trois semaines. N'essayez pas de me faire changer d'idée : j'ai déjà mon billet d'avion et un visa de travail d'un an qui me permettra de vivre là-bas jusqu'au printemps prochain. Je vous entends vous alarmer : «Clarence quitte l'école!» En effet, l'université et moi allons prendre un petit congé l'une de l'autre, puisque l'entente continue de se détériorer entre nous. Deux semaines de géographie ont suffi pour me convaincre que je n'étais pas à ma place, malgré tout mon amour des cartes.

Depuis la rentrée de septembre, j'ai passé des heures à décortiquer tous les programmes des autres facultés en espérant une révélation, un appel sans équivoque, mais rien n'est venu. J'ai continué à assister à mes cours, j'ai fait mes travaux comme une automate, en m'étonnant de voir mes notes demeurer inversement proportionnelles à mon intérêt pour mes sujets d'étude… tout ça jusqu'à ce qu'il devienne insupportable de faire un pas de plus sur un chemin qui ne menait nulle part. J'ai cessé d'aller à mes cours et je ne me suis pas présentée aux examens de fin de session. Croyez-le ou non, la Terre a continué de tourner.

La Terre, justement… parlons-en de la Terre. J'ai essayé de calmer mes envies de la connaître en étudiant tous ses recoins dans les livres, je l'ai observée coupée en deux comme un pamplemousse et j'ai mesuré son noyau et ses strates géologiques. J'ai appris par cœur le nom des capitales, la superficie des déserts et l'altitude des montagnes. Mais toute cette froideur universitaire, cette distance… ça m'a angoissée au lieu de me passionner. J'ai eu peur que ça ne se limite qu'à ça : comprendre la planète comme d'autres parlent une langue morte ou débitent le déroulement d'une guerre médiévale. On peut savoir les mots sans jamais les parler et réciter les dates des événements en ne concevant que très vaguement les émotions qui s'y rattachent. Je reconnais maintenant que ce n'est pas mon cerveau qui veut faire de la géographie. Ce sont mes pieds, mon nez, mon ventre, mes yeux, mes oreilles.

Le besoin de partir est omniprésent depuis trop longtemps et je crois que ce voyage m'aidera à me libérer du carcan dans lequel je me suis engoncée moi-même. Guérir est ma priorité. Si tout va comme prévu, je reviendrai l'an prochain avec une nouvelle perspective sur le reste de ma vie, et peut-être une légèreté qui, je le comprends enfin, ne s'obtiendra jamais à force de jeûnes ni de restrictions.

Je me permets d'espérer que vous approuverez ma décision ou que vous en saisirez au moins l'intention. L'année qui commence est très importante pour moi et je veux en tirer tout ce que je peux. Je n'ai pas l'impression d'aller perdre mon temps ni de mettre mon avenir en jeu en partant, bien au contraire. Si jamais toutefois je commets une erreur en larguant tout, il me reste une vie devant moi pour la réparer. Présentement, les regrets sont inconcevables.

Je vous promets de vous écrire tous les mois pour vous tenir au courant de ma vie néo-zélandaise.

Pour mon appartement, j'ai un ami qui souhaite le sous-louer pour la durée de mon absence. Je lui ai promis une réponse d'ici la fin avril, j'ai une liste de ses références si vous croyez nécessaire de confirmer sa fiabilité. Sophie a accepté de garder Corneille en pension jusqu'à mon retour.

Je n'oublierai jamais le risque que vous avez pris en faisant disparaître mon casier judiciaire, car c'est grâce à cela que je peux maintenant partir. Ma reconnaissance est énorme, vous ne le regretterez pas.

Je passerai à la maison dimanche après-midi pour discuter de tout ça.

Merci encore pour tout ce que vous faites pour moi.

Clarence qui vous aime xx

Je n'avais pas laissé de place à l'argumentation. C'était une lettre solide, un peu distante peut-être. Ils avaient dû se demander si quelqu'un m'avait aidée à l'écrire. C'est vrai que ça ne me ressemblait pas vraiment. Même ma calligraphie était différente : mes lettres avaient perdu de leur rondeur pour prendre de l'expansion et des angles plus pointus. J'avais tout retranscrit sur du Smythson of Bond Street ivoire, un papier hors de prix qui ne devait jamais être gaspillé. J'avais failli l'envoyer par courrier recommandé, mais je m'étais ravisée au bureau de poste. Il ne fallait quand même pas exagérer. Je leur annonçais un voyage, pas mon entrée officielle chez les Hare Krishnas.

Le dimanche après-midi, comme convenu, j'étais allée les voir à Sainte-Foy. Ils étaient en pleins préparatifs de voyage et la maison se vidait peu à peu pour accueillir les effets des nouveaux locataires. Dans le salon, ils avaient enlevé les photos de famille, vidé les étagères de la grande bibliothèque et retiré le contenu des tiroirs et des placards pour le ranger dans une pièce du sous-sol qui resterait fermée à clé. La maison sentait déjà le poli à meubles au citron et les rideaux blanchissaient chez le nettoyeur. Dans l'ancienne chambre de mon frère, mon père avait installé un lit d'enfant et recloué sur le mur la lourde tapisserie antique sur laquelle des moutons à la queue leu leu sautaient par-dessus une clôture.

Ils avaient bien réagi à mon décrochage scolaire. C'était louche. Ma mère avait comme d'habitude laissé parler mon père, qui n'avait même pas tenté de me faire changer d'avis. Pour dire vrai, ça m'avait presque déçue. J'avais préparé tellement d'arguments en béton, j'étais prête à plaider ma cause comme jamais. Tout ça pour rien. Il fallait croire que son récent retrait de la politique permettait à mon père de considérer les renoncements nécessaires avec une toute nouvelle perspective. Ils avaient décidé de se ranger du côté de l'optimisme, sans toutefois arriver à masquer leur inquiétude.

— Pourquoi la Nouvelle-Zélande ? C'est un peu loin, il me semble.

— Géographiquement, oui, c'est loin. En ce qui concerne le style de vie, par contre, ce ne sera pas très différent d'ici. Je pense que je vous aurais davantage affolés en allant dans la jungle amazonienne ou le désert du Kalahari. Et puis, vous l'avez bien fait, vous deux ! Si maman n'était pas partie en Afrique à dix-huit ans, je ne serais même pas née.

— Ce n'est pas pareil ! Dans notre temps, le monde était bien moins dangereux.

Mon père faisait les cent pas dans le salon.

— Pour un premier voyage, tu aurais pu choisir Paris… Genève même ! Au moins, on aurait été là en cas de besoin !

Justement, oui.

— Tu as assez d'argent ? s'était préoccupée ma mère.

— Oui. Avec ce que j'ai, ça me donne six semaines pour me trouver un emploi.

— Six semaines !

Mon père se tordait les mains en me regardant comme si je lui avais dit six minutes.

— Ce n'est pas tellement long ! On pourrait peut-être transférer un peu d'argent dans ton compte, au cas où ? Des versements mensuels…

— Non, merci. Je vais me trouver du travail rapidement, papa. Si jamais au bout d'un mois je n'ai rien trouvé, je te le dirai.

Impossible. J'étais une grande blonde parfaitement bilingue, fiable et polie, artiste de l'espresso, avec quatre ans d'expérience comme serveuse. J'avais l'habitude d'être embauchée sur-le-champ.

— Tu vas au moins accepter de l'argent pour ta fête, ma chouette ?

Ma mère avait pourtant toujours évité de faire des cadeaux en liquide, elle disait que c'était de mauvais goût.

— On voulait t'acheter un nouvel ordinateur portable, mais si tu préfères, on te donne le montant…

— Je vais y penser… merci.

Il y avait eu un long silence. Tout le monde semblait se demander s'il y avait autre chose à ajouter ou s'il fallait tous se souhaiter bon voyage et bonne chance. Ma mère s'était levée pour aller s'agenouiller à côté de Sardine qui se prélassait devant le feu de foyer.

— Tu vas nous manquer, avait dit ma mère d'une voix à peine audible, en gardant les yeux sur son chien.

Mon cœur s'était serré. Ma mère n'arrivait jamais à manifester son affection ou une quelconque émotion sans que ça sonne faux. Le ton de sa voix aurait convenu à quelqu'un qui avait un revolver sur la tempe : allez, dis à ta fille qu'elle va te manquer ou je tire.

Mon père m'avait dit qu'elle était comme ça parce qu'elle avait peu connu sa mère. Ma grand-mère maternelle était morte dans un accident quand ma mère avait trois ans. Personne ne s'était donné la peine de me fournir plus de détails, et pendant des années je n'avais pas osé poser de questions. J'avais fini par interroger Mamie Rose pour qu'elle m'éclaire sur les éléments manquants de l'histoire. Esther, ma mamie suisse, était partie en cavale avec un Roumain que mon grand-père avait embauché pour réparer le toit de la maison et elle avait péri à Bucarest quelques semaines plus tard, éjectée d'une moto. Dans la catégorie « grand-mère », les miennes ne donnaient vraiment pas leur place.

De cinq à dix-sept ans, ma mère avait fréquenté un pensionnat huppé de la Riviera vaudoise. C'était un établissement plein de richissimes enfants venus du Japon ou des Émirats arabes pour la qualité de l'enseignement suisse, un cénacle de connaissance et de rigueur où même les week-ends étaient consacrés au perfectionnement du latin et aux leçons de solfège. Aussitôt qu'elle en était sortie, elle était devenue membre de la Croix-Rouge et s'était retrouvée au Cameroun, dans un village en périphérie de Yaoundé où les sœurs dominicaines avaient entrepris une campagne de vaccination. Mon père vivait dans la capitale depuis un an et supervisait la gestion d'une école polytechnique parrainée par l'Agence canadienne de développement international. Ils s'étaient rencontrés le soir du Nouvel An, au cours d'une soirée organisée pour les expatriés et les travailleurs humanitaires. Ça avait été le coup de foudre. Quatre mois après son arrivée au Cameroun, ma mère était tombée enceinte, ce qui avait précipité leur départ de l'Afrique. Ils étaient retournés en Suisse, pour constater que mon grand-père maternel était au dernier stade d'un cancer de l'estomac. Ma mère était demeurée à son chevet jusqu'à la fin, et elle avait fait une fausse couche quelques jours après sa mort. Mes parents étaient restés en Suisse pendant sept mois, le temps de vendre la maison et de régler les affaires de mon grand-père. Ils étaient ensuite venus au Canada et s'étaient mariés. J'étais née un an plus tard. Ma mère avait vingt ans. Mon âge.

— Il n'y a pas de mode d'emploi pour être une bonne mère, m'avait expliqué Mamie. Solange n'a jamais eu d'exemple. Elle t'aime, mais c'est juste un peu difficile pour elle de le démontrer. Des fois, c'est impossible de donner ce qu'on n'a pas reçu. Mais j'imagine qu'entre ta mère qui n'a pas eu de mère, et ta grand-mère qui n'a pas eu de fille, ça s'équilibre quelque part !

Ma grand-mère avait peut-être raison. Soit c'était l'absence de modèle, soit ma mère avait hérité de la sienne une carence en fibre maternelle.

Comme moi, peut-être. Si je suivais la logique de Mamie, ce serait un jour à mon tour d'être incapable de donner ce que je n'avais pas reçu de ma mère.

Je ne m'en vantais pas, mais j'étais bel et bien allée voir un film au cinéma aussitôt sortie de la clinique d'avortement. Ça ne devait pas être normal, ça. J'aurais dû vouloir me coucher, une couverture par-dessus la tête, et pleurer toutes les larmes de mon corps. Au moins, j'aurais pu aller allumer un cierge à l'oratoire Saint-Joseph et faire semblant de prier pour l'âme du chérubin qui flottait, prisonnière des limbes. Au lieu de ça, j'avais jeté le dépliant qui me disait comment faire face au deuil, au vide et aux fluctuations d'hormones, et déchiré la carte professionnelle d'une psychologue de Québec recommandée par l'infirmière, au cas où j'aurais besoin de parler à quelqu'un. En marchant vers la voiture, j'avais convaincu Sophie d'aller voir la dernière comédie romantique de Sarah Jessica Parker. J'avais pris mes analgésiques avec un grand Coke Diète et quelques grains de popcorn. Les légères crampes qui me traversaient le bas-ventre à intervalles réguliers ne m'avaient pas empêchée de rire.

Sophie disait qu'elle était pareille, la première fois, à vingt ans. Ça l'avait à peine remuée. Elle était presque fière d'être parvenue à déjouer le destin. Comme moi, elle s'était sentie coupable... de ne pas se sentir coupable.

Ma mère était peut-être trop jeune elle aussi, à vingt ans. C'était sûrement mon père qui avait voulu des enfants. Il était beaucoup plus vieux et ça avait dû lui sembler une façon sûre de garder sa trop belle épouse bien enracinée et heureuse au Québec. Je n'étais pas certaine qu'il ait réussi. Elle avait toujours été triste, Solange. Pas ouvertement déprimée, comme la mère de Maryse qui quittait rarement sa robe de chambre et gardait assez de narcotiques dans sa pharmacie pour abrutir un régiment de barbares. Non, ma mère s'enveloppait d'une belle mélancolie, de celles qui devaient inspirer les peintres et les musiciens. Elle ne pleurait pas, mais elle ne riait pas non plus, et ses petits sourires furtifs ne duraient jamais assez longtemps pour être convaincants.

Dans l'avion, tout le monde dormait. Les agents de bord avaient fermé les hublots et distribué des masques pour les yeux et des oreillers. Selon le fuseau horaire de Québec, le jour de mon anniversaire était arrivé. Mais puisque nous volions vers l'ouest, au-dessus de l'océan Pacifique où ce n'était pas encore le 9, j'avais encore dix-neuf ans. La dernière journée de mes *teen years* allait s'étirer comme un élastique autour du globe.

C'était confortable, ici. Je n'étais ni dans un pays ni dans l'autre. C'était le meilleur endroit où se sentir nulle part. Si on m'avait cherchée, on ne m'aurait pas trouvée. Sans téléphone, sans Internet, j'étais parfaitement inatteignable. Peut-être qu'une carrière d'agente de bord serait intéressante. Une *stewardess*, comme disait Mamie. Non, non, mauvaise idée. Je n'étais pas assez sociable et j'étais loin d'être patiente. Si j'avais eu davantage de charisme ou d'entregent, j'aurais aimé faire de la télé, animer une de ces émissions qui nous transportent tantôt dans les vignobles de la Bourgogne à vélo, tantôt à Séville pour un cours d'initiation au flamenco. Ça aurait pu s'appeler *Paradis sur Terre*, pour faire un jeu de mots avec mon nom… Le rêve! Bah, il ne fallait même pas y penser. Il y aurait eu beaucoup trop de bouffe en jeu. En plus, on disait que la caméra ajoutait dix kilos, de quoi devenir dingue.

Six heures plus tard, Suzanne m'a réveillée en tirant sur la manche de ma veste. On donnait les instructions pour l'atterrissage : «Veuillez relever le dossier de votre siège, boucler votre ceinture et remonter le plateau devant vous. »

— C'est dommage qu'on arrive en plein milieu de la nuit, tu ne pourras rien voir !

— Bah, c'est juste un arrêt de trente minutes, ai-je répondu en retenant un bâillement.

J'ai massé mon cou endolori et j'ai tiré sur les lobes de mes oreilles en avalant ma salive pour essayer de les déboucher.

— Tu as rêvé ! Je n'ai même pas osé te réveiller quand ils ont servi le petit déjeuner, tu souriais en dormant.

— Oui, j'ai dormi comme un bébé.

— Ma fille te dirait le contraire… Le sien fait une crise toutes les heures, toute la nuit !

— Je ne m'attendais pas à dormir une minute, j'étais tellement énervée… C'est mon baptême de l'air.

— Ah oui ? Et tu t'es dit : « Tant qu'à y être, aussi bien faire le tour du monde » ?

— Exactement !

Elle a incliné la tête et m'a regardée en plissant les yeux.

— Est-ce que c'est indiscret de te demander ton âge ?

— À mon âge, ce n'est pas encore indiscret, non, mais juste par curiosité, vous me donnez combien ?

Elle s'est reculée pour bien m'observer.

— Tout dépend de la façon dont je te regarde. Tu pourrais avoir vingt-huit ans et le visage incroyablement jeune, ou dix-huit avec une certaine maturité. J'imagine que tu te situes entre les deux ?

— J'ai vingt ans.

Je n'avais jamais dit ça avant.

— Aujourd'hui, pour être exacte.

— Eh bien ! Bon anniversaire !

Dans un élan spontané, elle m'a embrassé les joues.

— Tu te fais un beau cadeau ! C'est bien, ça ! Remarque que ça ne me surprend pas : c'est fonceur, un Taureau. Ma fille aussi, elle est du mois de mai, et je te jure qu'elle ne s'est jamais laissé marcher sur les pieds !

Je devais être une autre sorte de Taureau. Du genre castré et docile.

— Sais-tu que le jour de notre anniversaire de naissance est idéal pour se faire tirer aux cartes ?

— Non. Je ne me suis jamais fait prédire l'avenir.

J'avais bien trop peur.

Elle a jeté un coup d'œil à sa montre. L'avion avait amorcé sa descente. À travers le hublot, on pouvait retracer le losange de l'île d'Oahu grâce aux grappes de lumières qui constellaient l'océan d'encre.

— Ah, et pourquoi pas ! s'est-elle exclamée en tirant sur le sac de suède noir glissé sous le siège avant. Elle l'a ouvert sur ses genoux, a fouillé un instant avant de trouver le paquet de cartes.

— J'en garde toujours un dans mon sac !

Les cartes étaient plus longues et plus minces que celles d'un jeu ordinaire et leur endos était décoré de motifs celtiques vert et or.

— Je ne suis pas certaine que c'est une bonne idée…

— Allez, allez ! Je n'ai jamais fait de tarot en plein ciel, mais quelque chose me dit que c'est l'endroit par excellence. On va être branchées de plus près.

— Si vous le dites.

De toute façon, ce n'est pas comme si je croyais à la cartomancie, me suis-je dit. Je n'allais quand même pas me fier à des bouts de carton pour me dire quel sort m'attendait.

— Je voudrais que tu penses à une question. Penses-y très, très fort.

— Est-ce qu'il faut que je vous la dise ?

— Non ! Tu la gardes pour toi. Allez, pense fort.

Ce n'était pas le choix qui manquait. D'un coup, mon cerveau s'est mis à produire les questions comme les grains dans une machine à popcorn. Allais-je revoir Mamie Rose ? Pop ! Dieu existe-t-il ? Pop ! Allais-je revenir au Québec en sachant quoi faire de ma vie ? Pop ! Allais-je trouver le grand amour ? Pop ! Et arriver à manger comme tout le monde ? Pop !

— As-tu trouvé ta question ?

Suzanne avait couvert le paquet de ses paumes et fermé les yeux.

Allais-je un jour connaître le véritable bonheur ? Pop !
— Oui, je l'ai.

Elle s'est mise à brasser les cartes avec l'adresse d'un croupier. Elle m'a tendu le paquet.

— Tu vas choisir cinq cartes, s'il te plaît.

Une forte secousse, juste sous mes pieds, m'a fait sursauter. Dans un réflexe, je me suis agrippée au bras de mon siège. Ce n'était que la sortie du train d'atterrissage.

Je me suis dépêchée de choisir les cartes. Une, deux, trois... non, pas celle-là. Trois, quatre, cinq. L'angle du Boeing et le chatouillement dans mon estomac indiquaient que nous allions toucher le sol d'un instant à l'autre.

— En principe, je devrais les étendre devant moi, mais étant donné l'endroit où on se trouve, je vais les conserver dans mes mains. Si tu n'y vois pas d'inconvénient, bien sûr.

J'ai haussé les épaules. Elle a tourné la première carte.

Mon cœur a bondi devant l'image d'un homme pendu à un arbre par un pied. Je m'attendais presque à voir Suzanne paniquer, mais elle a conservé tout son calme.

— Le Pendu. C'est un signe d'attente, de blocage. À cause de ce blocage, la réalisation d'un projet important est compromise. Il te faudra de la patience et un oubli de soi pour surmonter ce qui obstrue ton destin. C'est important de lâcher prise, de ne pas toujours laisser l'esprit gouverner le corps.

Les roues ont touché le sol. Nous n'aurions pas pu atterrir plus doucement si la piste de l'aéroport d'Honolulu avait été couverte de mousse à rembourrage. En ralentissant, le commandant nous a prévenus qu'un autre avion bloquait le passage et qu'il faudrait attendre une dizaine de minutes pour accéder à la porte de débarquement.

La carte suivante représentait un cœur rouge transpercé de trois épées, suspendu sous un nuage de pluie. De toute évidence, ça n'annonçait rien de bon non plus.

— Le Trois d'Épée. La solitude, l'isolement, la trahison. Si ta question concerne un événement du passé, cette carte-là pourrait représenter la découverte d'une vérité douloureuse. Par exemple, quelqu'un aurait pu abuser de ta confiance, te laisser tomber. Pense à un coup de poignard dans le dos. Si ta question porte sur le futur, cette carte représente une souffrance émotionnelle, un côté sombre et peut-être caché. Il y a une déception par rapport à toi-même. C'est toi qui te trahis. Il y a aussi l'élément de l'isolement qui est important, l'impression d'être coupée du reste du monde et d'être perdue.

— Ooooookaaay...

J'ai pris une grande inspiration. Je n'allais quand même pas pleurer pour des absurdités ésotériques ! Au fond, tout le monde avait son petit côté sombre.

La troisième carte était à l'envers et représentait une femme assise sur un trône.

— Tiens, l'Impératrice. C'est bizarre, elle est inversée en plus.

Suzanne a froncé les sourcils.

— Si tu étais plus vieille, je dirais que ça a quelque chose à voir avec l'infertilité. Dans ton cas, ce n'est sûrement pas ça, mais ça a quand même un lien avec la maternité ou le matriarcat. Une relation difficile avec ta mère peut-être ?

J'ai secoué la tête comme si je ne savais pas de quoi elle parlait. Comme si depuis le début, elle ne m'avait dit que des sornettes et des banalités. Une inquiétude s'est creusée sur son front. J'avais peut-être manifesté mon scepticisme un peu trop ouvertement.

— Continuez.

Elle a tourné la quatrième carte.

— Ah, la Reine de Bâton ! C'est une très bonne carte ! a-t-elle ajouté en me regardant dans les yeux.

Elle disait sûrement ça pour m'encourager ou au moins pour freiner mes pensées suicidaires.

— Elle représente quelqu'un que tu n'as pas encore rencontré. Une femme. Une rencontre foudroyante qui va changer ta vie. Fie-toi à ta première impression, elle ne te trompera pas. C'est une femme très chaleureuse, pleine d'enthousiasme, charismatique, ouverte, sincère, avec... comment dirais-je... beaucoup de *sex appeal* ! Je pense qu'elle est énergique, peut-être même une athlète. C'est quelqu'un de très solide. Quand tu la reconnaîtras, il te faudra t'y accrocher. Tu vas avoir besoin d'elle.

Je n'ai pu m'empêcher d'être soulagée, même si ce qu'elle m'annonçait était complètement farfelu.

L'avion s'est remis à avancer et les passagers ont commencé à s'agiter. Le capitaine de cabine a pris l'interphone pour rappeler à tous de garder leurs ceintures bouclées jusqu'à l'arrêt complet de l'appareil. Suzanne a tourné la dernière carte.

— Le Trois de Bâton. Une autre bonne carte. Tirée en dernière position, elle symbolise l'expansion de tes horizons. C'est la découverte de nouveaux territoires.

Elle m'annonçait la conquête de contrées nouvelles à bord d'un vol pour la Nouvelle-Zélande. Impressionnante perspicacité.

— Je ne parle pas d'un voyage au sens propre, mais plutôt d'un projet de vie. Par exemple, tu pourrais démarrer une entreprise dans un domaine très innovateur, quelque chose qui ne s'est jamais fait avant. Le Trois de Bâton, c'est la carte des visionnaires. Aie confiance en tes idées.

Il faudrait d'abord que j'en aie au moins une.

Au-dessus de nos têtes, le signe lumineux représentant une ceinture s'est éteint. Pour Suzanne, le temps était venu de descendre. Moi, j'avais encore douze heures de vol avant d'arriver à destination. Elle a rapidement passé une bande élastique autour du jeu de cartes, l'a fourré dans son sac et s'est étirée pour prendre son bagage au-dessus du siège. Elle ne réussissait pas à l'atteindre. Je me suis levée et je l'ai attrapé pour elle.

— Ah, que j'aimerais donc ça être grande comme toi ! m'a-t-elle dit en me regardant fouiller dans le compartiment.

— Si je le pouvais, je vous donnerais bien quelques centimètres ! C'est encombrant, croyez-moi !

Nous sommes restées face à face pendant quelques secondes, puis nous avons commencé à parler en même temps. Bon voyage, bonne chance. Elle était la seule à m'avoir souhaité bon anniversaire le jour de mes vingt ans, elle avait détecté mon côté sombre et m'avait prédit mon avenir, et là, elle disparaissait. C'était sans doute ça aussi, le voyage. Des rencontres brèves, intenses, fugaces comme des étoiles filantes.

Elle m'a serré le coude gentiment, a lancé son grand sac par-dessus son épaule et s'est retournée pour marcher vers la sortie. J'ai pris la couverture laissée sur son siège, je l'ai attachée dans mon cou, comme une cape. J'étais prête pour la suite de l'aventure.

Chapitre 14

« C'est maintenant, Clarence, me suis-je dit, peu convaincue. Tu n'as plus le choix, il faut y aller. » J'ai reconfirmé la présence de mon passeport sous mon t-shirt, j'ai fourré mon magazine dans mon sac et j'ai suivi l'agent de bord qui poussait le fauteuil roulant d'une passagère vers la sortie. J'étais la dernière à sortir de l'avion et j'aurais voulu y rester encore un peu. Ici, il y avait des gens qui s'occupaient de moi et qui s'assuraient que je ne manquais de rien. À la minute où je toucherais la terre ferme, ce serait chacun pour soi, prends ton courage et débrouille-toi.

À cause d'un problème technique plus ou moins clair, nous avons dû descendre au milieu de la piste d'atterrissage. En haut de l'étroit escalier de métal, le soleil qui se réfléchissait sur le fuselage blanc du Boeing m'a aveuglée. Le vent, aussi fort et chaud qu'un séchoir à cheveux, faisait tout un vacarme avec la rangée de drapeaux plantés sur le toit de l'aéroport. J'ai retenu mon souffle pour descendre. Quand mon pied droit a quitté la dernière marche pour toucher le sol, j'ai avalé une grande bouffée d'air. Ça ne sentait pas particulièrement bon, plutôt comme un mélange de fleurs flétries, de poussière mouillée et d'huile à moteur, mais c'était une odeur d'ailleurs. J'ai baissé les lunettes de soleil qui retenaient mes cheveux avant qu'elles ne s'envolent dans une rafale et j'ai suivi le groupe de passagers. Au-dessus de l'entrée du terminal, une longue banderole disait : *Welcome to New Zealand, the Land of the Long White Cloud.* J'ai levé les yeux. Aucune trace de long nuage blanc. Même celui-là se cachait pour qu'un ciel impeccable souligne mon arrivée.

« Me voilà en Nouvelle-Zélande. Je marche la tête en bas, en ce moment même. » J'ai suivi les directives des employés de l'aéroport jusqu'à la douane. Une fois mon passeport tamponné, j'ai tout de suite cherché les toilettes. Sophie m'avait demandé de vérifier s'il était bien vrai que ça tournait dans la direction inverse quand on chassait l'eau. Au-dessus de la cuvette, tout énervée, j'ai regardé mon pipi tourbillonner dans le sens contraire des aiguilles d'une montre et j'ai cru ainsi voir confirmée ma position sur le globe. J'étais enfin au bout du monde.

— Wou-hou ! ai-je crié, les bras en l'air.

J'ai remonté mon pantalon d'un coup et j'ai bondi hors de la cabine. La vieille femme trapue occupée à frotter les lavabos de la salle de bain m'a jeté un regard soucieux. Je lui ai souri dans le miroir en me savonnant les mains.

— Je suis en Nouvelle-Zélande, madame !

J'étais incapable de me retenir, même si je savais qu'elle ne comprenait pas un mot de français.

— Bienvenue chez nous ! m'a-t-elle répondu.

— Oh, excusez-moi… Euh… vous parlez français ?

— Auckland compte la plus grande population polynésienne au monde, mademoiselle, a-t-elle soupiré en astiquant le robinet. Je suis Tahitienne.

— Oh ! Merci du renseignement.

Déjà une chose qu'on ne m'avait jamais apprise dans mes cours de géographie. Tiens, c'est à ça que ça sert, voyager !

Après avoir récupéré ma valise sur le carrousel à bagages, j'ai pris ma place au bout de la file, devant la station de taxis. Deuxième choc culturel : la conduite à gauche, le volant à droite. Tout au long de la course, à chaque intersection, j'ai agrippé le siège avant en fermant les yeux. J'aurais juré que tous les véhicules se dirigeaient droit vers nous.

— Conduisez lentement, s'il vous plaît, ai-je demandé au chauffeur, un Indien sikh coiffé d'un turban rouge vin. Si j'en avais eu les moyens, je lui aurais demandé un grand tour de ville avant qu'il me dépose à l'auberge. Ça lui aurait été assez utile : à deux reprises, il s'est arrêté au bord de la route pour vérifier l'itinéraire sur une carte. Je n'étais pas la seule à être fraîchement arrivée en Nouvelle-Zélande.

Au bout de cinq minutes, j'ai baissé la fenêtre. J'avais envie de sortir ma tête et de humer le vent. Tout me paraissait exotique : les panneaux de signalisation, les mots en maori sur les affiches, les plaques d'immatriculation sans devise, les gens qui marchaient pieds nus sur le trottoir. Les maisons étaient coquettes, la plupart en bois blanc avec des volets pastel, des balcons aux barreaux ciselés et des boîtes à fleurs débordantes. Les gens aussi étaient beaux : grands et bronzés. Ils avaient l'allure décontractée de ceux qui passent leur vie au chaud. Presque toutes les filles de quinze à trente ans s'habillaient dans le même style : la mode de la saison exigeait une tunique cintrée à la taille qui descendait jusqu'à mi-cuisse, sur des jeans étroits aux chevilles, et des sandales plates, idéalement dans une teinte métallique. La femme de ménage de l'aéroport avait raison, il y avait beaucoup de Polynésiens. J'ai admiré leur carrure de centurion, leurs traits sculptés au couteau, leur peau couleur de muscade souvent décorée de tatouages élaborés. Ils avaient quelque chose de très *sexy*.

Le taxi a fini par s'arrêter devant une maison victorienne cossue, entourée de grands arbres aux troncs lisses et au feuillage touffu rassemblé au bout des branches comme des pompons. Le panneau de bois cloué à droite de la porte a confirmé que j'étais bien au Silver Fern Backpackers.

J'ai payé le chauffeur, sorti ma valise du coffre et gravi les trois marches menant au seuil de l'auberge. La mer ne devait pas être loin : la brise était chargée d'une odeur de sel et de mollusques. J'ai appuyé sur la sonnette.

— *Well, well, hello dear !*

J'ai reconnu le propriétaire. Il avait sa photo sur le site Internet. Un peu plus petit que moi, chauve, il portait une courte barbe poivre et sel, un short marine et des sandales Birkenstock sur des chaussettes bleu ciel tirées jusqu'aux genoux.

— Lewis Finn ! *Welcome to Auckland !*

Quel accent incroyable ! Il me faudrait décrypter chaque phrase avant de m'y faire l'oreille.

— *Hello !* Clarence Paradeeee !

J'avais réservé une chambre pour trois nuits. À la réception, Lewis a noté mon numéro de passeport dans un cahier avant de me tendre une pile de draps grisâtres et deux serviettes jaunes aussi rêches que la langue d'un chat. J'ai signé la feuille de règlements après l'avoir lue en diagonale, j'ai pris une menthe dans un bocal de verre sur le comptoir et j'ai suivi Lewis jusqu'au bout d'un couloir.

Un escalier abrupt qui craquait à chaque marche menait à ma chambre, au troisième étage. C'était la seule chambre de l'auberge aménagée pour une seule personne, les autres allant de l'occupation double au dortoir de douze lits. J'avais passé des heures sur le Web pour trouver un endroit abordable que je ne serais pas obligée de partager. Je frémissais de dégoût en m'imaginant dans un dortoir, à essayer de dormir au milieu d'inconnus. Même petite, j'avais toujours détesté les camps de vacances, ce n'était pas à vingt ans que ça allait changer.

La pièce, à moitié mansardée, était exiguë et faiblement éclairée. À vrai dire, un peu déprimante. Pour m'encourager, je me suis rappelé que ça n'avait pas d'importance, puisque j'allais passer la majeure partie de mon temps dehors. J'ai quand même froncé le nez en voyant l'oreiller plat comme une crêpe et le vieil édredon en chenille vert mousse étendu sur le matelas grumeleux. À côté, sur une table en bois peint, il y avait une lampe de chevet en plastique blanc et un réveil numérique. Sous la fenêtre, quelques brûlures de cigarette marquaient le vernis du plancher. Les murs étaient beiges et nus, sauf pour un tableau représentant deux perroquets accroché au-dessus de la tête de lit. Sur le mur opposé, une armoire-penderie ouverte sur quatre cintres de métal, une chaise pliante et une commode à trois tiroirs. J'ai posé ma valise sur la chaise. Lewis a ouvert la porte de la salle de bain.

— Il faut appuyer longtemps pour que ça fonctionne, elle est un peu capricieuse, m'a-t-il expliqué en activant la chasse d'eau. Et quand tu prends une douche, tu laisses le jet juste comme il est, tourné vers la droite. C'est très, très important de ne pas toucher le pommeau, compris? Si tu l'envoies à gauche, il va pleuvoir dans le dortoir des garçons. C'est une maison centenaire, tu vois?

J'ai haussé les sourcils en hochant la tête. Il s'est croisé les bras.

— Des questions?

— Non, pas maintenant. Ah oui, le supermarché le plus près d'ici?

Il a décroché le stylo à bille de sa poche de chemise, a sorti une carte professionnelle de celle de son short.

En s'appuyant sur la commode, il a dessiné au verso une grille de tic-tac-toe et tracé un X au bout d'une des lignes.

— On est ici, dans Garden Street. Tu prends la gauche en sortant, tu dépasses Barton et tu tournes à gauche à Leary. Il y a une pâtisserie, une pharmacie, un bureau de poste, une pizzeria et un petit supermarché. Tu y trouveras l'essentiel, mais si tu préfères quelque chose de plus complet, tu peux prendre l'autobus 27 jusqu'à Grey Lynn. Il te faudra environ cinq minutes pour arriver au Foodtown.

— Merci.

Il a décroché un gros trousseau de sa ceinture, en a retiré deux clés.

— Voilà. La ronde pour ta chambre, la carrée pour la porte principale. On verrouille tous les soirs à dix heures.

Il est parti en sifflotant. J'ai refermé la porte derrière lui et je me suis étirée en bâillant. Ensuite, j'ai ouvert la fenêtre et appuyé mes coudes sur le rebord pour me pencher vers l'extérieur. En bas, il y avait une balancelle et un potager. C'était la saison des choux-fleurs.

Après mon cinquième bâillement en ligne, j'ai conclu que je tombais de sommeil. J'avais envie de poser ma tête sur l'oreiller, de dormir tout habillée, sans même me brosser les dents ni enlever mon mascara, mais il était neuf heures du matin. Si je cédais à la fatigue maintenant, je me réveillerais ce soir. Ce ne serait pas très malin de vagabonder dans le quartier sans d'abord l'avoir exploré de jour.

Dans la salle de bain, devant le minable petit miroir au cadre de plastique rouge, j'ai aspergé mon visage d'eau froide, je me suis brossé les dents et rincé la bouche. La menthe poivrée m'a réveillée un peu. J'ai levé un bras pour renifler mon aisselle. J'étais une bonne candidate pour une douche, mais comme ça risquait de m'endormir davantage, j'ai opté pour une autre couche de désodorisant, un nuage de fixatif et du baume pour les lèvres à saveur de pamplemousse. Avant de partir, j'ai changé mon t-shirt blanc pour un noir et j'ai attaché les manches de ma veste autour de mes hanches. J'ai pris mon iPod, mon sac, mes lunettes de soleil, mon appareil photo et mon *Lonely Planet*.

En chemin vers la sortie, j'ai jeté un coup d'œil à la salle commune, un grand salon-cuisine avec trois frigos, deux canapés décatis, quatre longues tables et un babillard couvert d'annonces pour des sauts en *bungee*, l'exploration de cavernes ou des cours de culture maorie. La pièce était vide. Seul un couple, peut-être scandinave ou allemand, était lové dans le coin d'un canapé avec, dans les mains, une calculatrice et un calepin. Ils ne se sont pas dérangés pour me dire bonjour.

Dehors, le ciel avait changé. En moins d'une heure, il était passé du bleu au blanc opaque. J'ai fait une photo de l'arbre à pompons et une autre de l'auberge, avant de prendre la direction indiquée par Lewis. J'avais soif. J'avais peut-être même faim. Pas étonnant: depuis mon départ de Québec, je n'avais mangé qu'une minuscule salade de fruits et quatre arachides. Chaque fois qu'un agent de bord s'était approché avec son chariot, j'avais fait semblant de dormir pour esquiver le «Bœuf ou poulet?» Je m'étais juré qu'après le vol, je ne sauterais plus de repas. Lorsque je toucherais la terre ferme, ma résolution entrerait en vigueur, sans aucune négociation possible. Ce serait trois repas et deux collations, tous les jours sans exception.

«Trois repas, deux collations, tous les jours sans exception! Trois repas, deux collations, tous les jours sans exception!»

En scandant mon nouveau mantra dans ma tête, j'ai sautillé de bonheur jusqu'au coin de Leary Street.

Ma montre indiquait neuf heures vingt quand j'ai ouvert la porte de la pâtisserie. L'endroit était sympathique, de style Art déco. Sur les murs peints en rouge, de grandes pubs rétro annonçaient du café et du pastis en français. Il y avait un bar à espresso, un étalage varié de sandwiches et de pâtisseries dans un présentoir, et surtout une odeur irrésistible de café frais moulu et de beurre fondant dans les fourneaux.

J'ai commandé un double espresso allongé et un croissant avec de la confiture aux framboises. Devant mon assiette encore intacte, j'avais l'impression d'être en train de refaire ma première communion. Jamais un morceau de pain ne m'avait rendue aussi nerveuse depuis que j'avais avalé le corps du Christ dans ma robe blanche à froufrous. J'ai déchiré le croissant, pris mon couteau et étendu une fine couche de confiture sur la mie odorante.

Avec les années, j'avais acquis un genre de réflexe : chaque fois que je sentais le sucre, mon rythme cardiaque s'accélérait et je me mettais à transpirer. J'ai pris une bouchée. « Trop élastique, aurait dit Mamie Rose. C'est ce qui arrive quand la pâte est pétrie trop longtemps, tu vois ? Le gluten prend le dessus et on obtient une texture trop caoutchouteuse. » Oui, les croissants de Mamie étaient bien meilleurs.

Assise sur un tabouret, mes coudes appuyés sur le comptoir devant la vitrine, j'ai regardé les gens passer en mangeant le plus lentement possible. Un grand blond en complet-cravate a fait crisser les pneus de sa Porsche décapotable en se garant devant la porte. Il est entré, m'a évaluée des pieds à la tête en un rapide coup d'œil avant de se pencher devant l'étalage de desserts et de viennoiseries. Je me suis demandé quelle note il m'avait donnée sur dix. Au moins six, ai-je espéré.

— Une boîte de quinze pièces, s'il vous plaît. Mettez un peu de tout, ce n'est pas important.

À l'aide d'une pince en métal, l'employée a saisi des millefeuilles, des tartelettes et des éclairs, et les a mis dans un grand carton blanc. Comme j'enviais cet homme qui, sans se poser de questions, commandait quinze pâtisseries. Quand j'achetais autant de gâteaux à Québec, je m'obligeais à ajouter une douzaine de berlingots de lait pour que la caissière me croie responsable de la collation des enfants d'une garderie.

J'avais fini mon croissant. J'ai poussé mon assiette et j'ai essuyé mes mains moites sur mon pantalon. J'aurais voulu aller me brosser les dents pour éliminer le sucre qui languissait dans ma bouche comme une preuve de culpabilité. J'ai pris une gomme à la cannelle dans mon sac et, pour me changer les idées, j'ai ouvert mon guide afin d'étudier le plan de la ville d'Auckland. Du doigt, j'ai tracé l'itinéraire que je voulais suivre et j'ai passé quelques minutes à le mémoriser. Pas question de me retrouver au milieu du trottoir en train de retourner une carte dans tous les sens, affichant clairement mon statut de touriste en détresse.

J'ai pris à gauche en sortant de la pâtisserie, direction baie d'Hauraki. Il était temps de voir la mer.

À la première intersection, un ballon de rugby a frôlé mes jambes avant d'aller se loger sous la roue d'une voiture stationnée le long du trottoir. Je me suis penchée pour le décoincer et je l'ai botté en direction d'un groupe de gamins d'environ dix ans. J'ai fait une passe au plus petit de l'équipe, un blondinet rapide vêtu d'un maillot noir des All Blacks qui lui descendait jusqu'aux genoux. Il a récupéré le ballon et l'a envoyé tout droit entre les deux sacs à dos délimitant la zone de but. J'ai crié « *Goal!* » en applaudissant. Il m'a fait un sourire timide en tapant dans la main de ses coéquipiers. En Nouvelle-Zélande, le rugby était une religion et on vénérait les All Blacks comme des dieux. Quatre des six garçons du groupe portaient le numéro 33 au dos de leur maillot, celui d'Andrew King, le meilleur compteur du monde.

Au bout de quinze minutes, je suis arrivée au sommet de l'escalier de bois qui menait au port. Je me suis assise sur la marche du haut, saisie par le spectacle. Sous le soleil qui avait percé un coin de nuage, une centaine de voiles blanches brillaient, éparpillées jusqu'à l'horizon. Il y en avait tellement et partout, c'était comme si le Pacifique avait été saupoudré de bateaux. Tout en bas, au bord des quais, les grands mâts des voiliers rangés à la marina tanguaient, l'air impatients. À l'est, des lambeaux de brume cachaient une partie du volcan Rangitoto, qui dormait tranquille depuis plus de six cents ans. *Rangitoto*, un mot maori qui signifiait « le ciel de sang », était le premier volcan que je voyais de ma vie. Malgré mes heures passées sur Google à chercher des images, la ville d'Auckland ne ressemblait pas à la maquette construite par mon imagination.

J'ai descendu l'escalier. Au bout du quai, j'ai enlevé mes chaussures et effleuré l'eau avec mes pieds. Pendant une heure, je me suis amusée à décoller les colimaçons incrustés sur les planches et à regarder un setter irlandais plonger inlassablement dans la mer pour rapporter une balle de tennis que sa maîtresse lui lançait. Ensuite, couchée sur le dos, je me suis concentrée sur le clapotis des vagues en espérant que ça m'aiderait à calmer les angoisses qui me serraient le ventre. Le grand vide était toujours aussi grand et toujours aussi vide.

« Pensais-tu vraiment devenir quelqu'un d'autre à l'instant précis où tu arriverais ici? me suis-je moquée. Te métamorphoser instantanément en fille sociable, sûre d'elle-même et bien dans sa peau? Et pendant qu'on y est, te mettre à papillonner entre tes nombreux amis et tes nouvelles passions?»

Il fallait admettre que la surabondance de temps à ma disposition m'étourdissait un peu. J'étais plus seule que jamais, devant les centaines de journées qui s'étendaient devant moi et que je devrais remplir. C'est vrai qu'une fois que j'aurais visité tous les musées, les réserves fauniques, les jolis cafés et le jardin botanique, je n'aurais plus grand-chose à faire. Je ne pouvais quand même pas passer toutes mes journées sur la plage; avec mon teint d'albâtre, aussi bien m'inscrire tout de suite à la chimiothérapie. J'ai détourné mon regard vers la rangée de terrasses de la marina, où des serveurs en blouses blanches zigzaguaient entre les tables avec leurs plateaux. Non, je ne voulais pas travailler tout de suite. Je n'étais pas encore prête à voir des gens manger toute la journée.

C'était ma première matinée à Auckland et je recrachais mes rognures d'ongles dans la mer en me demandant comment occuper mon temps. Je me suis levée d'un bond. Pas d'apitoiement permis ici. J'allais marcher jusqu'au centre-ville, faire un peu de lèche-vitrine et m'acheter un autre café pour me garder éveillée.

J'ai longé le bord de l'eau jusqu'à l'intersection de Queen Street. À mesure que je remontais vers le centre, le trafic s'intensifiait et une odeur de pétrole se mêlait à celle de la mer. La plupart des boutiques et des restaurants *fast food* étaient les mêmes qu'à Québec. De plus, les vitrines des magasins de souvenirs ressemblaient à celles de la rue Saint-Jean. Seule différence, les produits qu'on y vendait étaient des kiwis en peluche et des reproductions de la Coupe du monde de voile au lieu des ours polaires et des mocassins.

Après un arrêt chez Starbucks pour m'offrir un triple *Venti Latte* écrémé, j'ai marché jusqu'à Karangahape Road, K'Road pour les intimes. Olivier m'avait mise en garde contre la racaille qui s'y rassemblait le soir, et m'avait fait promettre de ne pas m'y aventurer toute seule.

— À moins, bien sûr, que tu veuilles passer tes nuits blanches à côtoyer des travestis, des *pimps* et des vendeurs de *crystal meth*, avait-il précisé.

En plein jour, K'Road avait un air bohème avec ses devantures de différentes hauteurs, ses affiches tape-à-l'œil, ses cafés couverts de graffitis, ses *sex shops* et ses *peep shows*. Plusieurs vitrines étaient consacrées à l'attirail du drogué endurci : pipes à eau, manuel du cannabiculteur, t-shirts à l'effigie de Bob Marley, drapeaux de la Nouvelle-Zélande où l'Union Jack du coin gauche avait été remplacé par une feuille de marijuana. De toute évidence, K'Road appartenait aux noctambules. Juste avant midi, avec ses trottoirs jonchés de détritus, presque déserts, elle avait l'air, comme moi, de souffrir du décalage horaire.

En passant devant un café Internet, j'ai décidé de m'y arrêter. J'avais promis à Mamie, à Sophie et à mes parents de leur confirmer mon arrivée.

Partagée entre l'envie de dire la vérité (je ne sais plus trop ce que je suis venue foutre ici pendant un an) et mon bon vieux réflexe d'embellir la réalité (je suis au summum de l'extase et j'ai trouvé un sens à ma vie), je suis restée figée devant l'écran pendant quelques minutes. J'ai finalement tapé mon mot de passe. Aucun message. J'ai décidé de commencer par Mamie Rose. Il fallait la rassurer sans tomber dans l'exubérance. Elle me connaissait trop bien pour gober le scénario du bonheur parfait miraculeusement tombé du ciel à ma sortie de l'avion.

À: mamierose@yahoo.com
De: clarence_p@yahoo.com
Sujet: Saine et sauve chez les Kiwis

Ma belle Mamie,

Je suis arrivée à Auckland ce matin! Le vol s'est bien passé, la dame montréalaise qui m'a prêté son cellulaire m'a fait un tarot et elle m'a prédit un avenir fabuleux. Ça m'encourage!

Auckland est une ville superbe, je viens tout juste d'aller voir le Pacifique, j'aurais pu rester assise sur le quai jusqu'au coucher du soleil tellement c'était beau. À voir le nombre de voiliers sur l'eau et à la marina, on pourrait croire que chaque résidant d'Auckland a le pied marin. Tu devrais voir toutes les variétés de fleurs, je pense à toi chaque fois que je passe devant un jardin, c'est le paradis des pouces verts ici!

Je loge dans une auberge de jeunesse où j'ai ma petite chambre sous le toit. C'est loin d'être luxueux, mais c'est d'une propreté irréprochable et très bien situé. Je prévois y habiter un mois, jusqu'à ce que je me trouve un emploi. Rien ne presse de ce côté-là. J'ai l'impression que ce ne sera pas très compliqué, vu la quantité d'affiches *Help Wanted* collées dans les vitrines du centre-ville. Quand j'aurai trouvé du boulot, j'aimerais dénicher un petit studio meublé, près de la mer. D'ici là, j'avoue que je ne sais pas encore comment j'occuperai mon temps. Je n'ai jamais eu autant de liberté! Je n'aurais jamais pensé que l'oisiveté pouvait requérir une période d'adaptation.

Je pense beaucoup à toi, Mamie. Dans trois semaines, tu passeras ton scanner. Vingt-deux jours. Tu dois être tellement nerveuse. J'aimerais que tu sois honnête avec moi en ce qui concerne le pronostic. Ne va surtout pas t'imaginer que tu pourrais ruiner mon voyage, je peux assumer la situation comme une grande. La Nouvelle-Zélande ne disparaîtra pas, elle. Ce serait bien de pouvoir en dire autant de ceux qu'on aime…

Je t'embrasse très fort. Ne t'inquiète pas, je t'écrirai toutes les semaines.

Clarence, qui t'aime xx

Un coup de vent est entré dans le café en même temps qu'un garçon d'une quinzaine d'années. Du coin de l'œil, j'ai vu un crâne rasé, des jeans foncés à la fourche descendue jusqu'aux genoux et un visage d'une beauté exceptionnelle. Il est venu s'asseoir à ma gauche, a allumé l'ordinateur voisin du mien. Ça m'a agacée : le café disposait d'au moins douze écrans séparés en trois rangées parallèles. Il aurait pu en choisir un autre. Mine de rien, j'ai composé mon deuxième message, pour la Suisse.

Vingt minutes plus tard, j'ai terminé le troisième et dernier courriel destiné à Sophie et à Corneille. J'ai voulu le relire, mais mes yeux piquaient et je n'arrêtais pas de bâiller. La caféine avait perdu son effet et je me sentais chloroformée. J'ai poussé mon clavier et j'ai enfoui ma tête au creux de mes bras. J'aurais pu m'endormir là, sur le comptoir du café Internet. J'aurais même pu m'endormir par terre, roulée en boule comme un chien.

Quand j'ai relevé la tête, j'ai sursauté en constatant que mon voisin m'observait. Sa chaise pivotante tournée vers moi, les bras croisés, il me scrutait, la tête inclinée à gauche. Je lui ai souri, mal à l'aise, avant de réprimer un autre bâillement.

— T'es fatiguée, on dirait ?

Son accent était tellement profond, j'ai d'abord cru qu'il s'adressait à moi dans un dialecte qui n'avait rien à voir avec l'anglais.

Il a ouvert sa main droite. Dans sa paume, deux sachets de plastique : l'un rempli d'herbe verte, l'autre de poudre blanche. J'ai eu un mouvement de recul et j'ai serré mon sac à main contre moi. J'ai tourné ma chaise vers mon écran et j'ai appuyé sur « SEND » sans relire mon message. Le garçon a ricané.

— Nouvelle en ville ?

— Hum, hum.

Je n'avais aucune envie d'engager la conversation. Je me suis déconnectée et j'ai quitté le poste. Tout ce que je voulais, c'était payer mes quarante minutes d'Internet, aller me coucher dans mon grenier et dormir douze heures d'affilée.

Il m'a suivie jusqu'au comptoir. Il n'y avait personne à la caisse. La grosse femme qui lisait un roman Harlequin à mon arrivée avait disparu.

— Sais-tu comment je peux payer mes minutes ?

« Sans que tu me colles au derrière avec ta came », ai-je pensé.

— C'est quoi c't'accent ? Suédois ?

— C'est ça, oui, suédois.

Il a sorti un trousseau de sa poche et a contourné le comptoir. Il a inséré une clé dans la caisse enregistreuse. Le tiroir s'est ouvert en faisant un son de clochette.

— T'inquiète pas. J'suis pas en train de faire un *hold-up*.

Il a levé les yeux vers le plafond.

— Ma bonne femme est là-haut, partie bouffer. Je la remplace pour une heure.

— Je vois. Euh... est-ce que je pourrais payer ?

— Ah, c'que j'adore ton accent. Elles parlent toutes comme ça, les filles, en Suède ?

— Elles parlent surtout suédois.

— Vous êtes toutes blondes là-bas, non ?

— Hum, hum.

J'ai fait mine de fouiller dans mon sac. Il a vérifié mon heure d'arrivée dans un calepin, il a regardé l'horloge et s'est mis à taper sur une calculatrice.

— Ce sera quatre dollars cinquante.

J'ai ouvert mon portefeuille. Merde. J'aurais dû y penser. J'étais arrivée en Nouvelle-Zélande avec trois billets de cent dollars et, après avoir payé ma chambre et acheté mon croissant et mes cafés, il me restait deux billets, et rien d'autre.

— Je n'ai pas plus petit que cent dollars. Est-ce que ça va ?

Il a regardé son calepin.

— Il y a soixante-quinze dollars dans le tiroir-caisse. Soit je t'accorde un crédit pour la prochaine fois, ou…

Il s'est penché au-dessus du comptoir, a baissé la voix, le sourire en coin.

— … ou tu pourrais m'acheter quelque chose d'autre…

La vérité, c'est que j'avais très envie de fumer. Deux jours plus tôt, chez Sophie, Olivier avait roulé un joint après le dessert et, pour une fois, ça avait eu un bel effet. Deux petites bouffées avaient suffi pour vaincre l'insomnie et m'offrir toute une nuit sans cauchemars.

— Combien, tes fines herbes ?

Il a eu l'air surpris.

— Pour toi, vingt dollars.

— OK.

J'ai mis cent dollars sur le comptoir. Il m'a remis la monnaie, s'est étiré le cou pour s'assurer que nous étions seuls avant de déposer un sachet dans le creux de ma main.

— Merci.

— Pas de quoi. Reviens quand tu veux, mam'zelle la Suédoise.

J'ai quitté le café en me promettant de ne plus jamais y remettre les pieds. Olivier avait raison, il valait sans doute mieux éviter K'Road. Si le moindre café Internet pouvait servir, en plein jour, de couverture aux combines des petites crapules, je n'avais pas besoin de savoir ce qui s'y tramait d'autre.

N'empêche que j'étais assez fière de ma trouvaille, même si une pointe de remords m'avait tenaillée quand j'avais fourré le sachet dans ma poche. Je m'entendais encore promettre à mes parents de ne jamais retoucher à la drogue. Bah, je voulais dire la *vraie* drogue. Le *pot*, ça ne comptait pas. Même mes parents en avaient fumé, je les avais surpris une fois. Revenue plus tôt que prévu d'une soirée disco 13-17 à cause d'une panne d'électricité, j'avais senti une odeur bizarre dans la maison. Armée d'une lampe de poche, j'avais laissé mon nez me guider jusqu'au sous-sol. Des rires provenaient du fond de la buanderie. J'avais braqué ma lampe sur la machine à laver. Assis entre deux piles de linge sale, mes parents avaient l'air de deux chevreuils paralysés par les phares d'une voiture. «J'en ai pris juste une *puff*, je te jure ! » s'était écrié mon père.

Je marchais sans savoir où j'allais. J'avais dû parcourir une dizaine de kilomètres depuis l'auberge. Mon sens de l'orientation, quoique très peu développé, me disait que j'avais décrit une boucle et qu'il y avait probablement une façon de retourner à mon point de départ sans revenir sur mes pas. Assise sur un banc, j'ai feuilleté mon *Lonely Planet* sans le sortir de mon sac. J'avais raison. Il me suffisait de tourner à droite dans Ponsonby Road et de marcher deux ou trois kilomètres pour arriver à la rue résidentielle du Silver Fern Backpackers.

Une goutte de pluie est tombée sur ma paupière gauche. En me penchant pour m'essuyer l'œil, j'en ai senti une autre atterrir sur ma nuque. J'ai levé les yeux. Les nuages sombres et bas bougeaient rapidement, comme s'ils cherchaient à s'agglutiner au-dessus de ma tête.

Olivier m'avait prévenue de ça aussi.

— Tu connais la chanson de Crowded House, le *band* néo-zélandais? Celle qui s'appelle *Four Seasons in One Day*?

Il me l'avait fredonnée.

— Tu vas tout de suite comprendre de quoi ils parlent quand tu seras à Auckland!

J'aurais dû y penser. Visiblement, tout le monde sauf moi s'armait contre les sautes d'humeur de la météo, ai-je constaté en voyant s'ouvrir une série de parapluies.

La pluie s'intensifiait et le ciel prenait des teintes charbonneuses. J'ai couru vers un *dairy*, l'équivalent kiwi du dépanneur. Ils vendaient peut-être des parapluies, et il fallait que j'achète du papier à cigarettes. Comme je poussais la porte, le tonnerre a éclaté dans un violent fracas. J'ai couvert mes oreilles. En me retournant vers la rue, j'ai constaté que la pluie ne tombait plus par gouttes: j'avais un véritable mur d'eau devant les yeux. L'employée du *dairy*, une femme en sari rose agenouillée par terre, occupée à étiqueter des boîtes de biscuits, s'est levée en sursaut et s'est jetée sur la porte. D'une main énergique, elle s'est mise à tourner une manivelle fixée au mur. Dans un long grincement, l'auvent jaune de la façade s'est replié en accordéon.

— Il pleut souvent comme ça, ici?

— C'est l'olage de tous les jouls! Il faut se méfier, ici! Chaque matin on cloit qu'il va faile beau palce que le ciel il est tout bleu, mais tôt ou tald dans la joulnée, il nous montle son autle visage. On applend!

— Tous les jours? ai-je risqué, espérant avoir mal compris.

— C'est ça l'hivel, ici. Des pluies tollentielles pendant des mois. Dul poul l'humeul, mais bon poul le jaldin !

J'ai pris une bouteille d'eau dans le réfrigérateur. Dans l'étalage près de la caisse, j'ai choisi un paquet de gomme et un carton de papier à rouler.

— Vous vendez des parapluies?

Elle a secoué la tête.

— Je devlais !

J'ai payé mes achats.

— Palfois ça dule seulement dix minutes, a-t-elle poursuivi. D'autles fois, la pluie elle tombe pendant deux heures. Aplès, le soleil il levient, et vous allez voil, la lumièle elle est tlès belle.

— Vous pouvez m'appeler un taxi?

La dépense pouvait paraître extravagante vu la courte distance, mais je n'allais quand même pas passer mon premier après-midi de voyage enfermée dans un dépanneur.

Elle a pris le téléphone.

— C'est poul qui?

— Clara.

C'était sorti tout seul.

Au téléphone, la caissière parlait fort, dans une langue qui devait être de l'hindi. Elle avait probablement un cousin ou un beau-frère qui faisait le taxi. Moins d'une minute plus tard, une voiture blanche s'est arrêtée devant la porte. J'ai relevé mon capuchon et j'ai couru m'engouffrer à l'intérieur.

Chapitre 15

J'ai souri en ouvrant le courriel de Mamie. D'une semaine à l'autre, ses progrès en informatique m'impressionnaient. Au début de mon voyage, ses messages étaient très courts : quelques phrases tapées en lettres majuscules, dans un style quasi télégraphique. De quoi regretter le temps où je recevais ses vraies lettres, trois ou quatre feuillets couverts d'une écriture minuscule et serrée : je n'avais d'ailleurs jamais su si c'était sa calligraphie naturelle ou sa façon d'économiser le papier. Le message d'aujourd'hui portait à croire qu'elle comprenait enfin que le prix de son service Internet n'augmentait pas en fonction de la longueur des courriels ou de la distance qu'ils parcouraient.

À : clarence_p@yahoo.com
De : mamierose@yahoo.com
Sujet : À ma grande voyageuse

Mon ange,

C'est toujours avec un grand bonheur que je reçois de tes nouvelles depuis ton départ. Qui aurait pu prédire qu'un jour, Rose Paradis, soixante-dix-sept ans, allait se précipiter sur un ordinateur chaque matin dès son réveil ? Tu avais raison, les *e-mails*, c'est pratique même si je ne comprends pas comment tout fonctionne. Heureusement, Sophie me donne des trucs pour m'améliorer. Elle m'a même montré comment trouver des recettes sur un site de cuisine.

Toutes les choses que tu me racontes sont du velours sur mon vieux cœur. J'aime quand tu décris les fleurs, les gens, les odeurs de la mer… parfois c'est tout juste si je n'entends pas les mouettes piailler au-dessus de ma tête. Même si ça m'arrive d'être triste que tu sois si loin, c'est un grand soulagement de te savoir si bien.

Sur mon île à moi, le printemps est bel et bien arrivé. Le fleuve a avalé ses derniers morceaux de glace, les muguets sont sortis sous l'érable et Henri VIII a recommencé à creuser ses trous dans le parterre. Alexandre est venu hier avec Francis. Ils ont dîné ici et Alex a installé les moustiquaires dans la cuisine. J'ai montré la Nouvelle-Zélande à Francis sur le globe terrestre et il m'a demandé si c'était le pays des tigres et des éléphants. Je lui ai dit non, mais que c'était là qu'on pouvait voir des oiseaux sans ailes. Ça a paru le satisfaire un moment, puis il m'a regardée avec le plus grand sérieux : « Oui, mais Mamie, veux-tu bien me dire à quoi ça sert d'être un oiseau si on n'a pas d'ailes ? »

Je passe mon scanner vendredi après-midi, le médecin m'a promis les résultats au courant de la semaine. Je suis un peu nerveuse, mais je me suis déjà faite à l'idée que c'était la dernière année de ma vie. Avoir le cancer trois fois, c'est un bon cours préparatoire à ses propres funérailles. Je me dis toujours que si j'étais née cent ans plus tôt, je serais partie dans la jeune cinquantaine. La médecine moderne m'a gardée en vie bien au-delà de mon échéance et j'ai l'impression d'avoir profité davantage des années « en bonus ». Quand je suis tentée de m'apitoyer sur mon sort, le soir, je pense au petit-fils de Jacqueline qui est revenu d'Afghanistan dans son cercueil. Vingt et un ans. Ça, c'est triste !

Je n'aimerais pas que mon départ cause des tracas à ceux qui restent, alors je prépare mon voyage avec autant de soin que tu as préparé le tien. Il y a quand même certaines choses que je voudrais te dire de vive voix. Penses-tu que tu pourrais m'appeler ce soir ?

Bon, avant de te déprimer avec mes affaires et de gâcher ta belle journée, je vais changer de sujet. Je voulais te dire que Sophie est une véritable bénédiction pour l'entreprise, enfin une bouffée de jeunesse ! Sa bonne humeur est contagieuse et c'est une vraie machine à idées. Elle est même en train de nous créer un site Internet, avec tout l'historique de l'entreprise ! J'aime beaucoup travailler avec elle, on parle de toi souvent. Savais-tu qu'elle aime le jardinage ? Je l'ai invitée à voir mes plates-bandes dimanche dernier. Sa connaissance de l'horticulture m'a surprise. Elle m'a proposé de m'aider à construire une pergola pour mes roses cet été, comme celles qu'on voit partout en Angleterre. Imagine !

Bon, je te laisse ! Je ne te cache pas que ça me prend un temps ridicule pour écrire un *e-mail*. Les petits inconvénients de l'arthrite. Le dernier message que je t'ai écrit, en plus, a disparu avant même que je l'envoie. J'en ai sacré ! Sophie dit que j'ai dû appuyer sur « annuler » par erreur. Moi, je pense que le message était tout simplement tanné d'attendre et qu'il a décidé de s'en aller. J'ai demandé à Sophie si je pouvais appeler Internet pour porter plainte, mais elle m'a dit qu'ils me mettraient en attente jusqu'en 2038.

J'attends de tes nouvelles, en priant pour qu'elles continuent d'être aussi bonnes.

Je t'embrasse très fort.
Mamie

J'ai essuyé une petite larme. S'il revenait s'asseoir au poste à côté du mien, Rookie allait voir que je pleurais devant mon écran. Encore. J'ai inspiré en me mordant la lèvre inférieure pour arrêter le tremblement et j'ai écrit un court message à Mamie, lui promettant de l'appeler sans faute le soir même à sept heures, horloge d'Auckland.

J'ai éteint l'ordinateur et je me suis levée, ma tasse de café presque vide dans la main. Rookie, assis sur un haut tabouret derrière son comptoir, faisait des bulles avec un gros *chewing-gum* mauve, le regard dans le vide. J'ai claqué des doigts à côté de son oreille pour qu'il revienne sur Terre.

— Hey hey, la Suédoise! Fini d'écrire à ton Roméo?

Il a ouvert son calepin. À ma quatrième visite au café, il était toujours convaincu que j'arrivais de Suède. Lui, il s'appelait Rookie. Il avait émigré de l'archipel de Vanuatu avec sa mère quand il avait sept ans. Il prétendait en avoir maintenant dix-huit. J'aurais parié qu'il était aussi majeur que j'étais scandinave, mais j'aurais difficilement pu lui reprocher ses accrocs à la vérité.

— La même chose que d'habitude?

— Hum, hum.

J'ai mis vingt dollars sur le comptoir. Je fumais pour la dernière fois. Promis juré, sur la tête de Mamie, sur la tête de toute la planète.

Il a fouillé dans la poche de ses jeans. La droite pour l'herbe, la gauche pour l'argent.

— Il est pas mal, hein? Ma copine le fait pousser chez elle à Kerikeri. Tu connais Kerikeri, non?

J'ai secoué la tête.

— Ah, tu ne connais pas Kerikeri ! Je t'emmène avec moi la prochaine fois, alors. Ils ont p't-être jamais vu une Suédoise là-bas. Allez, mercredi après-midi, tu viens ?

— Je ne sais pas.

J'ai fait tournoyer ma tasse et j'ai bu la dernière gorgée de mon café.

— Je pensais prendre la semaine pour me chercher du boulot.

Sans répondre, il a haussé les épaules et fourré mon argent au fond de sa poche.

— Je repasserai si je change d'idée.

Comme à chacune de mes visites au café Internet, je me suis juré qu'on ne m'y reverrait jamais. Et chaque fois, j'y ai cru dur comme fer.

— Comme tu veux.

Je suis sortie dans la rue. Le soleil était flou, encore bas à l'est. Des perles de rosée brillaient sur les auvents et sur les sacs de poubelle jetés au pied des lampadaires. Devant la vitrine du *dairy*, l'Indienne plaçait des oranges et des pomélos sur une table de fortune faite de caisses de lait empilées. J'ai bifurqué à droite pour accéder au réseau de ruelles étroites aboutissant à l'arrêt d'autobus. C'était loin d'être un raccourci, mais je n'aimais pas marcher sur K'Road, même le matin. Un sale tour de mon imagination voulait que je m'y sente toujours poursuivie, à un point tel qu'une fois, j'avais couru jusqu'à ce que je m'effondre à bout de souffle sur un banc de parc, des kilomètres plus loin. Personne à mes trousses. Je n'avais quand même pas rêvé… L'impression d'être scrutée était si forte, je sentais les regards me coller dessus comme des sangsues. La rue était pourtant déserte, je ne pouvais pas dire le contraire. Depuis, je craignais que ces épisodes d'angoisse paranoïaque soient le premier symptôme de la folie.

J'ai vite découvert un moyen de contourner le problème en me faufilant entre les rangées de maisons. Je n'y croisais jamais personne et je pouvais m'arrêter pour parler aux chats et câliner les moins craintifs. Corneille me manquait, surtout la nuit, quand je me réveillais en cherchant dans mon cou sa respiration de fumeuse asthmatique et son haleine de thon. Je parlais d'elle aux matous, longtemps parfois, accroupie au milieu des cordes à linge, des tas de ferraille et des boîtes de carton détrempé. Les cours arrière de ce quartier d'Auckland ressemblaient à des dépotoirs, jonchés de bouteilles de plastique, de ballons de rugby éventrés, de jouets aux couleurs délavées par la pluie. Il y avait même des condoms utilisés, collés sur l'asphalte. J'avais trouvé l'accès aux entrailles de la ville. Moi qui souhaitais voyager hors des sentiers battus et des attrape-touristes, j'étais servie.

J'ai hâté le pas. Il fallait faire mes achats et rentrer avant que la pluie tombe. Chaque jour, il pleuvait de plus en plus tôt et de plus en plus longtemps. Et ça ne tarderait pas, ai-je décidé en reniflant l'air. Je reconnaissais maintenant l'odeur de vieux sou noir dont l'atmosphère se chargeait en attendant l'averse.

La pâtisserie de Leary Street fermait le dimanche. Aujourd'hui, je devrais aller à l'épicerie et me contenter de gâteaux en boîte. Ils restaient si peu longtemps dans mon estomac que ça ne valait pas la peine de payer le double pour des petits desserts maison. En plus, ceux au caramel n'étaient pas mal. Mous et crémeux à souhait, ils remontaient facilement, sans trop de douleur. J'ai fait un rapide calcul de mon argent : autour de trente dollars. Ce serait tout juste suffisant si je me limitais à une seule saveur de crème glacée. En pensant aux pralines, aux cerises noires et à la guimauve, j'ai senti mon rythme cardiaque s'accélérer et mes paumes devenir moites. Il valait mieux m'arrêter à la banque et retirer un peu plus, au cas où. Je voulais aussi ces biscuits géants au beurre d'arachide, et ils coûtaient cher. Un pot de Nutella, des chips au fromage, des Cracker Jack. Ça devrait suffire.

Chacun de mes rendez-vous avec mon dragon me coûtait environ quarante dollars. Et comme ils survenaient maintenant plus d'une fois par jour, à ce rythme-là, mon budget de voyage serait lessivé beaucoup plus tôt que prévu.

« C'est la dernière fois de toute façon, me suis-je rassurée en entrant dans un guichet automatique. Demain, c'est lundi. »

Cinq minutes plus tard, mon argent en poche, je suis arrivée au coin de Manderley Road : une rue pour voir et être vu, pleine de restos branchés, de terrasses et de boutiques de designers. C'était par-dessus tout un genre de *catwalk* urbain où les plus belles filles de la ville allaient exhiber leur silhouette devant les hommes, et leurs sacs à main griffés devant les filles. J'ai remonté le capuchon de ma veste et j'ai baissé mes lunettes fumées. Les bras serrés contre moi, j'ai traversé la rue en diagonale et me suis rendue à l'arrêt d'autobus. Il était désert. Je venais de le rater. Il ne me restait qu'à me rendre au Foodtown à pied. C'était une bonne demi-heure de marche, mais je connaissais maintenant une autre enfilade de ruelles où je pouvais me glisser à l'abri des regards collants de Manderley Road.

Vingt et un jours en Nouvelle-Zélande. C'est tout ce qu'il m'avait fallu pour transformer mon voyage en grotesque plaisanterie. Chaque jour était identique au précédent : fume, mange, vomis, dors, fume, mange, vomis, dors. Chaque semaine, j'arrêtais au café Internet acheter assez d'herbe pour cinq ou six jours. J'en profitais pour envoyer le même message à Mamie, à Sophie et à mes parents. Je leur racontais un voyage au pays des merveilles décrivant en détail les moments fantastiques passés avec Clara, une Suédoise rencontrée à l'auberge de jeunesse. Nous nous étions liées d'amitié après un cours d'initiation à la plongée où nous nous étions toutes les deux inscrites le premier week-end. J'avais vu des anémones phospho-rescentes, des bancs de poissons identiques à Nemo et même un bébé requin échoué sur la grève ! Depuis, Clara et moi passions la plupart de nos journées sur la plage de Devonport, au nord d'Auckland. Cette semaine, s'il ne faisait pas trop chaud, nous avions prévu escalader un volcan et pique-niquer au bord du cratère.

Il faut croire qu'on n'a pas besoin d'avoir cinq ans pour s'inventer des amis imaginaires.

La vérité, c'était que je me transformais en monstre. Le dragon qui sommeillait dans mon ventre avait fini par sortir de son hibernation et prendre le dessus, et mainte-nant il me tenait bien en laisse. J'avais beau me faire et me refaire les mêmes promesses, signer des engagements avec moi-même dans mon journal, me proférer des menaces, marchander des récompenses, rien ne fonctionnait. Dès mon réveil, il m'obligeait à le suivre et à le nourrir. Il me forçait à manger jusqu'à ce que mon estomac soit tellement rempli que la bouffe commençait à remonter toute seule.

J'avais perdu le contrôle et je craignais que ça ne s'ar-rête jamais. Je me sentais au pied du mur, obligée de choisir entre accepter de peser 200 kilos, ou continuer comme ça à tout vomir. Au point où je me trouvais, je n'étais plus certaine qu'il y avait une différence.

J'ai tendu mes mains pour regarder les plaies sur mes jointures, stigmates de la boulimique assidue. J'affichais maintenant tous les signes décrits dans les livres : les joues d'écureuil causées par l'hypertrophie des glandes salivaires, les petites araignées rouges laissées par les vaisseaux sanguins éclatés dans le blanc des yeux et, surtout, le continuel reflux de bile qui brûlait mon œsophage comme si j'avais bu un verre de vitriol.

Je n'aurais eu aucun mal à convaincre un médecin de m'admettre à l'hôpital dans l'état où j'étais, mais l'idée de me retrouver seule dans une chambre aseptisée, alors que tout le monde m'imaginait en train de bâtir des châteaux de sable, ne me plaisait pas du tout. Je devais m'en sortir toute seule. Une dernière bouffe et c'était terminé. Demain matin, j'irais courir jusqu'au port après avoir mangé des fruits biologiques et un yogourt sans gras. Demain, je prendrais l'argent des cochonneries pour m'offrir quelque chose de gentil, comme un massage aux huiles essentielles, une soirée au cinéma ou un bon roman d'amour. Je me lèverais à l'aube pour répéter mes affirmations, assise dans la position du lotus.

« La vraie beauté est intérieure. Le plus long des voyages commence par un seul pas. Mon Dieu, donnez-moi le courage de changer ce que je peux changer, la sérénité d'accepter ce que je ne peux pas et la sagesse de savoir faire la différence… »

De toute évidence, ça n'avait pas été écrit par quelqu'un qui passait la plupart de son temps avec la tête dans les toilettes.

Demain, j'arrêtais pour vrai. C'était le premier jour du reste de ma vie et je ne pouvais plus continuer comme ça. Il y avait la mer, les montagnes, les fleurs qui éclataient de couleurs partout autour de moi… j'avais assez vomi sur la carte postale.

« Combien de fois tu t'es dit ça ? Cinquante ? Cent ? » me suis-je demandé en serrant les poings.

Plus souvent que je ne pouvais me rappeler. Ça finissait toujours de la même façon : claquemurée dans ma chambre, au milieu des boîtes de gâteaux vides, des canettes de ginger ale, des cornets de frites et des enveloppes de mayonnaise, à me jurer que c'était fini. Il me suffisait d'aller jeter toutes les traces dans le grand conteneur derrière la maison et de revenir m'enfermer dans la salle de bain. Après, tout s'effacerait et je pourrais recommencer mon voyage sur un canevas vierge. « C'est fini, c'est fini, c'est fini… » Deux mots qui, chaque soir, me berçaient pour m'endormir.

Le lendemain, je me réveillais, les os grinçants comme les chaînes d'une vieille balançoire, la gorge en feu, le visage enflé d'une femme battue. « Tu vas courir jusqu'à Marine Parade, c'est ce que tu t'es promis », répétais-je devant mon reflet dans la glace. Mon reflet méconnaissable, mon dos plus courbé que jamais et l'épaisse aura de tristesse collée à ma peau. Déterminée, j'essayais d'atténuer l'enflure en me tapotant les yeux avec de l'eau glacée. Ensuite, j'étendais du fond de teint sur la constellation de petits boutons roses apparus sur mon front et j'essayais de m'extirper un sourire.

« Qui essaies-tu de berner, ma vieille ? Tu es tellement laide que tu vas effrayer les mouettes. À ta place, je resterais enfermée et je tirerais les rideaux. »

Au fond, c'est tout ce dont j'avais envie. Trouver un coin sombre où personne ne pourrait m'atteindre. M'assurer qu'il faisait assez chaud, me recroqueviller comme une marmotte et attendre que l'hiver passe. De toute façon, c'était épouvantable, l'hiver en Nouvelle-Zélande. Je n'avais jamais eu aussi froid de toute ma vie. Les nuits devenaient glaciales et les vieilles maisons n'avaient pas le chauffage. Chaque soir, la température de ma chambre chutait et, au petit matin, elle se situait aux alentours de celle de la morgue. Le premier jour, réveillée à l'aube, transie et crispée, j'étais allée me plaindre au propriétaire. Il avait ri.

— *Come on, young lady!* Une Canadienne n'a jamais froid! Vous dormez dans des igloos, non?

— Des igloos chauffés, gros con, avais-je marmonné en français.

Il m'avait conseillé d'aller m'acheter une bouillotte ou une couverture électrique. C'est avec ça que les Kiwis restaient au chaud, la nuit. J'avais couru au supermarché. Pas question de me réveiller avec du frimas au coin des yeux un matin de plus. Pour mettre toutes les chances de mon côté, j'avais acheté les deux : une bouillotte pour enfants insérée à l'intérieur d'un gros nounours en peluche et la plus puissante des couvertures chauffantes. Grossière erreur.

La bouillotte mal refermée avait coulé pendant la nuit et l'eau s'était répandue sur la couverture électrique chauffant au maximum. Réveillée par une odeur de roussi, possiblement à quelques minutes de la combustion, j'avais bondi hors de mon lit. Sur tout le côté gauche de mon corps, le long de ma cuisse et de mon torse, de grandes lignes rouges striaient ma peau. De petites cloches d'eau étaient vite apparues sur les marques et, en peu de temps, j'ai eu l'air d'un morceau de papier bulle. Malgré la douleur vive, je n'avais pas pu m'empêcher de crever les ampoules.

Debout toute nue au milieu de ma chambre, j'avais pleuré de désespoir. Pour atténuer la brûlure et calmer mes larmes, j'avais roulé un joint et j'étais allée le fumer dans la salle de bain, à six heures du matin. Une heure plus tard, en proie à une attaque de *munchies*, j'avais enfilé mes vêtements en me tortillant de douleur et j'avais marché comme une somnambule jusqu'à la pâtisserie du coin. Six pains au chocolat, quatre chaussons aux pommes, trois millefeuilles, deux éclairs, un gros morceau de fudge aux noisettes. J'avais passé ma commande à la caissière en récitant les articles notés sur une liste, comme si j'achetais le petit déjeuner de tous mes collègues de bureau. Quelle fille serviable, vraiment. De retour dans ma chambre, j'avais tout englouti avec un litre de lait.

La routine était vite devenue quotidienne, avec un nouveau record de quatre fois dans la même journée. Heureusement, j'avais une salle de bain pour moi toute seule. La femme de ménage de l'auberge ne passait qu'une fois par semaine. Avant son arrivée, j'ouvrais la fenêtre, je m'empressais de nettoyer ma chambre, de vider le cendrier et d'allumer des bâtons d'encens dans tous les coins pour chasser les odeurs de fumée et de vomi.

J'ai tourné le dernier coin de rue avant l'épicerie. Au bord du trottoir, une femme énorme tentait avec peine de sortir de sa voiture. Elle a fini par s'agripper à la portière pour se hisser hors du véhicule, pantelante, les bourrelets tremblotants comme du Jell-O encore frais. Je l'ai regardée traverser la rue. Cruelle ironie, juste en face du Foodtown, se trouvait New Balance, un centre d'amaigrissement haut de gamme, offrant l'entraînement sportif, la rééducation alimentaire, la thérapie individuelle et de groupe. J'avais visité leur site Internet quelques jours plus tôt : un décor luxueux, une équipe d'entraîneurs et de nutritionnistes souriante et bardée de diplômes, des appareils d'exercice spécialement adaptés importés des États-Unis et une liste d'attente de huit mois. Les investisseurs devaient être fiers de leur coup : les *fat people* de la Nouvelle-Zélande, comme ceux de partout ailleurs, auraient préféré s'amputer un doigt plutôt que d'aller transpirer dans l'enfer climatisé d'un gym conventionnel.

Pas question d'aller se donner en spectacle entre un Monsieur Muscles suant des stéroïdes et une midinette moulée dans le lycra qui s'acharnait sur son Stairmaster.

Chaque jour depuis la toute récente ouverture de New Balance, ils entraient par dizaines dans l'établissement, avec leurs t-shirts grands comme des parachutes et leur démarche de pingouin. Je ne pouvais m'empêcher de les regarder, parfois même pendant une demi-journée. Je m'asseyais sur un banc devant l'immeuble et je les attendais. Je gardais mes lunettes fumées et un bouquin ouvert sur mes genoux pour éviter qu'ils soupçonnent la spectatrice du *freak show*, et je les fixais. Parce qu'il s'agissait bien de ça : une fixation. La même fascination morbide qui poussait à ralentir pour mieux voir les victimes d'un accident de la route ou à garder les yeux ouverts pendant la version non censurée de *Massacre à la tronçonneuse*. J'examinais en détail leurs silhouettes de bonshommes de neige fondus : leurs bras où la graisse pendait, beige et grumeleuse comme du tapioca, leur ventre tombant sur leurs cuisses, l'accordéon sous leur menton. Mes accès de voyeurisme me pesaient sur la conscience, je me trouvais méchante, mais c'était plus fort que moi.

« C'est exactement ce qui t'attend si tu te laisses aller, me menaçais-je en les regardant défiler. Tu es une obèse de cinquante-six kilos, mais une obèse quand même. La seule différence entre eux et toi, c'est qu'ils digèrent leur nourriture. Sinon, c'est pareil. Le même bobo. Le leur se voit mieux de l'extérieur, c'est tout. »

Je suis restée sur le banc vingt minutes avant de me lever pour aller à l'épicerie. En entrant, j'ai pris un panier et je l'ai rempli de tout ce que j'ai trouvé de plus gras et de plus sucré. J'ai ensuite pressé le pas jusqu'à l'auberge, le cœur en chamade, pareille à une héroïnomane cachant dans sa poche la seringue tant convoitée, qui entend chaque veine hurler *shoot me.*

De retour dans ma chambre, j'ai préparé mon petit rituel. Un verre d'eau tiède et salée sur la table de nuit, pour la fin. Une serviette sur le lit, pour les miettes. Je n'ai pas oublié d'enlever ma bague, pour éviter de m'égratigner le palais avec l'améthyste comme la dernière fois.

En trente minutes, la nourriture avait disparu. J'ai titubé péniblement jusqu'à la salle de bain, le dos courbé par le mal d'estomac, le ventre rond comme ceux des enfants sur une affiche de l'Unicef. Dans quinze minutes, il serait plat à nouveau.

Vomir me soulageait et m'assommait, comme si j'avais reçu un coup de massue sur le crâne. Dans une heure, je dormirais enfin, et demain arriverait vite avec son nouveau soleil et ses promesses d'absolution.

«Courage, Clarence. Une dernière fois. »

J'ai enfoncé mon poing dans mon ventre. Ça faisait mal. Plus que d'habitude. Je pensais souvent à la péritonite, c'est ce qui avait tué le père de Sophie l'année précédente : une perforation du tube digestif qui s'était compliquée. Dégoûtant. J'ai imaginé le contenu de mon estomac se déverser dans tout mon corps et ça m'a fait vomir de plus belle.

Dans la cuvette des toilettes, une volute rouge a coloré l'eau. J'ai d'abord cru qu'il s'agissait de la crème glacée aux cerises. Non, c'était trop foncé. Du sang. D'après les forums Pro-Ana, beaucoup de filles allaient jusque-là. Elles avaient l'air d'en être fières, comme si la présence du sang fournissait l'assurance du vide intérieur. Pour moi, c'était la première fois. Malgré la peur qui me sanglait la gorge, j'ai continué. Après le dernier spasme, quand il n'est plus rien resté, je me suis laissée glisser contre le mur de la salle de bain. J'étais épuisée et je voulais éviter le jugement meurtrier du miroir.

Étourdie, j'ai serré ma tête entre mes genoux et je me suis recroquevillée sur le sol.

Est-ce que j'allais crever ici, au bout de la Terre, après avoir réussi à me vider de tout, même de moi? Est-ce qu'une vague de folie allait m'engloutir et me laisser m'échouer comme ça, sur le plancher froid d'une salle de bain? Était-ce le seul répit possible?

Je ne pouvais pas concevoir la poursuite de l'exténuante bataille encore longtemps. Je refusais que ma vie soit une suite de journées gâchées et de fausses promesses. Je me sentais comme un crabe tombé au fond d'un puits, un petit crabe qui essaie de toutes ses forces de se hisser hors du trou avec ses pinces, retombe chaque fois au fond, mais recommence parce qu'il est trop con pour comprendre que ça ne marchera jamais.

En bougeant un peu pour me relever, je me suis aperçue que quelque chose clochait. Mes pieds n'étaient plus là, je ne sentais plus rien en bas des chevilles.

J'ai essayé de bouger les orteils. Rien à faire. Rapidement, la panique a pris possession de mon corps et mes mains se sont mises à trembler. J'ai dû m'agripper au bord de la baignoire pour me rasseoir contre la porte.

— Mon Dieu, si vous êtes là, aidez-moi. Je ne veux pas mourir ici.

La sensation d'engourdissement est montée jusqu'à mes mollets. J'ai senti la sueur descendre dans mon dos et derrière mes genoux, puis j'ai vu des taches brillantes apparaître sur le mur devant moi. Une nausée est montée dans ma gorge. Il ne me restait pourtant plus rien dans le ventre. Incapable de m'agenouiller devant la toilette, j'ai vomi dans la baignoire. Encore du sang. Trop de sang.

Un élancement a traversé mon crâne et la périphérie de mon champ de vision s'est assombrie. J'ai su que j'allais m'évanouir. Les contours ouatés de l'inconscient m'ont attirée un instant, mais la peur de ne plus me réveiller m'a forcée à garder les yeux ouverts. Les noms de celles qui n'en étaient jamais revenues se sont mis à défiler dans ma mémoire. Je les avais notés sur la dernière page de mon journal avant de quitter Québec, juste pour m'effrayer. Dans mon lit, le soir, je les récitais comme autant d'arguments pour respecter mes résolutions du lendemain matin : Amélie V., 24 ans, arrêt cardiaque ; Viviane L., 17 ans, rupture de l'œsophage ; Évelyne C., 29 ans, suicide.

Clarence P., 20 ans, hémorragie interne ? Je me suis mise à pleurer. Il n'y avait même plus de larmes, rien qu'un long gémissement sec.

Il fallait trouver un moyen de sortir d'ici. L'escalier et la réception me paraissaient à des kilomètres. Je n'arriverais jamais à crier assez fort pour qu'on m'entende. L'engourdissement atteignait maintenant ma taille. Mes mains commençaient à picoter elles aussi, comme mes pieds l'avaient fait avant de s'endormir. Je n'avais pas beaucoup de temps.

« La douche », me suis-je souvenue. Si on tournait le jet vers la gauche, il y aurait une inondation dans le dortoir des garçons.

J'ai allongé mon bras vers le robinet d'eau froide et je l'ai tourné au maximum. J'ai réuni mes forces et je me suis appuyée contre le rebord de la baignoire pour atteindre le pommeau.

« Allez, le crabe, un dernier effort. »

En pleurant et en m'éclaboussant partout, j'ai réussi à tourner le jet. Je me suis laissée tomber par terre et j'ai perdu conscience.

Chapitre 16

Dans le noir, tout près de moi, une femme chantait. Je me suis concentrée sur les paroles de sa chanson : douces, mélancoliques, elles se lamentaient sur un amour perdu.

J'étais arrivée. J'entendais la voix de l'ange préposé aux portes du paradis. J'aurais préféré un accompagnement au violon ou à la harpe, mais pour le moment, ça demeurait *a capella*. Elle a entamé le refrain. « Tiens, les anges faussent », ai-je noté, un peu déçue. J'ai voulu ouvrir les yeux pour enfin voir le jardin sur lequel on avait tant spéculé, mais mes paupières, qui n'étaient plus sous la férule de mon cerveau, s'entêtaient à rester closes. La voix s'est élevée pour la note finale et elle a faussé de plus belle.

Si tout se passait comme annoncé, je pouvais m'attendre à revoir ma vie entière défiler comme dans un film accéléré et muet des débuts du cinéma. La scène d'ouverture, peu invitante, mettrait en vedette ma mère en larmes dans une salle d'accouchement de l'Hôtel-Dieu de Québec. Mon père, qui s'était cogné sur le lit de métal en s'évanouissant, serait allongé sur une civière avec trois points de suture sur le front. Ça, c'était mon entrée dans le monde. On me l'avait racontée trop souvent pour que je puisse l'oublier. Et la sortie ? Ça avait fini comment, déjà ?

Ah oui, je voyageais en Nouvelle-Zélande. Les volcans, les fleurs, les Polynésiens, les voiliers dans la baie d'Hauraki. Magnifique. Décidément, j'avais choisi un bel endroit pour mourir. Qu'est-ce qui m'était arrivé ? Accident de la route ? Noyade ? D'un coup, une vague de mémoire m'a ramené les dernières sensations de mon voyage : les flaques de sang sur la céramique blanche de la baignoire, la froideur du carrelage sous ma joue, la douleur acérée dans mon ventre, le jet de la douche contre le mur. Non, non, ça ne pouvait pas s'être terminé comme ça ! La honte ! Dans ma poitrine, j'ai senti mon cœur battre plus fort.

Mon cœur… Une morte ne pouvait quand même pas sentir *son propre cœur* palpiter. Ça voulait donc dire que j'étais… vivante !

Oui ! Les images ont continué de me revenir. Je me souvenais d'avoir été transportée, puis hissée à bord d'un véhicule. Des gens s'affairaient autour de moi et parlaient fort. Un homme criait des ordres en me remontant une paupière d'un doigt rugueux. On me posait des questions, mais je ne pouvais pas répondre, je ne faisais que geindre et pleurer. Je me souvenais d'une aiguille qui fouillait mon avant-bras, une voix de femme qui pestait contre mes veines fuyantes. Après, plus rien.

En faisant un effort considérable, j'ai réussi à bouger les lèvres et à produire un petit son. La chanteuse s'est arrêtée, je l'ai sentie s'approcher, puis recommencer ses vocalises en s'éloignant. Cette fois, c'était un air connu : *Hey Jude* des Beatles. Dans ma tête, je me suis jointe à sa voix. Je me souvenais de toutes les paroles, ça devait être bon signe pour les dommages cérébraux.

À la fin de la chanson, j'ai réussi à entrouvrir les yeux, pour les refermer aussitôt à cause de l'excès de lumière. Je me trouvais bel et bien dans une chambre d'hôpital, et non pas à l'entrée du proverbial tunnel au bout duquel les silhouettes floues de Papi et de mon chien Plumeau m'attendaient dans une lumière divine. Un soluté dans le bras, je portais une chemise d'hôpital bleue et un bracelet d'identification en carton rose autour du poignet… En plus, ça empestait le désinfectant, je n'étais donc pas au paradis. J'ai cligné des yeux plusieurs fois et j'ai réussi à tourner la tête vers la fenêtre. L'infirmière était penchée au-dessus du lit vide à côté du mien, occupée à insérer un oreiller dans une taie. Elle a posé le coussin, l'a lissé du revers de la main, a reculé d'un pas pour admirer le lit enveloppé serré dans ses nouveaux draps.

J'ai toussoté. Elle m'a souri et s'est empressée de venir vers moi.

— Je suis à l'hôpital ? ai-je demandé, la voix râpeuse.

Ma langue était épaisse et j'avais un goût infect dans la bouche.

— Vous êtes au Takurua Private Health Centre, mademoiselle.

Elle a saisi la carafe en plastique jaune sur la table de chevet, a versé de l'eau dans un verre qu'elle a porté à mes lèvres. Je l'ai bu d'une traite.

— Depuis combien de temps ?

— Seulement depuis hier matin.

Elle s'est approchée un peu plus, a remonté ma couverture.

— Je m'appelle Kate, je suis aide-infirmière. Je vais appeler le médecin, elle devrait passer d'une minute à l'autre.

— Qu'est-ce qui m'est arrivé ?

— Rien de grave. La docteure Woodhouse va tout vous expliquer. Vous avez besoin de quelque chose ?

— Encore de l'eau, s'il vous plaît.

Avec son aide, j'ai réussi à m'asseoir. Elle a replacé mes oreillers, m'a regardée boire et m'a tapoté l'épaule sans jamais cesser de sourire. Elle devait avoir mal aux joues à la fin de son quart de travail.

— Je vais chercher la docteure Woodhouse.

Elle a disparu dans le couloir. J'ai ramené mes jambes contre moi et j'ai posé ma tête sur mes genoux. Si j'étais arrivée ici hier, on était donc lundi. Merde ! J'avais promis à Mamie de l'appeler dimanche soir. Elle devait être en train de s'arracher les cheveux. Pourvu qu'elle n'ait pas appelé la Suisse. J'ai pensé à monsieur Lewis, le proprié-taire de l'auberge, qui avait dû me trouver par terre dans la salle de bain. Sans contredit, une superbe scène : les flaques de sang, l'odeur de vomi, le sachet d'herbe, les pots de crème glacée ouverts sur le lit. Il s'était probable-ment imaginé une tentative de suicide. Mon Dieu, quelle honte ! Quel prodigieux gâchis !

Je me suis recouchée sur le côté, face à l'étagère contre le mur. J'ai vu qu'on y avait posé ma jolie valise et mon sac à main et, en dessous, dans un sac en plastique transpa-rent, mon ourson-bouillotte et ma couverture électrique. Quelqu'un avait vidé ma chambre et apporté tous mes effets à l'hôpital. J'avais été expulsée de l'auberge, c'était aussi simple que ça. Drogue, dégât d'eau, dépravation… inutile de les blâmer.

En me basant sur la couleur timide de la lumière qui filtrait à travers les stores vénitiens et sur les piaillements surexcités des oiseaux, j'ai conclu que c'était le matin. Je me suis levée lentement, prenant soin de ne pas coincer mon tube et faisant une pause entre chaque mouvement pour stopper le tournis. J'avais un spectaculaire mal de tête, dif-férent d'une migraine, mais pas moins douloureux. Une fois debout, j'ai vacillé vers ma valise pour récupérer mon nécessaire de toilette et j'ai entrepris de me brosser les dents au-dessus du petit lavabo à côté de mon lit. Le den-tifrice m'a décapé la gorge et j'ai craché immédiatement.

J'ai fouillé dans ma trousse pour trouver mon miroir de poche avant de retourner me blottir sous les draps. Là, j'ai réuni mon courage et j'ai ouvert le compact devant mon visage.

Au-dessus de mon sourcil droit, une contusion pourpre, ocre et bleu nuit, de la taille d'un gros biscuit, expliquait mon mal de tête. J'avais dû me cogner en tombant. J'ai examiné mes yeux, toujours injectés de sang. Ma peau était tellement sèche qu'elle pelait par plaques sur les ailes de mon nez et au creux de mon menton. Mes cheveux hirsutes ressemblaient à une crinière de lion. Je n'aurais pas pu dire à quand remontait mon dernier shampoing. Sans ma valise bon chic bon genre et mon sac à main en cuir italien, les infirmières m'auraient prise pour une clocharde disjonctée ramassée dans le caniveau. Je me suis surprise à souhaiter qu'on me garde encore un peu à l'hôpital, au moins le temps que s'estompe mon coucher de soleil sur le front. Mais même si je restais ici cette nuit, il fallait trouver un autre endroit où dormir demain. Je devais aussi me dépêcher d'appeler Mamie avant que la section internationale de la Gendarmerie royale ne s'en mêle.

J'ai soupiré. Un autre cataclysme dans ma vie. En plus, ça allait en s'aggravant. Mon corps sonnait l'alarme avec un message clair : il ne tiendrait pas le coup si je maintenais le programme de torture.

Je ne pouvais m'empêcher d'imaginer le pire scénario. Si j'étais morte ici, un policier aurait trouvé mon passeport et le numéro de téléphone de mon appartement à Québec. Olivier aurait été le premier à apprendre la nouvelle. Ils auraient voulu parler à un membre de ma famille, mais comme Mamie Rose ne comprenait pas l'anglais, et encore moins l'accent profond d'ici… Olivier et Sophie auraient été les messagers. La scène s'est jouée dans ma tête et j'ai eu un frisson.

La docteure Woodhouse, une femme bien en chair aux pommettes saillantes et aux lèvres charnues, est entrée dans ma chambre d'un pas pressé, une pile de dossiers sous un bras. Elle a jeté un bref coup d'œil au document du dessus.

— *Good morning, Miss... Paradise!*

Je me suis retenue pour ne pas pouffer de rire tellement l'ironie était poussée.

— C'est Para-dee, en fait.

— Joli nom. Comment on se sent ce matin?

— Disons que j'ai vu de meilleurs jours.

Elle a accroché son stéthoscope à ses oreilles, m'a fait signe de m'avancer et m'a collé le cercle de métal froid comme un glaçon entre les omoplates.

— Respirez profondément par la bouche... c'est ça... voilà.

Après avoir vérifié que mon cœur battait la mesure, elle m'a attaché un brassard autour du bras gauche et s'est mise à serrer avec sa pompe.

— Plutôt maigre, ce bras, vous ne trouvez pas? Vous ne mangez pas assez, on dirait.

— J'ai eu beaucoup de stress dernièrement.

— Vous êtes en vacances?

— Oui, depuis trois semaines.

Je commençais à m'impatienter.

— Vous allez me dire ce qui m'est arrivé, docteure?

Elle s'est approchée du lit, a retiré son stéthoscope.

— D'abord, vous êtes arrivée ici extrêmement déshydratée, avec un taux d'électrolytes dangereusement bas. Vous savez ce que sont les électrolytes?

— Hum, hum. Sodium, potassium, ces trucs-là?

— Ces trucs-là, comme vous dites, servent à maintenir la fonction cardiaque et le système neurologique. Il ne faudrait pas prendre leur déséquilibre à la légère.

En plus, vous avez un ulcère à l'œsophage, juste à l'entrée de l'estomac. Vous avez souffert de maux de ventre, je présume ? Des serrements de gorge quand vous avalez ?

— Un peu.

— On vous a fait une gastroscopie hier, à votre arrivée…

— Une quoi ?

— On a inséré dans votre bouche un tube à l'embout muni d'une petite caméra et on l'a descendu jusque dans votre estomac.

— C'est pour ça que j'ai la gorge irritée ?

— Entre autres. Vous avez quelque chose à y voir aussi, non ? Votre appareil digestif est en piteux état. Rien d'irréversible, heureusement. Vous avez eu de la chance, croyez-le ou non.

Elle a croisé les bras et m'a regardée intensément, la bouche pincée, avec une condescendance palpable. J'aurais pu jurer qu'elle canalisait vers moi toute l'amertume de ses régimes ratés. Je ne l'aimais pas beaucoup.

— Maintenant que je vous ai dit ce qui ne va pas avec le physique, vous pourriez peut-être m'éclairer sur ce qui se passe ici ?

Elle a tapoté sa tempe deux fois. Je me suis renfrognée. J'avais tous les signes évidents, même le dernier des imbéciles aurait pu établir mon diagnostic en entrant mes symptômes dans Google.

— J'ai des problèmes alimentaires, ai-je marmonné entre mes dents, avec le ton exaspéré d'une enfant contrainte d'avouer une bêtise.

— Vous êtes boulimique, c'est ça ?

Elle a adouci la voix, mais son regard restait dur, chargé de reproches. Elle aurait dû soigner des militaires, pas des folles qui s'infligent elles-mêmes leurs blessures au nom de la mode.

— J'ai plutôt l'habitude d'être anorexique, en fait.

— Les épisodes de purge sont récents, alors ?

J'ai serré les poings sous ma couverture. Boulimie, purge, ces mots m'égratignaient le tympan. Boulimie. Bou-boulimie. Ça évoquait un appétit d'ogresse, une perte de maîtrise de soi et beaucoup de vomi. Des purges, comme elle disait. Ça m'a fait penser à Corneille qui vomissait des boules de poils sous mon lit, la nuit. Anorexie, au moins... je ne sais pas pourquoi, mais ça paraissait plus noble comme problème. La maladie avait ses saintes patronnes : Catherine de Sienne et Claire d'Assise, championnes de l'amaigrissement mystique. Au quatorzième siècle, plusieurs religieuses choisissaient de se priver de nourriture pour se rapprocher de Dieu et elles finissaient si affamées qu'elles hallucinaient et voyaient des anges descendre du ciel. La différence, c'est qu'en échange de leurs sacrifices, on les canonisait. J'étais née à la mauvaise époque.

— Récents, oui, si on veut. Disons qu'avant c'était une fois par mois, pas plus. Maintenant, c'est presque toutes les semaines.

« Menteuse, menteuse », a sifflé ma conscience.

J'étais plutôt passée d'une fois par semaine à au moins deux fois par jour.

— On pourrait vous garder quelque temps ici, en psychiatrie, mais...

— En psychiatrie ?

Mon cœur s'est liquéfié.

« Marie, mère de Dieu, aidez-moi. »

Je me trouvais officiellement à l'asile de fous. Il me suffirait de sortir dans le couloir pour croiser des hommes convaincus d'avoir la CIA à leurs trousses, des femmes aux yeux vacants et aux poignets recousus et des gamins qui ont assassiné leur groupe de scouts pour imiter le jeu de guerre de leur PlayStation. Et maintenant, tadaaaam ! La cinglée qui vomit tout ce qu'elle mange.

— Avant d'aller plus loin et de vous parler de notre programme de rééducation alimentaire, il nous faut discuter de votre police d'assurance. Vous êtes ici dans un établissement privé. Les citoyens de la Nouvelle-Zélande utilisent une assurance personnelle lorsque l'attente est trop longue dans le système public, je suppose que c'est la même chose au Canada ?

— À peu près.

— Vous avez pris des mesures en cas d'ennuis médicaux pendant votre voyage ?

— Oui, j'ai ça dans mon sac à main, quelque part.

La police d'assurance m'avait été vendue à l'agence de voyages en même temps que mon billet d'avion. Si ma mémoire était bonne, elle stipulait qu'en cas de pépin, je devrais moi-même régler le compte. Je pourrais ensuite envoyer une réclamation et les frais médicaux me seraient remboursés à mon retour. À condition, bien sûr, que les dérapages psychiatriques soient couverts par le forfait. J'en doutais. Je sortirais d'ici avec une jolie facture, ce qui pouvait s'avérer fatal vu ce qu'il me restait en banque. Décidément, les choses allaient de mieux en mieux.

— Je pourrais sortir d'ici aujourd'hui ?

— Je le déconseille. Où iriez-vous ? Vous savez, le propriétaire de votre hôtel ne veut surtout pas vous…

— Je sais, je sais. C'est que… je retourne au Canada demain soir, ai-je menti. Je me soignerai là-bas, ce sera plus simple.

— Ah bon, vous étiez sur votre départ, alors ? Je préfère vous savoir chez vous, avec votre famille. Vous n'avez personne ici, n'est-ce pas ?

J'ai fait non de la tête, en regardant par terre.

— Vous me signez mon congé ?

Elle a acquiescé, a pris un stylo dans sa poche, l'a débouché avec ses dents. Sans retirer le capuchon d'entre ses molaires, elle a poursuivi en écrivant.

— Vous avez un sirop pour votre ulcère et des comprimés pour les électrolytes. Il faut les prendre en mangeant.

Elle a cessé d'écrire pour me jeter un regard dur.

— En mangeant, on se comprend bien ? Et surtout, aucun alcool, ni aucune cigarette. Pour la nourriture, donnez congé à votre estomac pour une semaine ou deux, en consommant surtout des soupes, des laitages et des substituts de repas liquides. Je note quelques marques faciles à trouver en pharmacie.

Elle m'a tendu l'ordonnance et s'est penchée pour me libérer de mon soluté. J'ai détourné la tête pendant qu'elle retirait l'aiguille de mon avant-bras.

— La pharmacie de l'hôpital est au rez-de-chaussée. Juste à côté, vous trouverez un bureau. Il est écrit *Accounting* sur la porte. C'est là que vous allez régler votre note. Vous avez besoin qu'on vous y accompagne ?

J'ai compris qu'elle m'avertissait de ne pas tenter de me sauver au Canada sans m'acquitter de mes dettes.

— Non, ça devrait aller. Je peux mettre ça sur Visa ?

— Bien sûr. Bon, je vous laisse. Faites attention à vous et bonne chance.

Elle est repartie de son pas rapide, penchée sur son prochain dossier. Je me suis demandé si elle, une psychiatre, devinait que je mentais. Peu importe. L'essentiel, c'était de foutre le camp d'ici.

Debout entre le lit et l'armoire, j'ai défait les deux boucles qui retenaient ma chemise d'hôpital et lentement, j'ai enfilé un pantalon. J'ai grimacé en constatant que tous mes vêtements empestaient la fumée et le renfermé. J'avais besoin d'un lavoir et d'une bonne douche. Mais d'abord, sortir avant d'être enfermée à jamais. Trouver un endroit pour me retaper, même si ça voulait dire me payer un hôtel de luxe pour une nuit. Et surtout, il me fallait un téléphone. Je sentais l'inquiétude de Mamie grimper chaque minute.

J'ai attaché mes cheveux, appliqué un peu de crème hydratante sur les plaques sèches de mon visage et recouvert mon front bleu d'une épaisse couche de fond de teint. Au fond de ma valise, j'ai trouvé le chapeau blanc acheté pour les jours de plage. Je l'ai enfoncé sur ma tête et j'ai mis mes lunettes de soleil. Voilà. Maintenant j'avais l'air d'une *star* de cinéma sortant incognito de la clinique de désintoxication de Malibu. J'avais de la chance, au moins je ne risquais pas de voir mon visage hagard en couverture de *People Magazine* le lendemain.

Le couloir était désert. J'ai pris l'ascenseur. En bas, j'ai d'abord acheté mes médicaments. Ensuite, je suis allée régler la note. Quand la secrétaire m'a remis le document, mes yeux se sont écarquillés devant le total et l'oxygène est sorti de mes poumons d'un seul coup. On pouvait oublier l'hôtel de luxe. En signant au bas de la page, ma main tremblait. La faillite était désormais inévitable. Si je ne trouvais pas de travail d'ici une semaine, je reprenais l'avion pour Québec.

— Pourriez-vous me dire où on se situe, par rapport au centre-ville ?

— Queen Street est à dix minutes en taxi. Prenez à droite en sortant, vous trouverez un téléphone avec une ligne directe pour appeler une voiture.

Je l'ai remerciée et j'ai quitté l'hôpital. J'ai demandé au chauffeur de me déposer sur Jervois Road, une rue plutôt agréable, pleine de petits cafés où je pourrais prendre le temps de concevoir un plan d'attaque pour la semaine.

J'ai marché à la recherche de l'endroit idéal. Mamie Rose avait raison : une valise à roulettes, c'était pratique. « Heureusement que je voyage léger », ai-je marmonné en essuyant une première goutte de sueur sous mon nez. Le soleil, au zénith, plombait sur ma tête comme s'il me visait personnellement. Dans le ciel, les oiseaux volaient bas, comme alourdis, et l'humidité embrouillait le contour des choses. J'ai recommencé à voir des taches lumineuses et, sous mon chapeau, ma tête piquait à cause de la sueur. Au coin de la rue, entre un cordonnier et une quincaillerie, j'ai repéré un Lava Java. C'était un lavoir-café hybride un peu grano, avec un comptoir à sandwiches entre les rangées de machines à laver. Comme je me sentais au bord de la défaillance, j'y suis entrée. L'air conditionné y soufflait fort et, derrière le bourdonnement des Maytag industrielles, on pouvait deviner Marianne Faithfull qui chantait *Boulevard of Broken Dreams*. J'ai pris ça pour une invitation.

Je suis allée aux toilettes enfiler le seul vêtement propre qui me restait, une robe courte et extensible en coton rayé noir et blanc, achetée pour porter par-dessus mon maillot de bain sur la plage. Le lavoir était désert, seul un homme en camisole grisâtre était assis dans un coin, devant un téléviseur muet qui rediffusait les faits saillants du match des All Blacks de la veille. J'ai acheté une boîte de détergent à lessive dans la distributrice, j'ai empilé mes vêtements sur une table et j'ai entrepris de séparer le blanc des couleurs.

Maintenant, il fallait manger. Je crevais de faim. Avec mes dents, j'ai déchiré mon bracelet d'hôpital oublié autour de mon poignet et je suis allée au comptoir. Une jeune fille aux cheveux turquoise m'a souri en versant une cruche d'eau dans le réservoir de la machine à espresso.

— On n'a plus de gaspacho, a-t-elle indiqué. La soupe du jour est maintenant melon, concombre et menthe. Servie froide, bien sûr.

— Ce sera ça alors, et une eau minérale.

Au fond de mon ventre, le dragon s'est retourné, vexé. «Je veux des biscuits et de la crème glacée», a-t-il vociféré en tapant du pied. «Toi, la ferme», ai-je répliqué. Il s'est mis à tourner en rond, furieux, mais au bout de trois minutes, il s'est fatigué, a ralenti et a fini par aller bouder dans un coin.

Plus je lui tiendrais tête, plus il s'affaiblirait. Si je cédais et recommençais à faire ses quatre volontés, il deviendrait de plus en plus fort, capricieux, invincible.

Après avoir choisi quelques vieux magazines touristiques dans une pile sur le comptoir, j'ai transporté mon plateau jusqu'à une table près de la fenêtre. En feuilletant un article sur l'observation des pingouins dans l'île du Sud, j'ai avalé mes comprimés avec une gorgée de mon abject et crayeux sirop anti-ulcère. J'ai ensuite mis les écouteurs de mon iPod et haussé le volume au maximum. Il fallait empêcher la déprime d'engloutir ma journée. Je la sentais gronder comme la vague d'un tsunami, attendant la première brèche pour faire sauter le barrage.

Tout était à recommencer. Encore. Cette fois, il ne fallait pas que ça dérape. Le besoin le plus pressant était de travailler et de renflouer mon portefeuille. Ce serait simple de trouver un emploi de barmaid, mais je n'avais plus envie d'être à Auckland, et surtout pas de servir la faune nocturne de Manderley Road. J'ai sorti mon *Lonely Planet* de mon sac et je l'ai ouvert à la carte de l'île du Nord.

Au bout de vingt minutes, peu inspirée, j'ai mis mes vêtements au séchage et j'ai demandé à la caissière de surveiller ma valise pendant que j'allais téléphoner dans la cabine repérée au coin de la rue.

J'ai composé le numéro. Quand Mamie a répondu, à la deuxième sonnerie, j'ai compris que j'avais oublié de calculer le décalage : il était une heure et demie du matin à Québec.

— Mamie ! Oh, excuse-moi, j'ai fait une erreur de calcul ! Je te réveille !

— Clarence ? Clarence ! Jésus, Marie, Joseph, merci, merci !

Je l'ai presque entendue faire son signe de croix.

— Ça va ?

— J'étais tellement inquiète, mon ange !

— Je suis désolée, je sais que je devais t'appeler hier soir, mais j'ai eu un empêchement...

— Ha ! Si tu savais le cauchemar épouvantable que j'ai eu la nuit dernière, je suis juste contente de voir que ce n'était rien de prémonitoire ! Tu te noyais ! Tu disparaissais, toute seule dans la mer, sans que personne te voie.

— Voyons, Mamie, tu te souviens, je nage comme un poisson. Il ne faut pas t'alarmer quand je n'appelle pas... En plus, il y a des sauveteurs sur toutes les plages, ici...

Elle n'a pas répondu.

— Mamie, es-tu là ?

— Hum, hum.

— Mamie, tu pleures ?

Elle a reniflé.

— C'est les nerfs, excuse-moi. Je sais que je t'ai promis de ne pas m'en faire, mais le rêve était tellement réel ! J'ai cru que ça arrivait pour vrai, je suis même allée sur le site Internet du journal d'Auckland ce matin, au cas où ils t'auraient retrouvée. Je ne comprends pas un mot d'anglais, tu sais bien, alors j'ai appelé Sophie...

— Tu n'as pas appelé mon père ?

— J'attendais à demain matin. Tu es sûre que tout va bien, mon ange ?

Ma gorge s'est rétrécie et j'ai senti que de ce côté aussi, les larmes étaient en chemin.

— Clarence?

— Oui, ça va, euh… en fait, pas tellement. Mais ce n'est rien de grave! Je ne veux pas t'angoisser, Mamie, tu as assez de tes problèmes…

Ma voix s'est cassée.

— C'est la nourriture, encore? Ça ne passe pas?

— Pas vraiment, non.

— Eh, Seigneur… je voudrais donc faire quelque chose!

— Prie pour moi.

— C'est mon travail à temps plein, ma petite fille.

Je me suis laissée glisser contre la paroi de la cabine téléphonique et je me suis assise au fond, le visage au creux des mains.

— Clarence?

— Oui?

— Demande-lui de t'aider, au bon Dieu. Demande-le-lui directement.

Je n'allais quand même pas avouer à ma grand-mère que j'avais classé le bon Dieu dans la même catégorie que le père Noël et la fée des dents. Que je lui demandais de prier pour moi parce que ça lui faisait du bien à elle et non pas parce que je partageais ses convictions. Mamie, qui a senti mon malaise au bout du fil, a poursuivi.

— Je ne parle pas du bon Dieu qu'il faut aller prier dans une église, tu le sais…

— Que ce soit lui ou un autre, Mamie… s'il avait vraiment les outils pour aider le monde, tu ne penses pas que mon cas serait plutôt bas sur sa liste de priorités? Après avoir vu ce qui se passe au Soudan et en Irak, ça me surprendrait qu'il soit impressionné par mon problème de poids.

— Ce n'est pas un problème de poids, ma petite fille, tu le sais autant que moi.

— Ah bon ?

— Je pense que tout ça… c'est parce que… c'est un manque d'amour envers toi-même, voilà !

— Je sais pas, Mamie.

— En tout cas, tu ne perds rien à Lui demander de l'aide. Regarde ton oncle André…

— Le bon Dieu n'a rien à voir là-dedans.

Mon oncle André, convaincu dur comme fer que le Tout-Puissant lui avait tenu la main à chaque réunion des Alcooliques Anonymes, n'avait pas bu depuis cinq ans.

— L'important, au départ, c'est de croire en son aide. Quand j'ai eu des problèmes d'argent, je lui ai demandé une réponse et regarde… il m'en a donné une !

— Voyons, Mamie, c'est moi qui t'ai suggéré de vendre tes tartes.

— Ben oui ! J'ai eu ce que je voulais : une réponse ! Je ne m'attendais quand même pas à ce qu'Il descende dans la cuisine en personne pour m'aider à rouler la pâte. Si ça marchait comme ça, je lui aurais demandé un billet gagnant pour la Lotto 6/49.

— Tu penses qu'il connaît la solution à mon problème ?

— La solution est déjà à l'intérieur de toi. Le bon Dieu aussi, d'ailleurs. Demande-lui juste de monter un peu le volume et tends l'oreille !

— OK, OK, je vais faire ça.

Évidemment, je n'y croyais pas, mais les certitudes de Mamie me soulageaient pour elle. À la fin d'une vie, elles devaient faire toute la différence.

— Bon, on a assez parlé de moi ! Comment s'est passé ton scanner vendredi ?

— Ah, un vrai charme. Comme un petit tour de corbillard.

— Mamie !

— J'ai déjà le résultat.

— Non !

— J'ai un bon médecin, il s'est arrangé pour m'éviter de patienter toute une semaine. L'attente, c'est souvent ce qui est le plus difficile. On s'invente toutes sortes de scénarios, les meilleurs comme les pires, on passe de l'optimisme au désespoir, on se met à négocier des ententes avec le bon Dieu... c'est bien fatigant.

— Tu l'as su quand ?

Je me sentais capable de lui poser toutes les questions du monde, mais pas celle qui risquait de m'arracher le cœur d'un coup.

— Il m'a appelée ce matin et je l'ai rencontré en fin d'après-midi. Quand je me suis assise dans son bureau et que j'ai vu la boîte de mouchoirs qu'il avait placée à la portée de ma main, j'ai compris qu'il allait m'annoncer...

Mes oreilles se sont mises à bourdonner, comme pour se protéger du choc des paroles qu'elles refusaient d'entendre. La voix de Mamie m'a soudain semblé toute petite et brouillée et, pendant qu'elle m'expliquait le pronostic du médecin, je l'entendais à peine. Ses phrases n'avaient plus de sens, tout ce que mon cerveau arrivait à décoder ressemblait au défilé des pires mots du dictionnaire : métastases ganglionnaires, tumeurs agressives, cancer incurable.

— Combien de temps, Mamie ?

— Six mois, un an.

La douleur est venue, mais pas les larmes. Je l'ai laissée me traverser le corps pendant quelques secondes, et quand j'ai retrouvé l'usage de la parole, ma voix était calme. Il n'y avait pourtant rien à dire dans un moment comme ça, pas un mot qui pouvait se mesurer à une si grande peine et meubler un vide si absolu.

— Je voudrais tellement être là…

— Je sais, mon ange, je sais.

— Es-tu angoissée?

Elle a soupiré.

— Pas tant que ça, non. Ce qui me tracasse, c'est de devoir l'annoncer à tout le monde. C'est la peine des autres qui me fait peur, tu comprends?

— Je pense que oui. Mais quand même, tu ne devrais pas rester toute seule…

— J'ai besoin de solitude pour l'instant. Il faut que je laisse cette nouvelle-là se caser dans ma tête. Ça pourrait prendre quelques jours. Après ça, il va falloir discuter de choses sérieuses, toi et moi. Je ne sais pas si on va se revoir, alors j'ai pensé…

— Mamie!

— Oui?

— Bien sûr qu'on va se revoir.

— Je ne sais même pas si je vais passer l'hiver. Actuellement, je me sens plutôt bien, mais j'imagine que ça peut débouler vite.

— Je vais revenir à temps. D'ici là, je veux te parler toutes les semaines. Si tu commences à te sentir malade, je prends le premier avion.

— Écoute, Clarence… J'ai rendez-vous avec mon notaire mardi prochain…

Je l'ai sentie réunir son courage et ses espoirs.

— L'entreprise… Elle t'intéresse ou non? Tu te souviens qu'à l'ouverture, il y a dix ans, je t'ai promis qu'un jour tout serait à toi? Dans ce temps-là, ça avait l'air de te faire plaisir.

— Tu ne me trouves pas trop jeune pour prendre la relève?

— Bah… si Élisabeth II a pu devenir reine d'Angleterre à 26 ans… En plus, quand je me suis lancée en affaires, tout le monde pensait que j'étais trop vieille, ça fait que…

— Tu n'as pas peur que ça crée des conflits dans la famille?

— Inquiète-toi pas, tout le monde va avoir sa part du gâteau, ou sa pointe de tarte si on veut.

Elle a ricané.

— Je vais séparer 49 % des actions entre mes enfants, mais je voudrais que tu sois l'actionnaire majoritaire, tu comprends? J'ai toujours insisté sur une chose: si tu n'avais pas été là, Le Goût du Paradis n'aurait jamais vu le jour. De toute façon, donner des parts égales à tout le monde n'aurait aucun bon sens. Un chef dans une cuisine, c'est bien assez.

— Je vais réfléchir, Mamie. Je suis très, très flattée, ne pense pas le contraire, mais en ce moment, j'ai du mal à être l'actionnaire principale de ma propre vie, tu vois. Alors c'est difficile de m'imaginer à la tête d'une entreprise de desserts.

— Tu sais, ce qui est bien c'est que tu n'aurais pas à faire grand-chose. À moins que tu aies envie de la voir prendre de l'expansion, l'entreprise fonctionne pratiquement toute seule. Je t'assure que la présidente peut se la couler douce.

— C'est super, Mamie… mais j'aimerais mieux prendre un peu de temps avant de te donner une réponse. D'ici là, je vais m'acharner à aller mieux.

— Je comprends. Tu vas y penser, c'est ça?

— Sans arrêt! Ça va me donner une nouvelle motivation.

— N'oublie pas qu'il n'y a rien de plus important que ta santé. Je partirais en paix si je voyais que tu reprends le dessus.

— Je vais essayer.

— Tu vas réussir. Parles-en au bon Dieu.

— Promis, ai-je soupiré.

— Bon, on raccroche, ça va te coûter les yeux de la tête !

— Mais non, mais non. Si tu pouvais appeler mes parents et Sophie, leur dire qu'on s'est parlé et que tout va bien, ça m'arrangerait.

— Les finances, ça va ? Je peux t'envoyer de l'argent.

— Non, pas de problèmes de ce côté-là, s'est empressé de répondre mon orgueil. Je devrais commencer à travailler cette semaine. Je t'appelle dimanche prochain ?

— Oublie-moi pas, là, sinon je vais encore m'imaginer que tu t'es fait attraper par les Dents de la mer.

— Compte sur moi.

En raccrochant, j'en voulais à chacun des 15 000 kilomètres qui me séparaient de Mamie. Je me sentais plus loin, plus seule et plus triste que jamais. Pourtant, je ne pleurais toujours pas. J'avais le cœur à *Ground Zero*, un grand trou fumant qui mettrait des années à se reconstruire.

Dans la rue, tout était comme avant. Des enfants riaient sur le trottoir, un chat jaune dormait dans une boîte à fleurs, une femme en tablier accrochait une rangée de chaussettes sur sa corde à linge. La Terre n'était pas sortie de son axe, la vie continuait. La mienne était une catastrophe, mais je devais quand même retourner au lavoir pour plier mes petites culottes, payer ma soupe et trouver un endroit où dormir.

En passant devant un *dairy*, l'envie de m'y arrêter pour acheter des gâteaux m'a traversé le ventre. Quand l'angoisse montait, ça me prenait. J'ai traversé la rue en courant pour m'éloigner du danger.

De retour à ma table près de la fenêtre, j'ai repris mon courage et mon guide de voyage. Les coins paradisiaques ne manquaient pas en Nouvelle-Zélande et les occasions de trouver du travail semblaient nombreuses. Les stations de ski allaient bientôt ouvrir dans l'île du Sud et les vignobles du Marlborough recrutaient encore de la main-d'œuvre pour les vendanges tardives. J'avais envie d'aller partout et nulle part en même temps, de tout faire et de ne rien faire. Il fallait pourtant me décider avant d'être à la rue.

J'ai posé le *Lonely Planet* sur la table et j'ai fermé les yeux. Le hasard déciderait, comme deux mois plus tôt devant la section voyage de la librairie Pantoute. J'avais presque oublié comment j'avais abouti dans ce pays. Encore une fois, j'ai laissé mon doigt effleurer la tranche de mon livre pour qu'il me mène au bon endroit.

J'ai compté jusqu'à dix et j'ai choisi une page en me jurant que j'irais là où se poserait mon index. Aujourd'hui même. Défense de recommencer si je n'étais pas satisfaite du résultat. Le destin, c'est le destin.

Sept, huit, neuf… dix ! J'ai ouvert les yeux.

Kahukura.

La péninsule de Coromandel. À cent cinquante kilomètres d'ici. Kahukura était une communauté de moins de mille habitants, au bord du Pacifique. Décrite comme une destination estivale populaire pour le gratin d'Auckland, la région devait être assez tranquille en hiver. Au large de la côte, trois îles flottaient sur ma carte : l'île Soulier, l'île Pantoufle, l'île Pingouin.

Trois quarts d'heure plus tard, à la station centrale d'Auckland, je montais à bord du 15 h 30 pour Thames. De là, je prendrais une correspondance pour Ahorangi, la ville jumelle de Kahukura. L'autocar était vide. Je me suis allongée sur la banquette arrière et je me suis endormie presque aussitôt.

Chapitre 17

Accoudée sur la balustrade du balcon en fer forgé, une grande tasse de tisane au gingembre entre les mains, je regardais les nuages s'allonger, se déchirer et fondre sur l'eau. Pour le troisième matin de suite, à cause du décalage dont je n'avais pas encore réussi à me remettre après trois semaines en Nouvelle-Zélande, j'étais debout assez tôt pour voir l'instant exact où le soleil consentait à se montrer. C'est ici, à l'extrême sud du Pacifique, qu'il commençait sa tournée quotidienne : il lui faudrait encore dix heures avant de se lever sur Paris et seize pour se rendre à Québec. Kahukura, du bout de sa péninsule, assistait à l'ouverture du rideau sur un jour de calendrier encore vierge des événements qui marqueraient sa course jusqu'à minuit. À regarder l'horizon, pourtant, ce n'est pas une course qui me venait à l'esprit, mais plutôt la séance d'étirement qui la précédait. Ici, comme un flâneur, le soleil se réchauffait lentement, y pensant à deux fois avant de s'élancer pour balayer la noirceur de la nuit.

Trois jours parfaits. Pas de drame, pas de larmes. Devant l'étendue de la mer, bercée par le tonnerre incessant des vagues, j'arrivais parfois à dormir jusqu'à quinze heures d'affilée et je connaissais enfin une accalmie.

À l'aube, quand la plage était encore presque déserte, les bécasseaux étant sortis du nid pour examiner le festin laissé par la marée, je partais marcher le long de la lisière d'écume. Je me rendais jusqu'au fond de la baie, là où l'eau devenait presque noire, et je m'asseyais sur une grosse roche, carnet de voyage en main.

Quelque part derrière la ligne floue du bout de la mer, il y avait les îles Fiji, Samoa, Tonga et la Polynésie. Il avait fallu être fou pour vouloir conquérir cette étourdissante immensité comme l'ont fait Bougainville et le capitaine Cook. Ils avaient parcouru les mers sans cartes, avec un simple sextant et quelques étoiles pour s'orienter vers le sud. Quand Abel Tasman avait jeté l'ancre et posé le pied sur les berges de la Golden Bay, il l'avait baptisée baie des Assassins en l'honneur de l'accueil inoubliable que lui avaient réservé les guerriers maoris. Après le massacre, il avait quand même pris le temps de décrire, dans son journal de bord, toute la beauté du paysage et la richesse des terres. Plus de trois cent cinquante ans plus tard, je m'appliquais à la même chose, dépeignant de mon mieux le vol plané de l'albatros au-dessus du banc de poissons, les changements rapides de lumière, la texture du sable volcanique sous mes pieds. Quand je restais assise sur ma roche assez longtemps, je me sentais parfois si petite que je n'arrivais presque plus à me trouver grosse.

Le hasard choisissait bien mes destinations. Il était difficile d'être ici sans s'imprégner du doux confort de la campagne. Nichée au creux d'un écrin de velours vert tendre, Kahukura était un vrai village avec un clocher blanc et une rue principale fleurie et bourdonnante d'activité. Ses cafés annonçaient de l'espresso équitable et du pain bio, des dégustations de fromages et de vins locaux. Il y avait des boutiques d'artisanat et d'art maori, un restaurant végétarien où les gens faisaient la queue le midi, un studio de yoga avec un gros bouddha en papier mâché souriant dans la vitrine et, à l'étage au-dessus, une petite école de danse latine et folklorique.

J'avais donc passé les trois premiers jours entre mon lit, mon balcon et mon rocher, attendant avec patience la disparition de l'ecchymose sur mon front et du rouge dans mes yeux. Depuis mon arrivée, j'étais parvenue à suivre l'avis du médecin en m'alimentant de substituts de repas liquides. Le dragon, dégoûté par le nouveau menu, avait décidé d'aller se coucher et de faire la grève de la faim.

Mon hôtel ne comptait que cinq chambres, mais puisque c'était la basse saison, la propriétaire avait eu la gentillesse de me laisser la plus jolie, au dernier étage avec vue sur la mer, pour le même prix qu'une chambre du rez-de-chaussée, côté jardin. J'avais eu le coup de foudre pour le grand balcon et pour la pièce décorée à la victorienne, avec son édredon épais sur un lit en laiton, son fauteuil confortable près de la fenêtre à persiennes et sa baignoire sur pattes sous le puits de lumière de la salle de bain. Chaque soir, je prenais un bain brûlant parfumé à l'huile de marjolaine, en écoutant les pièces de musique que Sophie avait enregistrées pour moi sur mon iPod. Elle les avait regroupées par thèmes. Mon préféré s'intitulait « Relaxe ! » et durait presque deux heures. Calée dans l'eau, une compresse de thé sur les yeux, je me laissais porter par les *Sarabandes* d'Erik Satie et les *Valses caprices* de Fauré. S'y mêlaient les lentes et profondes respirations de la mer, qui m'hypnotisaient jusqu'au sommeil. Je n'avais pas aussi bien dormi depuis des années.

Ce matin, tout allait changer, pour le pire ou pour le meilleur, je ne le savais pas encore. J'ai regardé ma montre. Déjà sept heures. Je me donnais la journée pour me trouver du boulot.

En descendant de l'autocar, lundi soir, j'avais décidé d'écouter ma grand-mère et de solliciter l'intervention divine pour ma recherche d'emploi. En m'entendant la formuler dans ma tête, ma prière m'avait paru ridicule, mais au train où allaient les choses, je n'avais rien à perdre.

« Et s'Il m'ordonnait de m'acheter une bible et d'aller répandre la Bonne Nouvelle, je ferais quoi ? » m'étais-je moquée en marchant vers le centre d'information touristique.

Bien sûr, il ne s'est pas manifesté aussi clairement : contrairement à Mamie, je n'étais pas une sainte et ma connexion avec l'au-delà fourmillait de parasites. Tout ce que j'espérais recevoir, c'était un tout petit signe ou une intuition qui m'orienterait dans la bonne direction. Si je pouvais trouver un endroit où il serait assez agréable de travailler pour que j'en oublie un peu mes névroses, ça relèverait déjà du miracle.

Une fois descendue à Kahukura, j'avais laissé ma valise à la consigne et j'étais partie faire le tour du village pour trouver une auberge. En apercevant une affiche *Help Wanted* collée dans la vitrine d'un café, juste en face de l'église, j'avais senti un petit chatouillement dans le ventre. Des chaises dépareillées sur la terrasse, des salières et poivrières en forme d'épis de maïs, une serveuse en robe soleil au lieu d'un uniforme : tout ça me plaisait. C'était peut-être un coup de coude du bon Dieu. Je me trouvais un peu trop optimiste, mais Mamie aurait été fière de moi.

Le lendemain, en allant chercher mes substituts à la pharmacie, j'étais repassée devant le café et j'avais décidé de m'y arrêter boire une tisane. Mon estomac fragilisé par l'ulcère et les médicaments m'avait forcée à renoncer au café, un sevrage pénible mais nécessaire, puisque j'en buvais un litre par jour.

Mon intuition avait été confirmée. Une ambiance sans prétention régnait dans le café, soutenue par de la musique cubaine et le sourire chaleureux de la serveuse. En plus, le café Nouméa n'était pas un café ordinaire : il faisait aussi office de bibliothèque municipale. Les quatre murs d'une grande pièce, tout au fond, étaient tapissés de bouquins. Les résidants de Kahukura pouvaient se procurer une carte de membre pour l'emprunt de livres. Le café leur était même offert gracieusement tous les mardis pendant la réunion du *book club*.

Le café allait ouvrir dans une demi-heure. Avant d'aller m'installer devant mon miroir pour me donner une allure présentable, j'ai fouillé au fond de ma valise pour récupérer l'enveloppe pleine de *curriculum vitæ* et d'exemplaires de ma lettre de recommandation. Elle était très convaincante : Bruno avait beaucoup exagéré en multipliant les éloges pour vanter mon travail au Saint-Laurent. Je l'ai glissée dans mon sac avec une copie de mon permis de travail.

J'ai activé le ventilateur de ma salle de bain. Chaque matin, le soleil qui plombait sur le puits de lumière transformait la pièce en hammam. Je me suis maquillée en vitesse : cache-cerne, crayon à sourcils, mascara, brillant à lèvres, poudre aux micromachins capteurs de lumière. Il en fallait des produits pour avoir l'air naturelle. Mon teint avait pris un certain hâle et l'arête de mon nez était couverte de taches de rousseur. À cause de l'humidité, qui rendait vaine toute tentative de mise en plis, j'avais laissé mes cheveux me tenir tête et prendre leur forme naturelle de tire-bouchons. J'ai enfilé un capri noir, un t-shirt bleu clair pour accentuer la couleur de mes yeux, et mes ballerines. J'ai fait mon lit, pris mon sac et je suis partie, le cœur un peu fébrile, mais quand même confiante.

Nouméa est la capitale de la Nouvelle-Calédonie, un territoire français d'outre-mer situé à 1 500 kilomètres au nord-est de la Nouvelle-Zélande. Si le nom du café avait un lien avec l'origine de son propriétaire, c'est que celui-ci parlait français, un détail qui pouvait mettre la chance de mon côté. La fille qui m'avait servie à ma première visite, une jolie brune aux cheveux courts, était une *Pakeha*: une Kiwie de souche européenne. Elle était enceinte de quatre ou cinq mois, ce qui expliquait sans doute le besoin d'une remplaçante. « Mon Dieu, faites que ce soit moi. Ça me simplifierait tellement la vie. » Si ça ne marchait pas, je n'avais pas la moindre idée de ce que je pouvais faire d'autre ici.

Sur la terrasse, une femme âgée coiffée comme la reine Élisabeth lisait la biographie de Nelson Mandela. À ses pieds, un bichon maltais jauni, avec de gros cernes bruns sous les yeux, grignotait sa laisse enroulée autour d'une patte de la table. J'ai jeté un coup d'œil à mon reflet dans la vitrine, replacé l'éternelle mèche rebelle derrière mon oreille et je suis entrée. La serveuse s'est retournée, m'a souri et a continué de remplir les sucriers sur les tables. L'endroit sentait les livres et la cannelle. Un vieux succès d'Astrud Gilberto sortait des haut-parleurs fixés au plafond. La serveuse, de retour derrière son grand comptoir de granit, s'est lavé les mains avant de venir vers moi.

— *Good morning!* Qu'est-ce que je vous sers ce matin?

— Une camomille, s'il vous plaît, ai-je répondu en refoulant une furieuse envie de commander un espresso.

Elle a pris une théière en fonte émaillée sur une étagère. Les feuilles de thé reposaient dans des bocaux opaques étiquetés à la main: sencha, oolong, jasmin, dragonwell.

— Je viens aussi pour l'annonce, dans la vitrine.

Son visage s'est éclairé. Elle paraissait contente. Génial. Je lui ai tendu mon enveloppe.

— Mon C.V. et mes références.

Elle a déplié les trois feuillets et les a parcourus devant moi. Ses yeux, en alternance, se plissaient et s'écarquillaient. En lisant la dernière page, elle a caressé son nombril avec son pouce, comme pour dire : «Maman va enfin pouvoir se concentrer sur toi.» Son ventre était encore petit, mais bien rond, comme un ballon de soccer caché sous sa blouse à pois.

— Si je comprends bien, tu sais utiliser une machine à espresso?

— Sans problème. En plus, je suis habituée à une Saeco identique à celle-ci. Une démonstration, peut-être?

— Pourquoi pas? Tiens, justement, on a deux clients!

Elle s'est dirigée vers la porte pour les accueillir pendant que je me savonnais les mains.

— Hé, Mathilda! Pas de maternelle ce matin, mon cœur?

La fillette, accrochée à un grand blond comme un koala à son eucalyptus, a enfoui son visage dans le cou de son papa.

— Non, pas d'école pour elle aujourd'hui. Excuse-la, Wendy, elle n'est pas dans son assiette. Mathilda a rendez-vous chez le dentiste pour réparer une carie. Ce sera un café au lait pour moi et un chocolat chaud pour elle.

— Avec de la guimauve dessus, mon chou?

Le chou n'a pas répondu.

Wendy m'a fait signe de préparer le café pendant qu'elle s'occupait du chocolat. Je me suis tout de suite sentie à l'aise derrière le comptoir. L'odeur du café fraîchement torréfié et le gargouillement de la rutilante machine italienne avaient toujours eu sur moi un effet tranquillisant. Ma routine de *barista* est revenue comme un réflexe : j'ai ébouillanté la tasse, mis la quantité parfaite de grains dans la cuiller et commencé à faire mousser le lait. J'allais impressionner Wendy avec l'un de mes fameux dessins sur mousse crémeuse. Une fougère, bien sûr. La fougère géante, ou *silver fern*, était l'emblème du pays. Elle s'affichait partout sur les drapeaux, les t-shirts souvenirs, les casquettes et même sur le maillot des All Blacks. Après avoir fait monter le lait jusqu'au bord du gobelet de métal, je l'ai versé délicatement dans le bol rouge et j'ai tracé ma feuille avec le manche d'une petite cuiller. Wendy est arrivée avec le chocolat chaud, servi dans une tasse verte en forme de grenouille. J'ai posé le bol à côté.

— Eh bien ! s'est exclamée Wendy. Je vois qu'on a affaire à une pro ! Regarde, Mathie, la demoiselle dessine dans la mousse du café…

Mais Mathie, qui faisait ses preuves de boudeuse endurcie, ne s'est pas laissé impressionner.

Une fois les clients attablés à la terrasse, Wendy m'a invitée à m'asseoir avec elle devant la vitrine.

— Clarence, c'est ça ?

— Oui. Ma mère pensait que c'était un nom de fille.

Elle a souri.

— Canadienne ?

— Ouais. Du Québec.

— Ah ! Comme Céline Dion, alors ? J'aime tellement sa chanson, tu sais… *I'm everything I am, becaauuuse you loved meeeee ! ! !* a-t-elle entonné en faussant sans aucune pudeur. Je l'ai fait jouer à mon mariage ! Mon mari parle français, tu sais. Sa mère est Néo-Calédonienne, mais il a déménagé ici quand il était tout petit. Depuis Noël, on a une autre employée qui parle français, elle vient cuire le pain et les pâtisseries quatre jours par semaine. Elle est Parisienne. Ses macarons au chocolat font pleurer les clients de bonheur. Comment trouves-tu la Nouvelle-Zélande ?

— C'est le plus beau pays que j'ai vu dans ma vie.

Pourvu qu'elle ne me demande pas combien j'en avais visité.

— Et tu penses rester à Kahukura combien de temps?

Elle a baissé les yeux vers son ventre, a poursuivi sans me laisser le temps de répondre.

— Je t'avoue que je préférerais me faire remplacer jusqu'à ce qu'elle ait environ trois mois.

— C'est une fille?

— Une autre! Elle a déjà deux grandes sœurs très impatientes de voir leur nouvelle poupée.

— Et… c'est pour quand?

— Autour du 3 septembre. J'aurais donc besoin de toi jusqu'au début de décembre.

— C'est parfait.

Et ça l'était. Si Mamie pouvait tenir le coup jusque-là, je me voyais très bien rester à Kahukura jusqu'à l'été austral. Après mon contrat ici, j'irais peut-être sur l'île du Sud, voir les Alpes et les fjords de Milford Sound. Et pourquoi pas les pingouins de l'île Stewart? Ensuite, je serais prête à aller m'occuper de Mamie. Avec toute cette beauté emmagasinée, j'aurais assez de merveilles à lui raconter pour qu'elle considère ses arguments en faveur de l'existence de Dieu comme solidement établis avant son départ.

— Tu peux commencer aujourd'hui?

J'ai avalé ma salive de travers et je me suis étouffée. Wendy s'est levée d'un bond pour aller me chercher un verre d'eau. Je l'ai bu à petites gorgées.

— C'était un oui, ça?

J'ai acquiescé. Elle m'a tendu la main.

— Félicitations et bienvenue au café Nouméa.

— Merci!

En silence, j'ai remercié le ciel, au cas où.

— Je vais essayer de tout te montrer dès aujourd'hui. Ce week-end, je serai dans le bureau à l'arrière, au cas où tu aurais besoin de moi. À partir de lundi, je prends congé, ça te va?

— Je vais travailler sept jours sur sept? ai-je demandé en essayant de ne pas paraître alarmée.

— Bien sûr que non. Mon mari te remplacera deux jours par semaine, tu peux choisir lesquels.

— Aucune importance. Ton mari peut me dire ce qui lui convient.

— Tu es vraiment tombée des cieux, tu sais.

Elle s'est levée pour décoller le carton de la vitrine.

— Je cherche quelqu'un depuis deux mois. Je commençais à avoir peur de perdre mes eaux derrière le comptoir!

La porte du café s'est ouverte en carillonnant et une fille est entrée. Aussitôt, la composition de l'air ambiant a changé, comme si toutes les molécules de l'atmosphère avaient modifié leur trajectoire d'un coup pour se retourner vers elle. Elle était si belle que j'ai dû baisser les yeux et reprendre mon souffle avant de pouvoir la regarder de nouveau. Je me suis surprise à souhaiter qu'elle disparaisse de mon champ de vision le plus vite possible. Au lieu de ça, elle est venue vers Wendy et l'a embrassée sur les joues.

— *Good morning, sweetie,* a dit Wendy. Je te présente Clarence. Je viens de l'engager. Enfin un peu de répit! Clarence parle français, elle vient du Québec, comme Céline Dion. Clarence, je te présente Isabelle Viallon, notre chef pâtissière.

Je lui ai tendu la main, mais elle s'est avancée pour me faire la bise. Elle sentait l'amande douce et elle était presque aussi grande que moi. J'ai regardé ses pieds. Sandales à talons plats. C'était tellement rare pour moi de regarder une fille pupille à pupille. En m'embrassant, elle m'a bien tenu les épaules et contrairement à la majorité des gens, elle n'a pas embrassé le vide : elle a planté ses deux baisers sur mes joues, avec ses lèvres tièdes et charnues.

— Eh ben dis donc ! Ce que je suis contente ! Quelqu'un à qui parler français, c'est une belle surprise, ça ! Tu es Montréalaise ?

— Non, de Québec.

— Ah, Québec ! J'aimerais bien y aller un jour. Ils ont besoin de pâtissières là-bas, tu crois ?

J'ai failli lui répondre que je pouvais lui arranger ça, mais j'avais la parole coupée.

— Alors, Wendy chérie, tu me les as trouvés, ces moules à madeleines ?

— Non, pas encore. Il va falloir que j'aille courir les boutiques à Auckland.

— Bon, allez, à mes fourneaux ! Je suis désolée d'être en retard, mais tout sera prêt à temps, je te le promets. J'essaie ma recette de pain aux figues et au chocolat, tu vas a-do-rer !

Je l'ai photocopiée des yeux jusqu'à ce qu'elle disparaisse derrière la porte de la cuisine. Isabelle était très grande, mais contrairement à moi, elle habitait chaque centimètre de son corps avec une assurance et un confort que j'avais rarement vus chez une femme. Sa démarche altière, ses épaules tirées vers l'arrière et son menton haut, presque défiant, envoyaient un message clair : je suis bien dans ma peau et je prévois le rester. Si sa beauté m'avait éblouie au premier regard, je n'avais pas pu m'empêcher, au second coup d'œil, de l'analyser pièce par pièce. Loin d'être une beauté classique, elle avait un espace entre les incisives, les yeux un peu trop rapprochés, le nez plutôt long. Elle n'aurait jamais pu être un *top model*, en dépit de sa grande taille. Les agences de mannequins lui auraient conseillé de repasser après une rhinoplastie, une correction dentaire… et même un régime. Ses courbes étaient beaucoup trop généreuses pour le papier glacé.

Quand j'avais dix ans, en jouant à cache-cache avec mon frère dans le sous-sol chez Mamie, j'avais trouvé une boîte de carton sous l'établi de Papi. Il était mort depuis belle lurette, alors je m'étais sentie moins coupable de l'ouvrir. Ce que j'y avais découvert m'avait fait prier pour que Sébastien ne me trouve jamais et me laisse tranquille, seule avec mon trésor. Les magazines *Playboy*, datés de 1953 à 1959, n'avaient rien à voir avec les exemplaires récents cachés sous le matelas du grand frère de Maryse, avec leurs armées de Barbie clonées d'un mois à l'autre : des filles sans poils, sans pores de peau, dénudant des seins qui étaient rarement les leurs et qui semblaient fixés à leur gorge avec du velcro.

— Tu vois, c'est *ça* que les hommes veulent, m'avait dit Maryse.

J'étais restée bouche bée devant leurs moues standardisées, leurs dents et leur fond des yeux d'un blanc qui n'existe pas. Mes chances de ressembler à ça un jour étaient nulles.

Les magazines de Papi étaient différents. Ils présentaient un autre type de femmes : plus vivantes, beaucoup plus pudiques. Elles avaient l'air de rire pour vrai en baissant à peine leurs grandes culottes en satin. Certaines avaient des seins en forme de poire, d'autres en forme de courges. Il y avait des derrières un peu tombants, des bassins qui débordaient au-dessus des porte-jarretelles, des silhouettes plantureuses comme des contrebasses et, même, avais-je constaté à mon grand émoi, quelques infâmes capitons de cellulite. Sous les *Playboy*, Papi avait aussi conservé la section des sous-vêtements d'un catalogue Sears datant de la préhistoire, qui montrait des femmes un peu austères en gaines beige foncé. À côté de ça, les sites Web d'aujourd'hui avaient l'air d'un exposé de gynécologie. Incroyable comme tout avait changé. Contrairement au corps des hommes pour qui le standard de beauté n'avait pas bougé depuis Adonis, celui des femmes devait se conformer à un moule qui changeait selon les modes. Si, en 1953, il était souhaitable d'afficher un tour de poitrine coordonné à son tour de hanches, soixante ans plus tard, le même double D devait de préférence être assorti aux hanches d'un garçon de douze ans. Pas étonnant que le bistouri et le pinceau de Photoshop doivent s'en mêler.

Isabelle avait le charme insolent des *pinups* de mon grand-père. J'avais la certitude d'être en présence de cette qualité intangible qui pousse les artistes à consacrer leur œuvre à une seule muse, à retourner cent fois sur la toile pour capturer la fraîcheur d'un regard ou la grâce d'un geste. Je l'imaginais sans peine se prélasser sur un lit, dans l'atelier d'un grand peintre, gardant la pose, une grappe de raisins dans la main. Elle exhalait l'abandon au plaisir et, oui, j'en étais jalouse.

Wendy m'a gardée au café tout l'après-midi, m'a montré le fonctionnement de l'ordinateur et le système d'emprunt de la bibliothèque. À trois reprises, Isabelle est sortie de la cuisine, tout enfarinée, un fichu blanc couvrant ses cheveux remontés en chignon.

— Ça, mes jolies, c'est une recette que j'ai réussi à chiper dans une boulangerie d'Aix-en-Provence. Allez, donnez-moi votre avis !

Elle a posé deux morceaux de pain aux figues et chocolat noir encore chaud sur le comptoir. Au cours de l'heure suivante, elle est réapparue deux fois avec ses créations : des meringues au café d'abord et ensuite des muffins aux feijoas, un fruit sucré et aromatique qui pousse abondamment en Nouvelle-Zélande. Après quelques jours de répit, mon angoisse de manger est revenue s'entortiller à mes pensées et, devant les douceurs d'Isabelle, j'ai eu envie de pleurer. Si je cédais à mes appétits, je perdrais le contrôle et finirais par être congédiée pour avoir bouffé les profits. Pour le moment, je réussissais à duper Isabelle et Wendy en recrachant chaque morceau. Dès qu'elles avaient le dos tourné, j'écrabouillais le reste dans une serviette de papier jetée en douce à la poubelle. Vers cinq heures, Isabelle est sortie avec ses derniers plateaux de pâtisseries. Elle les a placées une par une dans le présentoir. L'odeur de miel et d'épices était envoûtante. Mon dragon, comme un serpent charmé par la flûte, s'est mis à monter dans ma gorge. Je n'étais plus certaine de vouloir travailler au café Nouméa.

— Tu peux y aller, Clarence, m'a dit Wendy, assise à une table en train de vérifier le tiroir-caisse. Je vais continuer toute seule ce soir. Est-ce que tu pourrais revenir à huit heures demain matin ?

— Oui, je serai là.

Dehors, la pluie s'est mise à tomber en gouttes paresseuses. Elle arrivait maintenant plus tard dans la journée. J'avais enfin appris ma leçon et je ne sortais plus sans un parapluie dans mon sac.

Isabelle, en train de bouquiner dans la pièce du fond, a fait volte-face quand le tonnerre a éclaté.

— Ah merde, c'est pas vrai ! Hé, Clarence, tu habites près d'ici ?

— À l'auberge Winterton. Tu sais, celle qui est en face…

— Oui, oui, je connais. C'est tout près de chez moi. Dis, ça t'ennuierait de me prêter un coin de ton parapluie jusqu'à ma porte ? C'est sur ton chemin et j'ai oublié de prendre le mien ce matin…

— Comme d'habitude, a murmuré Wendy.

— Bien sûr, Isabelle, sans problème. Mais je te préviens, c'est un petit parapluie.

— Bah, on va se serrer un peu, c'est tout!

La pluie s'est intensifiée et les raies obliques se sont mises à tomber avec tellement de force que les gouttes rebondissaient comme des billes sur l'asphalte. Même en nous serrant l'une contre l'autre, nous allions finir notre promenade trempées jusqu'aux os. J'avais déjà le cœur dans l'eau juste à penser que j'aurais Isabelle si près de moi, que j'entrerais dans la bulle de volupté et de *sex appeal* qui l'encapsulait. *Sex appeal...* Tout d'un coup, les mots de Suzanne, ma voisine sur le vol Vancouver-Honolulu, me sont revenus avec une étonnante précision.

«C'est quelqu'un de très chaleureux, pleine d'enthousiasme et de joie de vivre, charismatique, ouverte, sincère, avec... comment dirais-je... beaucoup de *sex appeal*!»

Était-il possible que...

«Une rencontre foudroyante qui va changer ta vie. Fie-toi à ta première impression, elle ne te trompera pas. Je pense qu'elle est exceptionnellement énergique, peut-être même une athlète. C'est quelqu'un de très solide. Quand tu la reconnaîtras, il te faudra t'y accrocher. Tu vas avoir besoin d'elle.»

Est-ce qu'Isabelle serait la Reine de... de quoi déjà?

Cette possibilité me paraissait bizarre, mais au cas où, j'ai pris sa recommandation au mot: je m'y suis accrochée. Son bras sous le mien, mon parapluie vert pomme sur nos têtes, nous avons remonté la rue principale jusqu'à l'escalier qui menait à la rangée de maisons face à la mer. À chaque bourrasque, Isabelle criait comme une petite fille. Après cinq minutes, nos cheveux dégoulinaient, nos vêtements nous collaient à la peau. Quand mon parapluie s'est retourné pour la troisième fois, Isabelle a lâché mon bras et elle s'est mise à courir, me laissant me débattre avec les baleines de métal qui refusaient de se cambrer dans le bon sens.

— Allez, fous-le à la poubelle! On y est presque et la pluie est chaude!

C'est vrai qu'au point où nous en étions... J'ai balancé le parapluie dans une corbeille de bois au coin de la rue et j'ai couru pour rattraper Isabelle.

— On arrive! C'est la maison blanche avec les volets verts, là-bas!

Une fois à l'abri sur le balcon, Isabelle a cherché ses clés dans son sac dégoulinant. Deux petits étangs de pluie s'étaient formés dans le creux de ses clavicules. Quand elle s'est penchée, l'eau a coulé sur sa gorge.

La villa était jolie et fringante, fraîchement peinte et soignée. Des bougainvillées fuchsia s'enroulaient autour des barreaux du balcon, il y avait un hibou peint à la main sur la boîte aux lettres et d'autres sur les bacs à fleurs accrochés aux fenêtres bordées de rideaux de dentelle crème. La maison portait même un nom, gravé sur un écriteau de bois à gauche de la porte: *The Laughing Owl*. Le hibou qui rit.

— Tu as un parapluie de rechange à me prêter pour le reste du chemin?

Mon auberge était à cent mètres à peine, mais je cherchais une excuse pour jeter un coup d'œil à l'intérieur de la maison.

— Mais quel reste de chemin? Allez, entre!

Elle a poussé la porte avec son pied.

— Tu retourneras chez toi après l'orage. Je t'invite pour le dîner! Si tu savais comme je suis contente de pouvoir bavarder en français, tu ne vas pas disparaître maintenant!

La bouffe, toujours la bouffe. J'en avais marre. Ça revenait tellement souvent sur la table, cette obligation de manger ! Si je ne réglais pas mon problème, j'allais finir par perdre la tête. Je ne pouvais quand même pas être tétanisée à la pensée d'un bout de pain ou d'une pointe de fromage jusqu'à la fin de mes jours ! J'ai serré les dents.

— C'est gentil, j'accepte. Si tu peux me prêter un t-shirt !

— Ah ouais, on se met au chaud, sinon on attrape la crève !

Dans un coin du vestibule, à l'intérieur d'une urne en céramique, il y avait au moins six parapluies de couleurs et de longueurs variées.

— Je sais, je sais ! Je suis trop optimiste ! Chaque matin, quand je vois le temps qu'il fait, je n'arrive pas à croire qu'il va pleuvoir. C'est quand même incroyable comme climat, non ?

— Je pense que mère Nature a choisi la Nouvelle-Zélande pour exprimer ses tendances bipolaires.

Une fossette s'est creusée sur sa joue droite. Je lui donnais vingt-cinq ans, mais quand elle souriait, il était encore facile de deviner à quoi elle ressemblait quand elle en avait cinq.

— Tu es ici depuis longtemps ? lui ai-je demandé en la suivant dans la cuisine.

— Depuis l'hiver dernier. L'été dernier, plutôt. Enfin, depuis décembre, quoi !

— Ici, à Kahukura ?

— Je suis venue directement dans ce coin perdu, oui. J'adore.

— Mais… tu connaissais déjà l'endroit ?

— Pas du tout. J'ai échangé ma maison avec le couple qui vit ici.

— C'est vrai ? Mes parents font la même chose en ce moment ! Grosse cabane au Canada contre petit chalet suisse. C'est une façon populaire de voyager ?

— De plus en plus, je crois. C'est une façon géniale en tout cas, ça ne coûte rien ! Et avec un appartement dans le dix-septième à Paris, ce n'est pas tout à fait difficile de trouver des intéressés. J'ai eu des offres de ranch au Texas et de palace à Majorque contre mon studio de trente-huit mètres carrés.

— Et tu as choisi Kahukura ?

— Quand j'ai vu les photos de cette maison au bord de la mer, j'ai eu le coup de foudre. En plus, le couple qui vit ici est super sympa. Ils m'ont trouvé le petit boulot au café avant mon arrivée. Ils ont aussi accepté de prendre soin d'Émeraude, mon perroquet. Et regarde ce qu'ils m'ont laissé en échange !

Un chat tigré est apparu dans l'embrasure d'une porte, l'air tout endormi.

— C'est Napoléon ! Il est mignon, non ? Avec un nom comme ça, je n'ai pas hésité.

Le chat est venu se frôler sur mes jambes. Je l'ai pris dans mes bras, il a poussé un miaulement de protestation à cause de mes vêtements mouillés et j'ai dû le déposer par terre. Dans la cuisine, des portes-fenêtres couvraient le mur qui donnait sur la mer. Derrière, il y avait une grande terrasse en bois naturel, avec des lauriers roses en pot et un Jacuzzi surélevé dans un coin. La pluie avait diminué, mais un vent robuste soufflait toujours et faisait vibrer les fenêtres.

— Quelque chose à boire ? J'ai du vin blanc, de l'eau minérale, du jus d'orange frais de ce matin, de la limonade, du café et du thé.

— Juste un verre d'eau, s'il te plaît.

Sur le comptoir, elle a posé une bouteille de sauvignon blanc et elle a pris une grande coupe dans l'armoire.

— Tu ne veux pas un verre avec moi, tu es sûre ? C'est un bon, celui-là.

— Bah, pourquoi pas ? Si tu insistes.

Elle a versé le vin dans une deuxième coupe, qu'elle m'a tendue.

— Je vais à l'étage chercher des peignoirs, et je mettrai tes vêtements dans le sèche-linge, d'accord?

J'ai acquiescé en prenant une gorgée de vin. La brûlure de l'alcool dans mon estomac m'a rappelé mon ulcère et les comprimés que j'avais oublié d'avaler le midi.

— Tu sais allumer un feu, toi?

— Dans le foyer? Je crois, oui.

— J'ai essayé une fois, mais ça a tourné à la catastrophe. Il y a eu de la fumée partout dans la maison, j'ai dû ouvrir toutes les portes, toutes les fenêtres, Napoléon s'est sauvé… Je me suis dit qu'on ne m'y reprendrait plus.

— Pourtant, ça ne devrait pas être compliqué.

— C'est ce que je me disais!

— Je jette un coup d'œil?

Dans le salon, à côté du manteau en bois blond de la cheminée, il y avait une pile de vieux journaux, des bâtonnets de bois sec et quatre grosses bûches. Je me suis dit qu'Isabelle ignorait peut-être qu'il fallait d'abord ouvrir le volet de la cheminée. Celui-ci fonctionnait avec une petite manivelle, comme chez mes parents. Je me suis agenouillée devant l'âtre. J'ai chiffonné quelques feuilles de papier que j'ai coincées sous les bâtonnets. Avant de gratter l'allumette, j'ai tourné la manivelle.

Quand Isabelle est descendue, les flammes crépitaient avec vigueur. Elle avait déjà revêtu un gros peignoir blanc et elle m'en a tendu un autre identique.

— Mais… ça marche! Comment t'as fait?

— Tu vois ça? Il faut le tourner avant d'allumer.

— C'est quoi ce truc?

— C'est ce qui ouvre la cheminée. Si tu avais oublié, ça explique la fumée dans la maison.

— Ah bon? Ça alors, quelle idiote!

J'ai placé la plus grosse bûche au milieu du brasier et je suis allée me changer dans la salle de bain. De retour au salon, j'ai vu qu'Isabelle avait déplacé la causeuse pour la rapprocher du feu. Elle y était assise, ses orteils peints en rouge ouverts en éventail devant les flammes. Autour de sa cheville droite, elle portait une fine chaîne en or.

— Tu n'aurais pas des pantoufles ?

Mes orteils avaient l'air tellement négligés à côté des siens.

— Pas besoin. Viens ici, tu vas voir, il fait chaud !

Je me suis blottie dans le coin opposé du canapé, mes pieds cachés sous mes cuisses.

— Alors, dis-moi tout !

Elle a pris une grosse gorgée de vin.

— Pourquoi tu es venue ici, tu restes jusqu'à quand, qu'est-ce que tu fabriquais à Québec avant ?...

Je lui ai résumé ça rapidement avec les phrases toutes faites de ma version abrégée : mes doutes sur ma future carrière, mon envie de voyager, mon année sabbatique, le pur hasard qui m'avait conduite à Kahukura.

— Et toi ?

— Oh, moi...

Le chat a sauté sur le canapé, s'est étiré en bâillant et s'est roulé en boule entre nous.

— J'avais un pressant besoin de changer d'air. Une peine d'amour qui s'éternisait, tu vois. J'ai été follement amoureuse d'un homme pendant quatre ans, puis un jour, il est parti.

— Vous viviez ensemble ?

— Non.

Elle a passé sa langue sur ses lèvres, les a mordues.

— Il était marié.

— Oh !

— Sa femme a eu un cancer l'an dernier. J'imagine que c'est là qu'il s'est aperçu qu'il ne l'abandonnerait jamais. Ils ont fini par quitter Paris pour s'installer à la campagne près de Lyon, avec leurs quatre enfants. Tu sais, j'ai toujours su que ça n'allait nulle part, cette histoire, mais jamais je n'aurais cru qu'il allait tant me manquer. Quand il m'a quittée, j'ai passé un mois recroquevillée sur le canapé à regarder des feuilletons tous les après-midi. En plein mois de juillet, tu te rends compte ! J'ai recommencé à fumer, et j'ai appris à mon perroquet à répéter «Rémi salaud ! Rémi minable !» sans arrêt. Au bout d'un mois, le pauvre me jacassait sa rengaine cent fois par jour. J'avais envie de le faire empailler ! Je devais reprendre mes cours en septembre, mais le cœur n'y était pas.

— Tu étudiais quoi ?

— Après le lycée, j'ai fait un BTS en diététique, ensuite un certificat en nutrition sportive. Tout ça pour me rendre compte que, malgré mon intérêt pour le domaine d'études, je n'avais pas envie de bosser dans une clinique ou une entreprise de surgelés. Disons que j'ai pris conscience un peu tard de ma difficulté à supporter un patron et que j'ai enfin saisi l'importance de l'aspect créatif dans mon travail. Alors, sur un coup de tête, je me suis inscrite à l'Académie d'Art culinaire de Paris pour un cours de pâtisserie et boulangerie.

— Tu n'as pas besoin de cours, j'ai goûté à ce que tu fais !

— Merci, mais à Paris, si tu es une femme et qu'en plus, tu n'as pas le diplôme…

— Tu vas le faire ?

— Oui, oui. Mais pour l'instant, je travaille à deux choses : j'apprends à mieux parler anglais parce qu'un jour j'aimerais bien aller travailler à New York, et j'ai commencé à écrire un livre.

— Un livre de régime ?

— Ah non, au contraire !

Elle s'est allongé le bras pour prendre la bouteille de vin posée sur le sol et elle a rempli nos verres.

— C'est un projet qui me prendra sans doute des années. Il comportera deux ouvrages.

Elle a froncé les sourcils.

— Tu es sûre que ça t'intéresse ?

— Absolument.

— Alors voilà : pour le premier, il me faudra trouver une centaine de personnes de cultures, d'âges et de milieux sociaux les plus divers possible. Pense à une grand-mère brésilienne, un aristocrate britannique, un adolescent sénégalais, un clochard parisien... un vrai *melting pot* planétaire, quoi ! À tous les candidats, je présenterai la même mise en situation : Vous allez mourir la nuit prochaine durant votre sommeil. Le repas de ce soir est donc votre dernier sur Terre. Si vous aviez la possibilité d'en choisir le menu, sans aucune restriction à part celle de la quantité limitée à trois plats — entrée, mets principal, dessert —, que choisiriez-vous ?

— Intéressant ! Continue.

— Une fois qu'ils auront fait leur choix de menu, je leur demanderai de m'expliquer ce qui l'a motivé. Je veux entendre leurs histoires, savoir pourquoi certains goûts éveillent en eux un sentiment de nostalgie. Tout le monde sait qu'un aliment n'égale pas la somme de ses éléments nutritifs. La bouffe, c'est d'abord et avant tout une aventure sentimentale.

— Tu as commencé à interviewer des gens ?

— Non, j'en suis encore à l'écriture de la préface. Ensuite, je devrai structurer le projet, trouver l'argent pour le réaliser. Pour remercier les participants, je leur cuisinerai leur ultime festin. Enfin, dans la mesure du possible... s'ils ne me ruinent pas en exigeant du bœuf de

Kobe et de la sauce aux truffes. Bien sûr, je voudrais aussi mettre toutes les recettes dans le livre.

— As-tu un titre ?

— J'en ai plusieurs, mais je les garde secrets jusqu'à la fin. Superstition !

— Et tu m'as dit qu'il y avait deux ouvrages ?

— Ah ! Oui. Le second est beaucoup plus scientifique. Comme l'objectif du premier est de déterminer les derniers délices que nous voudrions goûter avant de quitter ce monde, l'autre sera un peu le contraire. C'est-à-dire, quoi manger pour rester sur Terre le plus longtemps possible. Je me baserai sur les dernières découvertes concernant la corrélation entre l'alimentation et la longévité. J'irai voir les chercheurs en biochimie moléculaire, les spécialistes du nutraceutique. À partir de ça, je vais créer des menus à base d'aliments débordants d'antioxydants, de lycopène, d'isoflavones, tous ces trucs-là. Je vais vulgariser les concepts au maximum pour que tous comprennent exactement ce qui se passe dans l'organisme quand on mange bien. Tu saisis le principe ?

— Oui, oui, je vois où tu veux en venir. Manger pour vivre d'un côté, vivre pour manger de l'autre.

— Exactement ! Les deux ouvrages sont complémentaires parce qu'à mon avis, c'est la meilleure façon d'aborder l'alimentation. Manger ce qu'il faut pour vivre longtemps, la plupart du temps, sans oublier de piger dans ses plaisirs terrestres à l'occasion, au cas où on serait renversé par un bus le lendemain. Un jour, de toute façon, on finira par avoir raison, ce sera vraiment le dernier repas sur Terre, et on sera bien content d'avoir mangé une mousse au chocolat.

— C'est une idée fantastique. Je peux savoir comment elle t'est venue ?

— Hummm… mouais. J'ai été marquée par un truc que j'ai trouvé dans Internet, un site Web du Bureau correctionnel du Texas. C'est l'État américain où on exécute le plus grand nombre de prisonniers. Le soir qui précède l'exécution, les gardiens demandent aux détenus de choisir leur dernier repas. Sur le site, il y a la liste des aliments les plus demandés. C'est morbide, mais je n'ai jamais pu oublier cette liste.

— Et ils veulent manger quoi, les criminels du Texas ?

— Beaucoup de *fast food*. Des hamburgers, du poulet frit, des frites, des biscuits au chocolat, du *cheesecake*…

— Quoi, pas de poisson à la vapeur ni de légumes verts ?

— Tu veux rire !

— Et ta passion pour la nourriture, elle te vient d'où ?

— Ça fait si longtemps que je n'arrive pas à me souvenir. Mon père m'a influencée, j'imagine : quand j'étais petite, il réalisait une émission de télé qui s'appelait *Avec plaisir*, qui portait sur l'art culinaire. Il invitait les grands chefs à discuter de leur métier, mais aussi de leur vision de la cuisine, de leur perception de la bouffe en général. Ils parlaient de leur enfance, de leurs traditions familiales, de leur grand-mère, de leurs petites madeleines, quoi. Papa m'emmenait souvent pour le tournage, je me cachais dans les coulisses ou dans le bureau des régisseurs et j'écoutais.

— L'émission existe toujours ?

— Non. Ça s'est terminé abruptement, quand j'avais onze ans. Comme le mariage de mes parents. Mon père avait invité Laura Gandolfini pour une entrevue…

— LA Laura Gandolfini ?

— La seule et unique. À l'époque, elle n'était pas très connue à l'extérieur des cercles de gourmets de New York. Elle était encore toute jeune, fraîchement sortie de l'Institut Cordon Bleu, mais son premier restaurant, le Campofiori, faisait déjà fureur. Les choses étaient différentes, c'était avant que les chefs deviennent des *sex symbols*. Ils atteignaient rarement le niveau de célébrité qu'ont aujourd'hui Jamie Oliver, Nigella Lawson ou Giada Machin-truc. C'est mon père qui a mis dans la tête de Laura de produire sa propre émission de télé. Tu devines la suite.

— Tu veux dire que…

— T'as pigé. Laura Gandolfini est ma belle-mère, même si elle n'a que douze ans de plus que moi. Mon père l'a épousée et il est parti à New York pour faire d'elle la *star* du Cooking Channel.

Laura Gandolfini, la déesse italienne à l'accent de Brooklyn. Toujours habillée avec des décolletés plongeants, provocante jusque dans sa façon de lécher ses cuillers de bois. Les magazines clamaient qu'elle avait réinventé la cuisine traditionnelle italienne et la voyaient comme un précurseur de cette nouvelle vague d'étoiles de la pornographie culinaire. On était loin de sœur Angèle.

— Bon, à force d'en parler, j'ai un petit creux, moi ! Je nous prépare un en-cas, allez !

J'ai suivi Isabelle dans la cuisine et je me suis assise sur un tabouret. Pendant qu'elle évaluait le contenu du frigo, le moteur de recherche de mon cerveau s'est mis à tourner, en quête d'une excuse pour ne pas manger. Sur le comptoir, Isabelle a commencé par trancher des avocats. Ensuite, elle a mis du saumon fumé sur des biscottes de seigle, puis elle a ouvert une boîte d'olives mélangées.

— Tu habites à l'hôtel, alors ?

— Oui, pour le moment.

— Ça doit te coûter la peau des fesses.

— Je prévoyais chercher autre chose. J'attendais de trouver du travail.

— Il y a quatre chambres dans cette maison. Si tu veux, je peux t'en laisser une. Enfin, si les propriétaires sont d'accord. Je n'aurais qu'à leur dire que tu es une bonne amie à moi.

— C'est gentil de me l'offrir. Je vais y penser.

Ça aurait été formidable d'habiter ici, avec elle, mais quand on a un dragon à trois têtes comme animal de compagnie, il vaut mieux vivre seule.

En pensant à lui, je l'ai senti se réveiller dans mon ventre. En déclenchant son concert de gargouillements, il s'est levé et s'est mis à renifler les odeurs de cuisine qui l'avaient sorti de sa torpeur.

J'ai eu envie de me donner des coups de poing dans l'estomac pour l'assommer. Au lieu de ça, j'ai pincé un bout de peau à côté de mon nombril, là où la graisse était assez épaisse pour me convaincre de ne rien avaler. J'ai pincé si fort, mes yeux se sont remplis de larmes.

— Et toi, Clarence, juste par curiosité… si tu apprenais que dans quelques heures, la Nouvelle-Zélande allait disparaître, disons, dans une gigantesque éruption volcanique ! Si tu savais que demain matin, on allait être pétrifiées comme des fossiles dans la lave, je te cuisinerais quoi ce soir ?

Je me concentrais très fort pour ne pas pleurer. Un autre retour précipité à la case départ de ma vie : j'allais lui mentir, jouer le jeu, grignoter avec angoisse jusqu'à ce que je me retrouve plus tard à vomir ses hors-d'œuvre toute seule dans ma chambre d'hôtel. Une larme s'est échappée. Il fallait arrêter le déluge tout de suite, car si je me laissais aller à pleurer comme j'en avais envie et que le corps humain était vraiment composé de 86 % d'eau, il y aurait bientôt une grande flaque salée sur le parquet de la cuisine.

Isabelle s'est retournée, un couteau dans une main, une botte de persil dans l'autre.

— Mais qu'est-ce que j'ai dit, Clarence? On ne va pas mourir pour de vrai! Pourquoi tu pleures, ma chérie?

Chapitre 18

Depuis le Jacuzzi, perché comme un nid d'aigle au coin de l'immense terrasse, on pouvait voir toute la baie : la plage en forme de fer à cheval, le dégradé d'ombres du relief sous-marin, les flotteurs blancs des cages à homards entre les vagues et, à cette heure-ci, toutes les embarcations qui rentraient au port. Immergée jusqu'aux oreilles dans le bain bouillonnant, j'observais les pêcheurs diriger lentement leurs bateaux vers les pieux d'amarrage. Toujours les mêmes hommes, une dizaine, qui chaque soir déchargeaient leurs caissons bien remplis pour fournir Kahukura en poisson frais. Parfois, ils emmenaient avec eux un petit groupe de touristes en expédition de pêche sportive. S'ils avaient la chance de rapporter un merlan ou une sériole, c'était la grande séance de photos sur le quai. Peu de temps après, le soir tombait. Les oiseaux nocturnes et les cigales ouvraient leur symphonie, les fleurs des hibiscus se refermaient et la Croix du Sud perçait le ciel de ses cinq étoiles. Les constellations étaient si différentes de ce côté-ci de la Terre, je n'avais qu'à lever les yeux la nuit pour me sentir dépaysée. Pas d'étoile du Nord, pas de Grande Ourse, juste un fouillis d'inconnues.

Après une heure de baignade, je suis sortie de l'eau en frissonnant. Les nuits étaient encore froides, surtout autour de la pleine lune. Ce soir, l'astre était blafard et filiforme, trop anémique pour jeter la moindre lueur sur la mer. Assise sur le banc de bois, j'ai pris ma tasse de camomille et j'en ai versé le contenu dans la paume de ma main pour frotter mon cuir chevelu avec le liquide tiède. On disait que ça donnait de beaux reflets aux cheveux blonds. Avant d'enfiler mon peignoir, j'ai exécuté les quelques asanas de yoga qu'Isabelle m'avait montrées : la prière, le cobra, le chien tête en bas, le guerrier. À la fin, mains jointes, j'ai fait mon namasté en direction de la Croix du Sud qui venait enfin d'apparaître.

Dans un coin de la cuisine, Napoléon mangeait consciencieusement sa pâtée, reniflant chaque morceau avant de le déguster, comme si c'était du caviar de béluga. Après trois bouchées, il a pris quelques lampées dans son bol de lait, posé son petit derrière tigré sur le tapis près de la porte et commencé sa toilette. Je lui ai fait une brève caresse et j'ai ouvert le frigo. Le contenu ne cessait de m'émerveiller. Avec Isabelle, c'était toujours un arc-en-ciel, une image éclatante qui aurait pu servir de pub pour le *Guide alimentaire* : un quart de pastèque, des œufs bruns, une salade de quinoa, des asperges vinaigrette, deux blocs de tofu dans leur marinade, une soupe aux champignons asiatiques, une grappe de raisins bleus. Sur l'étagère du bas, il restait un peu de la compote de fruits rouges au vin de Madère que nous avions cuisinée la veille. J'ai pris le bol et une cuiller, et je suis allée m'asseoir dans le salon.

Isabelle allait rentrer d'une minute à l'autre, l'heure des visites à l'hôpital était presque terminée. Le lendemain, ce serait mon tour de passer voir le nouveau-né dans la pouponnière. Wendy avait donné naissance au petit Anthony avec six semaines d'avance et il allait devoir vivre dans un incubateur jusqu'à ce qu'il ait réussi à prendre un kilo. À cause du vieux médecin dont la vue avait sans doute trop baissé pour interpréter correctement les images de l'échographie, Anthony irait ensuite dormir dans sa chambre peinte en rose, pleine de poupées et de dentelles, et il porterait des pyjamas avec la petite sirène imprimée dessus.

Moi aussi, j'avais dû m'abandonner aux bons soins d'une spécialiste pour me remplumer de quelques kilos. La maison d'Isabelle était devenue mon incubateur. Contrairement à mes pires hantises, les quatre mille grammes pris en trois mois ne s'étaient pas collés à mes flancs pour me redonner l'allure d'un gros muffin. Ils s'étaient plutôt bien répartis en adoucissant les angles et en effaçant une partie des ombres de mon visage. J'avais encore des accès de panique, surtout après le repas du soir, quand je confondais la sensation de satiété avec la multiplication spontanée et irréversible de mes cellules adipeuses. Heureusement, c'était facile d'en parler à Isabelle. Et même quand je n'avais pas envie d'aborder le sujet, quand je n'en pouvais plus moi-même d'entendre mon éternelle rengaine, elle devinait mon angoisse avec le flair d'un chien policier. Elle m'obligeait alors à m'allonger sur le tapis du salon, à fermer les yeux, à respirer profondément et à lui expliquer en détail toutes les pensées qui me tourmentaient. Depuis trois mois, elle avait répété sa thérapie presque tous les jours.

— J'ai senti mes hanches prendre du volume à chaque bouchée de ton poulet à la grecque. J'ai peur que tes courges me donnent un gros derrière. Je t'ai vue mettre du beurre dedans.

Isabelle ne se moquait pas. Elle calmait mes angoisses avec une profusion d'arguments scientifiques, m'expliquait d'une voix douce mais autoritaire que j'avais tort, que telle étude l'avait démontré. De toute façon, les statistiques demeuraient incontestables, les chiffres ne mentaient pas, je n'avais qu'à consulter les recherches du docteur Untel si j'en doutais encore.

— Mon poulet, il est au travail juste ici ! m'avait-elle assuré la veille en empoignant mes mollets encore courbaturés par le cours de danse latine, où elle me traînait maintenant tous les mercredis soirs. Crois-moi, les protéines sont beaucoup trop occupées à réparer la fibre musculaire pour aller se prélasser sur tes hanches. Et mes courges musquées sont ici pour l'instant, concentrées sur leur travail de spécialistes en cicatrisation.

Elle effleurait sous mon gros orteil l'entaille laissée par une coquille d'huître pendant ma promenade matinale sur la grève.

Quand elle m'apprenait à cuisiner, Isabelle décortiquait toujours ses recettes comme ça : un peu de vitamine A pour tes beaux yeux, de la vitamine B3 pour tes nerfs, du calcium pour ton sourire et une pincée d'antioxydants pour tenir le cancer éloigné. Lentement dans mon esprit, les aliments se convertissaient, abandonnant le terrorisme pour aller prêcher l'amour universel. Isabelle avait trouvé le bon angle pour attaquer mes démons. Elle combattait le feu par le feu.

Ce soir-là, après l'orage, j'avais fini par tout lui dire. Sans rien censurer. J'avais parlé du dragon, de l'hôpital, de mon surnom de Muffin qui me résonnait dans la tête depuis l'adolescence. Je lui avais récité la courte liste d'aliments permis toujours en vue sur mon frigo. J'avais parlé de ma grand-mère et de ses tartes au sucre, de mes talents refoulés pour la cuisine, de l'entreprise qui n'attendait qu'un signe pour être à moi. Le vin favorisant les aveux, j'étais allée jusqu'à admettre mes après-midi perdus à regarder passer les obèses devant le centre d'amaigrissement d'Auckland. Après avoir entendu mes confessions,

Isabelle m'avait convaincue d'emménager dans la chambre jaune opposée à la sienne et elle m'avait demandé de lui faire confiance.

— Donne-moi six mois. Pendant ce temps, oublie tout ce que tu crois savoir sur la bouffe et sur la minceur, et laisse-moi prendre la relève. Si dans six mois, tu ne te trouves pas plus heureuse qu'aujourd'hui, je promets de ne plus jamais t'embêter.

Par ces mots tentants et terrifiants à la fois, elle m'invitait dans un pays beaucoup plus étranger que la Nouvelle-Zélande. Sans me faire prier, j'étais allée chercher ma valise pour m'installer chez elle. Je n'étais pas certaine de croire au tarot de Suzanne ni au Dieu de Mamie, mais je n'allais quand même pas changer de trottoir parce qu'il y avait un ange sur mon chemin.

Ensemble, nous avions élaboré une formule qui empoisonnait les dragons domestiques à petites doses. Après s'être débattu pendant le premier mois, le mien avait fini par s'endormir et tomber dans un coma profond. Trois mois plus tard, il respirait encore, mais ne montrait que très peu de signes d'activité cérébrale. Peut-être que dans trois autres mois, je trouverais le courage de débrancher le moniteur et de le laisser s'éteindre dans la dignité. Il m'avait aidée à sa manière, après tout.

Isabelle disait qu'il était le gestionnaire de mes émotions, un genre d'expert anesthésiste toujours au poste pour soulager les inconforts. Un peu de peine, un trop-plein d'angoisse, une déception, et le voilà qui accourait à mon secours. Il offrait de porter le fardeau à ma place, de colmater les fissures avec du sucre pour éviter que ça éclate. Pas étonnant que sa disparition apporte une part d'anxiété.

Le plus pénible à admettre dans tout ça, ce n'était pas mon comportement de boulimique, mais plutôt ce qui se cachait derrière. Le grand vide, le trou noir plein de vertiges qu'il faudrait maintenant remplir autrement. Et surtout, l'incapacité à y arriver toute seule. Je me rendais compte à quel point il était difficile pour moi de renoncer à guérir sans l'aide de personne.

Isabelle avait grandi à Neuilly-sur-Seine, une banlieue au nord-ouest de Paris. Sa mère travaillait dans un laboratoire de recherches homéopathiques. Elle venait tout juste de se remarier avec un homme qu'Isabelle aimait beaucoup, un vétérinaire spécialiste des oiseaux. C'est lui qui lui avait fait cadeau d'Émeraude, un perroquet très bavard qui n'avait jamais été récupéré par son propriétaire une fois remis sur pattes à la clinique. C'est aussi lui qui nous avait aidées à identifier les choristes qui peuplaient notre jardin : le tui cravate-frisée, le martin triste, le coucou à éventail, la grive musicienne et les hiboux nains très bruyants que les Kiwis appelaient *moreporks*.

Isabelle avait un frère plus vieux qu'elle, Loïc. Il était restaurateur dans le Poitou et avait une petite fille de neuf ans, Alice. La sœur cadette d'Isabelle, Odile, était décédée à l'âge de sept ans à la suite d'une complication cardiaque associée à sa trisomie. Isabelle avait beaucoup pleuré en me parlant d'elle. Elle était allée dans sa chambre, m'avait ramené une photo. Assise dans un fauteuil en osier avec un livre sur les genoux, Odile avait un sourire immense sous ses yeux bridés.

Dans notre partage de secrets, elle m'avait aussi parlé de sa psychanalyse, qu'elle avait d'abord pensé reprendre dès son retour à Paris, mais qu'elle songeait maintenant à abandonner. Elle avait commencé ses séances presque trois ans plus tôt, suivant le conseil d'une amie qui n'en pouvait plus de la voir crouler sous la culpabilité.

— J'en ai tellement voulu à la Gandolfini d'avoir détruit notre famille et fait tourner la tête de mon père. S'il avait choisi de nous laisser en France pour la suivre à New York, ça devait être le grand amour ! Quand j'étais petite, ma belle-mère représentait le mal incarné, comme celle de Blanche-Neige ou de Cendrillon. Et moi, dix ans plus tard, je m'accroche à un homme marié. Brillant, non ?

— Et la psychanalyse t'a aidée à y comprendre quelque chose ?

— Pfff... je ne sais plus. Au fond, je pense que je me fous du pourquoi. Je l'ai fait, je l'ai fait. Je suis tombée amoureuse et du coup, j'ai perdu la moitié de mon cerveau, voilà. Maintenant que c'est derrière moi, je ne vois pas l'intérêt de payer un type quatre-vingts euros l'heure pour qu'il m'écoute ressasser la même histoire cent fois de plus. Il devait en avoir marre, le pauvre.

— Ça t'a aidée à voir ta belle-mère d'un autre œil, non ?

— T'as raison, je la juge moins. J'ai fini par lui pardonner et, maintenant, on s'échange des recettes sur Internet. Je participe même à son blogue culinaire.

— Tu ne penses plus à Rémi ?

Elle a inspiré profondément avant de me répondre.

— Si. Ce qui est bizarre, c'est que mes souvenirs de notre histoire ont pris la texture d'un vieux rêve. Les contours sont un peu flous, les paroles ont un écho. Dans ma tête, je sais que c'est arrivé pour de vrai, mais j'ai arrêté de le sentir dans mon corps. Quand il est parti, j'ai eu une réaction physique si violente que j'ai cru que ça durerait toujours. Les mains qui tremblotent, la perte d'appétit, les sueurs la nuit, la totale, quoi ! Et tout d'un coup, un matin, une semaine avant mon départ, je me suis levée et j'étais guérie. Plus rien. La fièvre avait quitté mon corps en emportant toute la douleur. Mon cœur était réparé.

«Je me suis levée un matin et j'étais guérie.» Le rêve.

J'ai avalé la dernière framboise et j'ai raclé le sirop au fond de mon bol. L'horloge hexagonale au-dessus de la cheminée indiquait neuf heures moins huit. Dans quelques minutes, j'irais clavarder avec mon père. On communiquait ainsi au moins trois fois par semaine. Avec ma mère, c'était tous les dimanches soirs, quand elle revenait de l'hôpital pédiatrique de Lausanne. Elle s'était mise à la zoothérapie. Toutes les semaines, elle partait avec Sardine et Merlot faire une grande tournée d'affection canine. Évidemment, les enfants raffolaient des deux saint-bernards. J'imaginais les patients alités qui, voyant arriver Solange Paradis, croyaient apercevoir un ange du paradis avec ses deux gentils cerbères friands de biscuits et de caresses sous le menton. Le dimanche précédent, elle m'avait raconté que Sardine était entrée dans la chambre vide d'une fillette qui s'était éteinte quelques heures plus tôt, faute d'avoir pu s'adapter à son nouveau rein. La chienne avait tourné en rond en gémissant, puis elle s'était réfugiée sous le lit et n'avait plus voulu sortir.

— Ils sentent les choses, disait ma mère. Pas seulement les orages et les tremblements de terre, mais aussi la mort qui rôde autour de ceux qu'ils aiment.

Ce soudain accès de bienfaisance à la Mamie Rose me laissait un peu perplexe, mais ce devait être bon signe.

J'ai gravi l'escalier pour aller m'asseoir dans la plus petite pièce de la maison, une chambre vert tilleul où Isabelle avait installé son portable. C'était là que la propriétaire assemblait ses impressionnantes courtepointes ; les murs de l'étage en étaient tapissés.

J'ai ouvert le poste et j'ai tapé le mot de passe du logiciel de clavardage. La fenêtre est apparue en tintant. J'ai vu que mon père était déjà connecté, mais son icône en forme de fleur de lys m'indiquait qu'il parlait au téléphone. J'en ai profité pour aller vérifier mes courriels. J'en avais un court de Sophie qui m'envoyait des photos d'elle avec Olivier, prises pendant leur week-end dans Charlevoix. C'était le grand amour depuis juin. Je croyais Sophie quand elle me disait qu'elle avait enfin « trouvé le bon ». Olivier avait l'étoffe d'un vrai gentleman, et Sophie ne méritait rien de moins.

Un bip m'a avertie d'un message de mon père.

MARCEL : Allô, ma grande !
CLARENCE : Allô, papa !
MARCEL : Tu ne devineras jamais à qui je parlais au téléphone !
CLARENCE : Aucune idée… Shania Twain ?

Il n'arrêtait pas de se vanter qu'il la croisait tous les samedis en faisant ses courses à la Migros. Il prétendait même qu'elle lui avait fait un clin d'œil.

MARCEL : Non, non, elle ne m'a pas encore appelé, c'est une grande timide.
CLARENCE : Qui alors ?
MARCEL : Ton frère !
CLARENCE : Ah ?
MARCEL : Il vient nous voir ici la semaine prochaine, avant le début de ses cours à Montréal.
CLARENCE : C'est super !
MARCEL : Attends que je te dise la meilleure. Il ne vient pas tout seul !
CLARENCE : Il amène sa copine-camouflage ?
MARCEL : Non, non ! Il vient avec un ami ! Un, pas une !

CLARENCE : Ça doit être un de ses copains du club d'escrime, non ?

MARCEL : Non, je ne pense pas. Ta mère et moi on a l'impression que…

CLARENCE : Qu'il fait son *coming out* ?

MARCEL : Son *coming out*, c'est ça le mot qu'on cherchait !

CLARENCE : Tu penses vraiment que Sébastien va arriver comme ça, bing, bang, et vous mettre devant le fait accompli ? Je vous présente mon amoureux, Jean-Luc ou Gaston ?

MARCEL : Il s'appelle David.

CLARENCE : Ah !

MARCEL : Tu sais, on a juste une toute petite chambre d'invités, ici. Le chalet est grand comme ma main.

CLARENCE : As-tu peur qu'ils couchent dans le même lit ?

MARCEL : Qu'est-ce que tu en penses ?

CLARENCE : Comment veux-tu que je le sache ? Sébastien me parle deux fois par année ! Si je publiais un livre, ça s'appellerait *Mon frère, cet inconnu*. Tu pourrais téléphoner à Gai Écoute, ils donnent des conseils aux parents.

MARCEL : Je ne suis pas sûr que ta mère et moi, on soit prêts pour tout ça. Je veux bien qu'il nous le présente, on est très contents de le connaître… mais ils pourraient peut-être rester à l'hôtel ?

CLARENCE : Dis-le-lui.

MARCEL : Comment ? Je ne veux pas le vexer… il ne sait même pas que je sais qu'il est gai !

CLARENCE : Il se doute que tu t'en doutes, papa.

MARCEL : Ta mère et moi, on ne veut pas être vieux jeu, mais c'est difficile de réagir comme s'il nous présentait une fille !

CLARENCE : Es-tu nerveux ?

MARCEL : Sans bon sens !

En bas de l'escalier, j'ai entendu la clé d'Isabelle tourner dans la serrure.

— C'est moiiiiii ! a-t-elle crié.

— Je clavarde avec mon père. Je descends dans cinq minutes !

CLARENCE : Isabelle vient d'arriver, papa. Je vais aller préparer le souper avec elle, elle a dit qu'elle me montrerait à faire une bouillabaisse.

MARCEL : Pas de problème. J'entends ta mère qui se lève en haut. Je lui ai promis du pain doré, il faut que je m'active !

CLARENCE : On se reparle mercredi ?

MARCEL : Ta Isabelle, c'est juste une amie ou… ?

CLARENCE : Papa !

MARCEL : Quoi ?

CLARENCE : Oui, c'est juste une amie. Franchement !

MARCEL : Tu ne t'es pas fait de petit copain en voyage ?

CLARENCE : Non, c'est parce qu'inconsciemment, tu vois, je cherche mon père. Et des modèles comme toi, il ne s'en fait plus depuis 1949.

MARCEL : C'est vrai que la barre est haute…

CLARENCE : Je te laisse, là !

MARCEL : Une dernière chose pendant que j'y pense. As-tu réservé ton billet de retour ?

CLARENCE : Il faut que je discute avec Isabelle, on veut synchroniser nos billets pour partir la même journée. Son visa expire le 20 décembre, alors elle doit retourner à Paris avant. Je devrais revenir autour du 18.

MARCEL : On a hâte de te voir !

CLARENCE : Moi aussi ! Embrasse maman. Bonne journée !

MARCEL : Bonne soirée !

Je me suis déconnectée et je suis allée m'habiller dans ma chambre. Entre le lit et la grande armoire, il y avait un long miroir ovale, sur pied. J'ai laissé mon peignoir tomber par terre. Dans la glace, j'essayais maintenant de me voir objectivement, comme si je me trouvais face à une statue ou à un tableau. J'avais bronzé et la blancheur des trois triangles de mon bikini contrastait avec le léger hâle de ma peau. J'avais peine à croire que l'hiver tirait enfin sa révérence. Ça resterait le plus long des hivers de ma vie, puisque j'en avais quitté un qui se terminait pour en rejoindre un autre qui commençait. Après dix mois de neige, de pluies diluviennes et d'une lumière trop économe, mon corps réclamait l'été comme son dû. Il rêvait de lézarder sur la plage et de se remplir de soleil comme un chameau se gorge d'eau en prévision des pénuries. Plus que trois mois et ce serait la canicule. Avec Isabelle, j'avais commencé à planifier un voyage de trois semaines en décembre. Contrairement à moi, elle ne redoutait pas la conduite à gauche et elle voulait louer une voiture pour descendre jusqu'au sud de l'île du Sud.

J'ai entouré ma taille de mes mains. Oui, ça avait un peu élargi. Les petites pointes osseuses de mes hanches étaient toujours visibles, mais pas aussi anguleuses. Je me suis retournée pour observer le verso, par-dessus mon épaule. Tout s'arrondissait. Je n'allais pas prétendre que le changement était une partie de plaisir, mais je tenais le coup.

J'ai ouvert l'armoire et j'ai enfilé l'une des trois robes que j'avais achetées la semaine précédente, après un épisode d'affolement déclenché par l'impossibilité de refermer le bouton de mes Miss Sixty. Me surprenant en flagrant délit de désespoir, Isabelle m'avait secouée en lançant mes précieux jeans dans le feu de foyer. Elle m'avait ensuite traînée dans une boutique pour que j'y choisisse des robes et des paréos, rien d'ajusté. Les vêtements apportés de Québec ne servaient plus qu'à me rappeler mon ampleur croissante. Isabelle insistait sur l'importance d'avoir une garde-robe de transition pour l'atteinte de ce qu'elle appelait mon «poids-bonheur». J'avoue que je n'aurais jamais cru possible de mettre un trait d'union entre ces deux mots-là.

Isabelle avait aussi fini par subtiliser le pèse-personne de la salle de bain. Elle m'avait déjà fait promettre de ne pas monter dessus, mais j'étais entêtée. Au début, je me pesais seulement avec Napoléon dans les bras, pour qu'il me serve de bouc émissaire en cas de poids trop élevé.

— Encore des abus, Napoléon? Un demi-kilo en trois jours, c'est qu'il est glouton notre petit caporal...

Puis, un matin, je n'avais pas trouvé le chat et je m'étais pesée toute seule. Le résultat m'avait donné des palpitations cardiaques si intenses que j'avais craint l'infarctus. Je m'étais confessée et Isabelle avait pris les choses en main.

Elle me disait «encore un tantinet trop osseuse». Dur à accepter, mais il fallait admettre qu'à côté des siens, mes bras ressemblaient à deux brindilles. J'avais pourtant besoin d'être rassurée tous les jours, de l'entendre me jurer encore et encore que manger à ma faim n'était pas un ticket garanti pour le rayon de l'obésité morbide, où une grue me soulèverait du lit pour que des infirmières me nettoient sous les bourrelets. C'est ce que mon cerveau, qui ne s'était pas encore habitué au changement, s'obstinait à me répéter du matin au soir. J'avais beau jouer l'indifférence, le monologue fielleux brouillait les ondes de ses slogans habituels.

«Tu ne vas quand même pas reprendre un morceau? Tu ne deviens pas un peu vorace? Qu'est-ce qui te fait croire que tu mérites ça, tout à coup ? Tu sais ce qu'on dit… quinze secondes dans la bouche, quinze ans sur les hanches. Tu perds le contrôle de ta vie, ma vieille ! »

— C'est la bataille des loups, m'avait expliqué Isabelle.

— Quoi ? Les loups ? Quels loups ? J'ai déjà assez d'un dragon, tu ne vas pas me rajouter un loup !

— C'est une légende des Indiens Cherokees. J'ai lu ça quelque part. C'est un grand-père qui raconte à son petit-fils qu'on a tous deux loups qui vivent à l'intérieur de nous. Le premier est méchant, il traîne un fardeau de hargne, c'est un loup aigri, malveillant, qui ressasse sa rancœur et critique du matin au soir. L'autre loup, c'est le bon loup. Il est enjoué, il aime la vie, les gens. Il est plein de compassion et de générosité. Chaque jour de ta vie, tes deux loups se battent en duel à l'intérieur de toi. Alors le petit-fils demande : « Grand-père, comment savoir quel loup finit par gagner la journée ? »

— Ouais, lequel ?

— C'est facile. C'est toujours le loup que tu as le mieux nourri ce jour-là.

Dans la cuisine, Isabelle coupait un poireau sur le comptoir. La vitesse avec laquelle elle maniait l'énorme couteau me faisait grimacer et je devais chasser l'image de ses phalanges tranchées sur la planche de bois. À côté, dans un bol d'acier inoxydable, un gros poisson rouge argenté baignait dans l'eau avec quatre glaçons.

— Bonsoir ! ai-je dit en tirant un tabouret pour m'asseoir à côté d'elle.

Elle m'a planté un rapide baiser sur la joue.

— Alors, il est comment ? ai-je poursuivi.

— C'est un bébé en format réduit. Ses petits poings sont gros comme ça !

Elle a pris un bulbe d'ail entre son pouce et son index.

— Il va s'en tirer ?

— Oui, je crois. Wendy en est convaincue, en tout cas. Tu pourrais aller dans le jardin chercher quelques brins d'origan ? Un peu d'aneth aussi ?

Pieds nus sur la pelouse froide, j'ai sautillé vers la plate-bande d'herbes odorantes qu'Isabelle avait plantées elle-même. La partie « préparation » de la nourriture m'enchantait à nouveau. Musique, verre de vin, livre de recettes colorées, visites au jardin, odeurs de cuisine… je pouvais vivre avec tout ça. Il ne me restait plus qu'à apprivoiser la partie « consommation ». Ce qui était bien, c'est que j'avais perdu tout désir pour les pâtisseries industrielles, le *fast food* et les biscuits chimiques dont je m'empiffrais dans ma chambre à Auckland. Isabelle jurait qu'elle ne toucherait pour rien au monde à ce genre de bouffe, même avec une perche de deux mètres. Elle disait que les Twinkies, petits gâteaux cultes aux États-Unis, avaient été analysés dans un de ses cours de nutrition et qu'ils contenaient tellement de produits artificiels qu'ils ne pourrissaient jamais. Ils avaient exactement le même goût après avoir été laissés dans l'armoire pendant des années. C'est pourquoi on conseillait aux citoyens américains de garnir leur abri nucléaire avec des tonnes de Twinkies.

Isabelle avait un don d'improvisation qui lui permettait de faire des mariages et des miracles avec ce que j'aurais pris pour des ingrédients incompatibles. Elle ne mesurait rien, sauf en pâtisserie où les proportions exactes sont essentielles. En l'observant, je croyais parfois reconnaître ma place dans le monde, là, au milieu des cuillers et des casseroles. Je n'osais pas en parler tellement l'idée me semblait farfelue, dangereuse même. Clarence Paradis devenue chef pâtissière, c'était le pyromane promu pompier.

Je ne ferais peut-être pas carrière dans une cuisine, mais je considérais l'offre de Mamie de plus en plus sérieusement. Devenir actionnaire principale du Goût du Paradis. J'en avais discuté avec Sophie en juillet, et elle m'avait reconfirmé que les affaires roulaient presque toutes seules, que ce serait inadmissible de laisser passer cette chance.

— J'aurais du mal à te la pardonner, celle-là, Clarence ! Et toi aussi, un jour, tu finirais par t'en mordre les doigts ! Cette affaire-là a un potentiel fan-tas-ti-que ! Je ne te parle de rien avant ton retour, mais les idées fourmillent dans ma tête depuis un bout de temps, pour de nouveaux produits, un concept plus moderne…

J'avais fini par lui promettre de lui donner ma réponse à Noël, comme convenu avec Mamie.

Trois mois après son diagnostic, Mamie semblait toujours bien se porter, assez pour continuer à s'occuper de ses petits-enfants, à cuisiner et à faire sa tournée des tablées populaires le dimanche. J'avais remarqué, dans nos conversations téléphoniques, que sa voix s'était un peu modifiée, le cancer dans sa gorge jouait avec ses cordes vocales et lui donnait un ton plus bas, légèrement rauque.

— Je parle comme Marlène Dietrich, tu trouves pas ? disait-elle en s'étouffant presque.

Quand elle s'est enfin décidée à annoncer l'imminence de son départ à toute la famille, au début de juin, mon oncle André lui a tout de suite proposé de partir avec lui et sa femme. Ils allaient deux semaines en Italie. Mamie a accepté. Par l'intermédiaire d'Internet, je lui ai fait livrer une petite valise à roulettes, un modèle ultraléger, rouge vif, pour remplacer celle qu'elle m'avait offerte avant mon voyage. Mes parents, qui vivaient à quatre heures de train de Milan, ont rejoint Mamie à l'aéroport et ils sont partis tous ensemble pour Rome.

Par clavardage, mon père m'avait raconté qu'après avoir visité la chapelle Sixtine, ils étaient allés pique-niquer sur la colline du Palatin. Mamie avait désigné l'amphithéâtre du Colisée en mangeant son panini.

— Réalisez-vous, mes enfants, qu'on a construit tout ça en l'an 70 ? Avec rien ? Pas de grues, pas d'imprimerie pour les plans, pas d'électricité, rien ! Deux mille ans plus tard, j'ai toute la misère du monde à trouver quelqu'un qui sait poser une armoire de cuisine sans que ça lâche après un mois... Deux mille ans ! Imaginez tous ceux qui sont passés ici. Et surtout, pensez aux autres qui vont pique-niquer ici même pendant les mille prochaines années. Si on est assez brillants pour garder la planète vivable en tout cas.

Elle s'était levée, leur avait tourné le dos et elle était restée muette un instant avant de poursuivre.

— On n'est pas grand-chose, hein ? On a à peine le temps d'arriver et de se mettre à l'aise, que pouf ! c'est déjà fini ! Notre vie ne dure même pas le temps d'un petit éternuement dans l'espace... Des milliards avant nous et des milliards après. Quand on regarde ça comme ça, c'est plus gênant de faire un drame avec sa propre mort, vous ne trouvez pas ?

Je repensais souvent aux paroles de Mamie. À quel point, une fois sa propre existence convertie à l'échelle de l'Univers, il était absurde de la passer à se ronger les ongles en comptant les calories. Au bout du compte, ça ne vaudrait strictement rien. J'imagine que pour la plupart des gens, il n'y a rien d'agréable à se rappeler que sa vie représente moins qu'un atome dans l'infini du cosmos. Moi, par contre, je trouvais l'idée réconfortante. Je me répétais souvent que dans cent ans, je n'y serais plus. Ensuite, pour m'éviter de déprimer, je m'obligeais à revenir sur Terre, à m'ancrer solidement au moment présent dans une plate-bande de Kahukura et à me concentrer sur le plant d'origan.

J'ai coupé cinq tiges, arraché une touffe d'aneth, et je suis rentrée. Les poireaux et l'ail rissolaient dans une casserole. Ça sentait bon. Isabelle avait mis le CD de Vaya Con Dios qui jouait dans nos cours de danse latine. Sur le comptoir, elle décortiquait de grosses crevettes. Dans l'évier, elle avait posé un bol de palourdes.

— C'est toi qui frottes les coquillages, d'accord ? Tiens, voilà la brosse !

Sous un filet d'eau, j'ai commencé à débarrasser les mollusques de leurs derniers grains de sable et des petits bouts d'algues incrustés dans leur coquille. Je n'étais même pas certaine d'avoir déjà mangé des palourdes. C'était là une autre conséquence triste de mes cinq années d'embargo culinaire. J'avais toujours divisé les aliments en deux catégories : les inoffensifs insipides ayant reçu le sceau d'approbation pour leur carence en goût et en calories, et les interdits que je finissais par vomir. Entre les deux extrêmes, il restait tout un monde de saveurs demeuré inexploité jusqu'à ma rencontre avec Isabelle. Du chocolat au chili ou à la lavande, du fromage de brebis, une infinie variété de poissons, de la polenta, du jambon de Parme... et jusqu'à la veille, des fruits de la passion. Ils poussaient par dizaines dans une vigne accrochée à un treillis adossé à la maison. Isabelle avait ramené les trois plus mûrs, les avait ouverts comme une noix. Avec une petite cuiller, j'avais soulevé la chair glissante et translucide. J'avais pensé à une grappe d'œufs de grenouilles. Les perles noires ont craqué sous mes dents. Ça goûtait le bonbon tropical.

— Hummm ! Sens-moi ça !

Dans la paume de sa main, Isabelle tenait une pincée de petits fils, comme des fibres de tabac orange brûlé.

— C'est quoi ?

— Du safran ! Tu ne connais pas ?

— Non !

— Le safran est l'épice la plus chère du monde !

— Ah bon ? Pourquoi ?

Elle a pincé un brin entre ses doigts.

— Tu vois ce filament ? Il a été cueilli à la main dans le cœur d'un crocus. C'est en fait le pistil de la fleur qui est récolté. Chaque corolle en a trois. Je te laisse imaginer le travail !

Elle a jeté l'épice dans la casserole.

— À une époque, le safran était si précieux qu'il a déclenché une guerre en Europe. On avait volé la cargaison d'un bateau et les affrontements qui ont suivi ont duré quatorze semaines ! Encore plus tôt dans l'histoire, c'est en mettant du safran dans son bain qu'Alexandre le Grand soignait ses blessures de guerre. Les Perses, eux, le mélangeaient à des parfums pour profiter de ses vertus aphrodisiaques. Quant aux Phéniciens, ils prétendaient que c'était le plus puissant des antidépresseurs. Une seule infusion guérissait les plus profonds accès de mélancolie.

Elle a repris quelques brins dans le contenant de verre.

— C'était la rubrique historique d'Isabelle Viallon ! Allez, tire la langue !

Le goût était intense, délicatement fumé.

Juste à humer ce qui mijotait sur le feu, je savais que la bouillabaisse serait en lice pour devenir mon dernier repas sur Terre, et je l'ai dit à Isabelle.

— Justement, je crois avoir trouvé une première candidate.

— Ah oui ?

— Quand je suis arrivée à Kahukura, je prenais souvent le traversier jusqu'à Taheruha, et j'allais marcher le long de la rivière. Au mois de janvier, la chaleur devient insupportable sur la plage, alors je préférais lire à l'ombre des kauris, les pieds dans le courant. Une fois, en me promenant sur la berge, j'ai vu une vieille caravane au bord de l'eau. J'ai cru qu'elle était à l'abandon, mais quand je suis repassée quelques jours plus tard, j'ai remarqué des vêtements qui séchaient dehors. J'ai demandé à Wendy si elle savait qui habitait là et elle m'a dit que c'était une très vieille Maorie. Elle pense qu'elle a cent ans !

— Tu lui as parlé ?

— Pas encore, mais je l'ai vue ! Elle est tatouée dans le visage !

— Un moko ?

— Exactement.

J'avais lu dans mon guide de voyage qu'il s'agissait du tatouage autrefois imposé aux jeunes filles quand elles atteignaient la puberté, pour les aider à trouver un mari. Le moko était un genre de carte de visite, il affichait le statut, l'origine tribale, le rang, les habiletés particulières et l'admissibilité au mariage. Pour les femmes, le summum de la beauté était d'avoir les lèvres entièrement tatouées en bleu. Pour les hommes, les tatouages étaient encore plus importants : leur corps en était souvent couvert. Un homme au visage dénué d'encre était considéré comme un moins que rien, un paria, ce n'était même pas la peine qu'il se cherche une fiancée.

— Tu vas lui proposer de participer à ton livre ?

— Ça pourrait être intéressant, non ? À cent ans, on ne sait jamais quelle bouchée sera la dernière !

Isabelle a plongé sa main dans le bol d'eau et elle a sorti le vivaneau par la queue pour le coucher sur une grande assiette. Dans le bloc de bois, elle a saisi la longue tige de métal pour aiguiser la lame du couteau à poisson.

—Je te montre comment on le découpe en filets, d'accord ?

— Tu penses que je vais cuisiner comme toi un jour?

— Pourquoi pas? Avec la passion et la patience, tout s'apprend!

— Un cours pour devenir chef, c'est long?

— Ça dépend! Il faudrait regarder sur Internet.

— Tu ne penses pas que c'est une mauvaise idée? Drôle de façon de conclure cinq ans de croisades alimentaires, non?

— Non, au contraire. Tu sais, les femmes qui ont un rapport sain avec leur assiette ne courent pas les rues. Toi, tu as poussé la folie un peu plus loin que la moyenne, mais tu es loin d'être un cas rare. Quand on travaille avec la nourriture, on apprend à la connaître et à la respecter. Il y a donc moins de risques de se retrouver en train de dévorer une boîte de Twinkies au-dessus de l'évier de la cuisine à onze heures du soir, tu penses pas?

— Hum, hum. Je vais jeter un coup d'œil aux écoles hôtelières de Québec sur le Web demain… juste pour avoir une idée!

— J'y pense… pourquoi tu ne viendrais pas étudier avec moi à Paris?

Chapitre 19

Isabelle avait insisté pour terminer le voyage à Akaroa. Moi, j'avais tellement peur de rater l'avion que j'aurais préféré passer notre dernière journée assise sur un banc, devant le tableau des départs de l'aéroport de Christchurch.

La péninsule de Banks, où se trouvait la petite communauté d'Akaroa, avait été achetée aux Maoris par la France pour mille francs. Au dix-neuvième siècle, une colonie française s'y était installée pour permettre le commerce de l'huile de baleine. Aujourd'hui, on n'y parlait plus la langue de Molière, mais certaines rues du village avaient gardé leurs noms français. Chaque année aussi, on y célébrait le *French Fest* et on se baignait avec les dauphins dans la *French Bay*. Selon Isabelle, c'était l'endroit idéal pour faciliter la transition vers notre coin du monde.

Dans la voiture louée, pendant que je lui lisais les instructions pour atteindre l'extrémité de la péninsule, il s'est mis à pleuvoir.

— Tu vois, je te l'avais dit qu'on aurait mieux fait de rester à Christchurch ! Tu penses que ça va être drôle d'aller marcher sur la plage, maintenant ?

Isabelle, comme si elle avait été prévenue de la durée de l'averse, a souri sans quitter la route du regard. Trois minutes plus tard, elle a arrêté les essuie-glaces et m'a regardée en plissant les yeux.

— Tu vois, ça s'est arrêté juste pour nous! *Ç'a pas d'allure!*

Elle avait pris l'habitude de surcharger son discours de toutes les expressions québécoises sorties de ma bouche au cours des six derniers mois. Comme tous les Français, elle les prononçait d'une façon beaucoup trop pointue ou les utilisait dans un contexte douteux.

La pluie avait donc cessé. Depuis septembre, le soleil brillait presque toute la journée, parfois si fort que je devais rester cachée dans la maison, immobile sous le ventilateur. Au début de l'été, j'avais eu un coup de soleil si intense que j'en avais vomi pendant deux jours.

Au bout d'un virage, l'asphalte a fait place à un chemin de gravier liséré de bosquets de quenouilles. Deux hérons, dérangés par le vacarme des cailloux sous la voiture, ont fui le marécage pour rejoindre la cime des arbres. Dans un nuage de poussière, Isabelle a ralenti et s'est garée.

— Qu'est-ce qu'on fait ici?

— Si mon sens de l'orientation est fiable, on devrait avoir une vue panoramique sur toute la côte en grimpant jusqu'en haut.

Du doigt, elle a montré un vague sentier montant tout droit sur le flanc de la colline. Pendant que je repliais la carte de l'île du Sud, elle est sortie, a fait le tour de la voiture pour m'ouvrir la portière.

— Allez, Miss Grognon, tu ne le regretteras pas!

Je n'étais pas grognon, juste un peu triste. Je quittais la Nouvelle-Zélande quand je commençais à m'y sentir chez moi, à apprécier sa beauté sauvage, son anglais saccadé, sa neige en juillet et ses canicules en décembre. Ça avait passé tellement vite. Surtout les quatre dernières semaines. La tournée du pays qu'Isabelle et moi avions gardée pour la fin avait été une vraie réussite. Vingt-six jours, peut-être les plus beaux de ma vie, peut-être ceux que je ne pourrais jamais décrire sans passer pour une fabulatrice. J'imaginais le réveillon de Noël chez Mamie, mes oncles, mes tantes, les nouveaux bébés dans les bras de mes cousines. «Pis, Clarence, tu nous racontes pas ton voyage?» allait lancer ma tante Carole ou mon cousin Alexandre. «C'était super, vraiment super.» J'avais envie de garder les meilleurs bouts pour moi, de les reconstruire cent fois dans ma tête avant de les éparpiller. De toute façon, il fallait vraiment y être pour comprendre. La douceur du dauphin venu dire bonjour d'un coup de nez sur la plage de Kaikoura… la force tranquille du volcan Ruapehu, qui laissait des centaines de skieurs dévaler ses contreforts entre ses éruptions… le sourire d'une centenaire aux lèvres tatouées en bleu, ses deux dents restantes noircies par les racines de kava qu'elle chiquait toute la journée…

L'effort qu'il nous avait fallu déployer pour l'amadouer, celle-là! Au début, elle ne voulait même pas nous ouvrir la porte de sa roulotte. Ce n'est qu'après la lettre glissée sous le seuil, expliquant le projet de recherche d'Isabelle, qu'elle nous avait consenti l'accès à son monde. Elle s'appelait madame Torua, elle croyait avoir cent ans, mais elle n'en était pas certaine. Chose sûre, elle en avait l'air. Il fallait se concentrer pour bien la comprendre, à cause de son accent extrême et de sa dentition partielle. Le «dernier repas sur Terre» sélectionné par notre mamie maorie était un hangi, le traditionnel mets indigène. Comme il y avait des limites au répertoire de recettes d'Isabelle, madame Torua nous avait demandé de rassembler les ingrédients : de l'anguille, des moules vertes, du poulet, de l'agneau, des kumaras (grosses patates douces), des courges de toutes sortes, du chou. Elle avait ajouté quelques bouteilles de Tohu, vin maori, du pain de maïs et des herbes qu'elle avait cueillies elle-même au bord de la rivière avant de commencer à préparer le repas. *Hangi,* c'est aussi le nom du four creusé dans la terre pour la cuisson. Un site était déjà aménagé à côté de son petit jardin, avec une pile de bois et quelques paniers en treillis métallique pour y déposer la nourriture. Fascinées, Isabelle et moi l'avions regardée chauffer les pierres volcaniques jusqu'à ce qu'elles tournent au blanc. Les aliments avaient ensuite été descendus dans la terre, et le trou recouvert de sacs de toile mouillés pour emprisonner la vapeur. Au bout de quatre heures de cuisson, un petit groupe était venu se joindre à nous : deux anciennes voisines, le fils de madame Torua et ses deux filles, une demi-douzaine d'adolescents dont deux guitaristes, et trois bambins. Le hangi était un événement culinaire célébré en groupe. Celui auquel nous assistions n'était qu'une version réduite du festin qui, lors des fêtes traditionnelles, restaurait plusieurs centaines de convives.

Isabelle et moi avions fini par devenir spectatrices, prenant des notes et des photos jusque tard dans la soirée. Vers onze heures, complètement soûles toutes les deux, nous chantions en maori, étendues sur l'herbe, le ventre plein. C'était un vrai miracle de me retrouver là pour participer à un rite vieux comme le monde, transmis d'une génération à l'autre dans tous les pays de la terre. Et l'autre miracle, c'était que malgré mon estomac gonflé, j'avais réussi à éviter la panique. Quand, au milieu des rires et des guitares, la voix de ma conscience était venue susurrer qu'un excès pareil allait se convertir en kilos de désespoir, je l'avais mentalement enterrée pour la nuit avec les pelures de patates et les os de poulet au fond du trou creusé à côté du *hangi*.

Ce n'est pas seulement la Nouvelle-Zélande que je quittais avec les larmes aux yeux et la gorge serrée d'émotion. Il y avait aussi le café Nouméa, où j'avais travaillé cinq jours par semaine depuis mon arrivée à Kahukura. En six mois, je m'étais attachée aux propriétaires et aux clients qui, chaque jour, revenaient boire mon espresso et goûter aux créations d'Isabelle. Les habitants du village qui fréquentaient le café étaient chaleureux et avaient tout mis en œuvre pour rendre inoubliable notre séjour parmi eux : ils n'avaient jamais hésité à nous inviter à une soirée entre amis, à un pique-nique en famille ou à passer la journée sur leur voilier. Avec le temps, je m'étais persuadée d'avoir choisi le meilleur endroit au monde pour retrouver ma santé mentale.

Une semaine avant de partir, Isabelle avait réuni dans un cahier toutes les recettes qui avaient fait son succès à Kahukura. J'avais écrit à Mamie pour qu'elle m'envoie quelques-unes des siennes et je les avais ajoutées à la collection. Nous avions fait imprimer et relier notre petit recueil avant de l'offrir à Wendy et à tous les clients, pour qu'ils puissent continuer à se « sucrer le bec » en souvenir de nous.

À quelques mètres devant moi, Isabelle gravissait la colline, les mains accrochées aux bretelles de son sac à dos. Heureusement qu'elle était là pour me confirmer que je n'avais pas rêvé tout ça. J'ai accéléré le pas pour la rejoindre. J'étais en bien meilleure forme maintenant, car en plus des cours de salsa du mercredi et des séances de yoga, j'avais recommencé à courir. Pas comme avant, dans les petites rues du Vieux-Québec où je m'essoufflais à m'en brûler les bronches, chaque pas punissant chaque calorie absorbée. Ce temps-là était bel et bien révolu. Le matin à Kahukura, j'allais jogger le long du terrain de golf et je revenais par la promenade de la marina, où se trouvaient toujours deux ou trois beaux grands bronzés occupés à astiquer leur voilier. Chaque fois, ils me faisaient un signe de la main en criant un énergique « *G'day!* » et je sprintais de bonheur jusqu'à la maison.

— Wow! Clarence! Vite, viens voir!

Isabelle avait atteint le sommet. Elle a éclaté de rire et s'est laissée tomber par terre. J'ai hâté mes derniers pas.

Les variations de lumière, en Nouvelle-Zélande, auraient pu être déclarées « trésor du patrimoine mondial ». Il y avait toujours un éclat particulier après la pluie, surtout à l'heure du crépuscule. La baie d'Akaroa en était un parfait exemple. La mer, les voiles, le vert des vallons, tout brillait comme si la lumière ne provenait plus du ciel, mais de l'intérieur des terres. On aurait pu prendre les fleurs des pohutukawas pour des lampions rouges accrochés au feuillage.

— Regarde les moutons! a crié Isabelle.

Le troupeau, dispersé sur le flanc d'une montagne à des kilomètres au nord, brillait lui aussi sans le savoir. Je me suis assise dans l'herbe à côté d'Isabelle. Le soleil baissait à vue d'œil derrière nous et nous avons décidé de rester là jusqu'à ce qu'il disparaisse. De son sac, elle a sorti la bouteille de Cloudy Bay achetée chez le vigneron. Elle a versé le liquide mordoré dans nos coupes en plastique. L'ambiance était propice aux serments d'amour et, si j'avais su comment, je lui aurais déclaré des sentiments tout aussi profonds et encore plus inaltérables. Il devrait exister des fiançailles pour sceller les amitiés, une sorte de version adulte des promesses faites dans les cours de récréation...

— Pourquoi tu me regardes comme ça?

— Moi? Pour rien, j'étais dans la lune.

Pour masquer mon embarras, j'ai décidé de porter un toast.

— Hum! Bon... J'aimerais boire à la mémoire des moments passés ici en Nouvelle-Zélande. Je lève surtout mon verre à ta santé, Isabelle Viallon, car il est évident que ce voyage n'aurait jamais été aussi extraordinaire sans toi.

— Oh, allez, t'exagères...

— Non, pas du tout. Au risque de paraître mélodramatique, je dirais même que tu m'as sauvée.

— Ça y est, elle déraille!

— La ferme, j'essaie de te remercier, là! Alors voilà... merci Isabelle, et *kia tere ai te karohirohi i mua tonu i o koutou huarahi!*

— Hé! Tu t'en souviens?

Elle a souri et ses yeux ambrés ont pétillé.

— Madame Torua me l'a écrit sur un bout de papier, avant de partir. Je l'ai appris par cœur.

J'avais voulu savoir ce qu'elle nous avait souhaité en collant son front au nôtre, selon le baiser traditionnel polynésien, quand nous l'avions quittée après le *hangi.*

Que la lumière danse toujours sur vos chemins.

— Santé!

Isabelle a levé son verre.

— Bon, ça y est, j'ai envie de pleurer!

— Bah, on se revoit dans huit jours!

Parce que sa mère et son beau-père passaient décembre dans les Baléares, et qu'elle se retrouverait toute seule avec son perroquet à son retour à Paris, j'avais invité Isabelle à Québec pour son premier vrai Noël blanc. Je lui avais offert le billet d'avion pour la remercier de m'avoir hébergée pendant six mois. À l'île d'Orléans, le réveillon du siècle se préparait, à ce qu'on m'avait dit. Sophie m'avait confié que Mamie organisait des célébrations qui dureraient trois jours. Je n'étais pas encore au courant des détails : depuis un mois, j'avais délaissé mes courriels et je téléphonais plus rarement. Je n'avais parlé à Sophie qu'une seule fois, pour qu'elle puisse me mettre en contact avec Becca, son amie qui pilotait de petits avions à Methven, au cœur de l'île du Sud. La ligne téléphonique grésillait, mais j'avais compris que Sophie restait à Québec et ne venait plus nous rejoindre pour la fin du voyage. Comme elle disait, on ne va pas en Nouvelle-Zélande pour une semaine. Elle s'était jetée corps et âme dans son nouvel emploi et il était compliqué pour elle de partir longtemps. Elle m'avait promis qu'un jour, en un moment plus propice, on ferait un voyage ensemble.

L'ancienne coloc de Sophie nous avait reçues comme des reines. Nous avions eu droit à une balade en Cessna au-dessus de toute la région du Canterbury, un paradis pastoral tout en courbes vaporeuses.

— C'est ici qu'ils ont filmé la trilogie du *Seigneur des anneaux*, nous avait appris Becca pendant que nous survolions la courtepointe jaune et verte étendue jusqu'aux glaciers bleus des Alpes du Sud.

À partir de la cabine de pilotage, j'avais pu photographier les troupeaux de moutons menés par des chiens de bergers noir et blanc, les maisons écroulées au bord de lacs solitaires et les tapis de fleurs qui poussaient autour des cratères remplis d'eau sulfureuse. Le paysage ne ressemblait pas tant à une île qu'à un grand coussin brodé au petit point. Il me fallait admettre que l'endroit représentait tout un défi pour les athées. Il était facile de croire que Dieu avait choisi la Nouvelle-Zélande pour perfectionner son art avant de se lancer sur un canevas plus ambitieux.

Devant la baie d'Akaroa, alors que le vin descendait dans la bouteille et que l'horizon s'embrasait de pourpre et d'orangé, j'ai fait le vœu de revenir ici un jour, peut-être avec mes enfants. Mais la prochaine aventure, c'était Paris.

— Tu penses que je devrais rester dans quel quartier, à Paris ?

— Le mien, bien sûr !

— C'est près de l'école ?

— Non, mais tu prendras le métro, comme tout le monde !

J'embêtais sans cesse Isabelle avec mes questions. J'aurais voulu qu'elle me décrive chaque arrondissement en détail. Le hic, c'est que je demeurais incapable d'imaginer Paris sans tomber dans le cliché total : je me voyais coiffée d'un béret, à fumer des Gauloises dans un café, une baguette et un bordeaux dans le panier de ma bicyclette. J'avais grand besoin d'une mise à jour.

J'avais décidé de m'inscrire à l'Académie d'Art Culinaire, mais pas dans l'intention de devenir chef dans un restaurant. Ce que je voulais, c'était enseigner la cuisine et, même si je ne savais pas encore où ni à qui, je finirais par le découvrir. Maintenant que j'avais trouvé ma Reine de Bâton, je comptais bien tomber sur le Trois.

« Tu pourrais démarrer une entreprise dans un domaine très innovateur, quelque chose qui ne s'est jamais fait avant. Le Trois de Bâton, c'est la carte des visionnaires. Aie confiance en tes idées. »

— Je ne peux pas croire que dans dix jours, je serai dans la neige. Dis, tu pourrais me montrer comment marcher avec des raquettes ?

— Hum, hum. Je pense que ma grand-mère en a deux ou trois paires dans son sous-sol.

— On pourrait aller couper un sapin de Noël nous-mêmes, tu crois ?

— Hum… Je vais voir. Je pourrais demander à mon oncle André de nous amener à son chalet. Mais il faudra que tu le laisses couper l'arbre lui-même. Je n'ai pas envie que tu retournes en France avec une entaille de hache dans le tibia !

À mon grand bonheur, la neige avait commencé à tomber tôt et en quantité record sur Québec. L'année précédente, il avait plu jusqu'au 27 décembre et la rumeur voulait que le réchauffement climatique ait sonné la fin du Noël blanc. Isabelle s'attendait tellement à découvrir un Québec sauvage et quasi polaire, j'aurais voulu aller la chercher à l'aéroport en traîneau, une ceinture fléchée enroulée autour de la taille.

— Tu veux aller manger un truc au village avant de retourner à Christchurch ?

— Oui, je suis à moitié morte de faim ! Allez, remets le bouchon. Si on continue comme ça, tu ne pourras pas conduire et on va rater notre avion pour de vrai.

— Ça ne me déplairait pas.

J'ai soupiré.

— Moi non plus.

Chapitre 20

Le douanier m'a jeté un œil suspicieux.

— Bonsoir, ma p'tite madame !

J'avais horreur qu'on m'appelle comme ça. Je ne voyais pas comment on pouvait être une «p'tite madame» quand on mesurait six pieds. Il a examiné mon visa de travail, feuilleté les vingt pages vides de mon passeport en se tordant la bouche.

— Vous êtes allée en Nouvelle-Zélande seulement ?

— Hum, hum.

— La durée de votre séjour ?

— Sept mois.

— Vous rapportez de l'alcool ou des cigarettes ?

— Non.

— Quel était le but de votre voyage ?

— Je voulais apprendre l'anglais.

Pas vrai du tout, mais ça passait mieux que la réalité : «C'était pour une partie de chasse, mon p'tit monsieur. Le dragon à trois têtes. Avec une fourchette.»

— Rapportez-vous plus de dix mille dollars en espèces ?

— Malheureusement, non.

— Et… que faites-vous dans la vie ?

— Je suis étudiante.

J'aurais pu m'arrêter là, mais j'ai cédé à la tentation de préciser.

— Je prépare un diplôme de cuisine à l'Académie d'Art Culinaire de Paris.

Ça m'a fait drôle de le dire comme ça, en toute non-chalance, à un parfait inconnu qui n'en avait rien à cirer. Je me suis retenue pour ne pas pouffer de rire.

Il a levé un sourcil, a reniflé bruyamment, a estampillé mon passeport avec vigueur et l'a glissé vers moi, les lèvres pincées. Il ne devait pas avoir plus de vingt-six ou vingt-sept ans, mais avec sa raie de cheveux tracée droite comme un rang militaire, son teint gris et ses grosses dents pleines de tartre, il en dégageait le double. Ça devait être drôlement moche comme emploi, enfermé toute la journée dans un petit cube à voir défiler des visages bronzés et des passeports remplis d'exotisme. J'ai remis le mien dans ma poche et je lui ai décoché mon plus grand sourire.

— Merci beaucoup, mon p'tit monsieur, et passez de très joyeuses fêtes !

Il m'a répondu avec un autre reniflement, l'air complètement dégoûté.

Ma valise tournait déjà sur le carrousel. Je l'ai hissée sur un chariot et je me suis placée au bout de la queue, devant la sortie. Pourvu que Sophie et Olivier soient encore là à m'attendre. J'avais quand même près de trois heures de retard, il ne devait pas être loin de neuf heures.

Quand les portes automatiques se sont ouvertes, je n'ai vu personne. Pendant que je fouillais du regard la zone des arrivées, mon cœur s'est mis à descendre dans mon ventre. Il y avait quelques bouquets de fleurs, des ballons, des pancartes. C'était déprimant de revenir d'aussi loin et de n'avoir personne qui vous attendait en vous ouvrant les bras. Heureusement, comme je commençais à m'apitoyer sur mon sort, j'ai aperçu Olivier, au fond de la salle, assis

408

sur un banc en train de frotter ses lunettes. Le soulagement s'est diffusé jusqu'au bout de mes orteils. J'ai marché vers lui à grands pas.

— Olivier !

Il a dressé la tête, m'a souri, s'est levé et a marché vers moi.

— Hé, Clarence, allô ! Excuse-moi, je commençais à penser que tu n'arriverais pas ce soir.

Il a mis ses lunettes, s'est reculé un peu, m'a toisée des pieds à la tête.

— Wow, t'as ben changé !

— Engraissé, tu veux dire ?

— Mais non, voyons, t'as embelli ! Et j'aime vraiment tes cheveux frisés !

— Merci. Sophie n'a pas pu venir ?

— Oui, oui, elle est aux toilettes. Tiens, elle arrive !

Je me suis retournée. Sophie, au bout du couloir, me faisait de grands signes. Nos regards se sont accrochés l'un à l'autre et j'ai couru au devant d'elle. Au dernier moment, quand je me suis retrouvée face à elle, la surprise m'a clouée sur place. Sophie était petite et plutôt costaude, et elle portait un t-shirt ample. Je pouvais donc facilement me méprendre... Pourtant...

Elle a saisi ma main droite.

— Eh ben, t'as arrêté de te ronger les ongles !

Elle a ouvert ma paume et l'a déposée sur son ventre. J'ai couvert ma bouche avec ma main gauche. Les larmes sont arrivées en quatrième vitesse.

— Non !

— Oui !

Elle a souri, resplendissante de bonheur.

— Pis tu m'as rien dit ?

Olivier est arrivé à côté d'elle et lui a embrassé l'épaule.

— Elle est belle ma blonde, non ?

— Wow, tu peux le dire! Sophie! Sophie, j'en reviens pas! Wow!

Olivier m'a tendu un mouchoir.

— Merci! Félicitations! Pourquoi tu ne m'as rien dit?

— Je voulais voir l'air que tu ferais! Je t'assure que ça valait le coup.

— Savez-vous si c'est une fille ou un garçon?

— Le médecin de Sophie nous a écrit ça dans une enveloppe scellée. Elle est dans le tiroir de la table de nuit depuis cinq semaines.

— Olivier veut l'ouvrir, c'est moi qui aime mieux attendre...

— C'est pour quand?

— Pour le 12 avril en principe. Mais j'ai l'impression que ça va arriver avant.

— Quoi, t'as vu ça dans ta carte du ciel?

— Viens t'asseoir, m'a-t-elle ordonné en me tirant par le poignet.

Elle s'est assise à côté de moi sur le banc, a levé la main droite pour former un signe de *peace* avec ses doigts. Il m'a fallu trois secondes pour saisir.

— Non!

J'ai crié tellement fort, les quatre personnes qui attendaient en file devant le guichet automatique se sont retournées et m'ont lancé un regard ennuyé.

— Pas des jumeaux?

Olivier, accoudé sur la poignée de mon chariot à bagages, s'est redressé en bombant le torse.

— Une preuve irréfutable de ma virilité débordante!

— Ah, vous deux, mes cachottiers! Vous auriez dû me le dire! Il y avait des super belles boutiques pour bébés en Nouvelle-Zélande. J'aurais pu vous rapporter des petits pyjamas de Kiwis!

— Restez ici, les filles, je vais aller réchauffer l'auto et payer le stationnement. Je vais klaxonner quand je serai en face.

— T'inquiète pas pour les pyjamas, la petite ! Ta grand-mère est partie en mission la journée même où je lui ai dit que j'étais enceinte. Tu as trois cousines qui ont eu des bébés pendant ton voyage…

— Oui, trois autres garçons. C'est le bébé-boum Paradis, et la tendance se maintient toujours : le chromosome Y est un nageur olympique.

— Elles m'ont donné tellement de choses que j'ai déjà une layette complète.

— Tu ne les habilleras pas de la même façon ?

— Non madame ! Et puis, rien ne me dit que je n'ai pas un garçon et une fille.

— C'est vrai ! Ce serait tellement *cool* !

— Maintenant, tu comprends pourquoi je ne pouvais pas aller te rejoindre en Nouvelle-Zélande… Pendant les douze premières semaines, j'aurais voulu dormir vingt heures par jour. Le vol s'est bien passé ?

— Oui, ça m'a paru relativement court pour trente heures de voyage. J'ai eu le temps de lire deux romans de cinq cents pages.

— T'as vraiment changé, Clarence, ça te va à merveille !

— Merci. J'en dois toute une à Isabelle, mon amie parisienne. Est-ce que je t'ai dit qu'elle venait passer Noël ?

— Ta grand-mère me l'a appris.

— Tu vas passer du temps avec nous le soir du réveillon, j'espère ?

— Plus que tu penses. Wondermamie m'a engagée du 23 au 26.

— Engagée pour quoi ?

— Ah, Olivier est arrivé ! Viens, je te raconterai ça dans l'auto.

La Coccinelle verte attendait derrière la vitrine. Nous nous y sommes engouffrées à toute vitesse pour éviter le grésil qui pinçait les joues.

— J'espère que t'as faim, Clarence, on t'a cuisiné des sushis! m'a annoncé Olivier en me regardant dans le rétroviseur.

— Vous les avez *faits*?

— Oui! Il y a un nouveau resto japonais rue Saint-Antoine, j'y étais tellement souvent le printemps dernier que j'ai fini par convaincre le chef de me donner un cours. J'ai invité Sophie.

— C'était notre premier rendez-vous, hein Olivier? a-t-elle ajouté en l'enveloppant d'un regard attendri.

— J'ai même inventé des nouveaux makis végétariens pour Soph. Les femmes enceintes et le poisson cru, il paraît que ça ne fait pas bon ménage.

— Il prend tellement soin de moi, Clarence! Il faudrait cloner les hommes comme lui, je te jure…

Une fois sur l'autoroute, j'ai essayé de voir le décor avec des yeux nouveaux. Plus précisément, avec ceux d'Isabelle qui, dans quatre jours, se ferait une première impression de Québec ici même, sur cette route pleine de nids de poule, au milieu d'un paysage en noir et blanc. J'avais peur qu'elle ait imaginé autre chose, qu'elle s'attende à découvrir le genre de village pittoresque qu'on pose sur la ouate, sous l'arbre de Noël.

Sophie s'est tournée vers la banquette arrière.

— Ta grand-mère…

— Oui?

— Bon, je n'irai pas par quatre chemins. Ta grand-mère, pour Noël, a décidé de s'organiser des funérailles vivantes.

— Paaardon?

— Elle est tombée sur un documentaire à la télé le mois dernier. C'était sur les rites funéraires d'une tribu sud-américaine. À ce qu'il paraît, quand une aïeule sent qu'elle est sur le point de mourir, elle convoque sa tribu pour une grande célébration. Un genre de *shower pré-mortem*, si tu veux.

— Le gros *party*?

— C'est ce qu'elle m'a dit. Ils célèbrent ça comme d'autres étapes de la vie, au même titre qu'un mariage ou une naissance.

— Et ça se passe dans la joie?

— Et l'allégresse! Ça me fait penser à mon départ d'Angleterre, quand mes amis m'ont organisé un *farewell party* pour me faire leurs adieux. Ta grand-mère veut *The Ultimate Farewell Party*. Elle m'a engagée comme coordonnatrice de l'événement.

— Tu vas être croque-mort?

— Ah non, attention!

Sophie a levé son index.

— Je suis la croque-vie!

— Ça te va bien, « croque-vie ».

— La fête va durer trois jours. Le but, c'est de célébrer la vie de ta grand-mère et de l'aider à préparer sa transition de matière à esprit, tu comprends?

— Oui, mais… comment?

— Avec de la musique, des chants, des lectures, des prières et des tonnes de bonne bouffe…

Je n'ai pas pu m'empêcher d'imaginer la grande tribu Paradis dans le salon de Mamie, tournant en rond autour de son fauteuil en chantant des incantations dans un nuage de fumée d'encens.

— Elle ne fait rien comme tout le monde, ta grand-mère. Je l'admire tellement! Savais-tu qu'elle n'aura pas de vraies obsèques?

— Attends, je ne te suis pas, là. Comment elle peut éviter ça ? Elle a décidé de se faire momifier par-dessus le marché ?

— Non, elle donne son corps à la science.

— Arrête !

—Je te le jure. Ses organes n'intéressent personne pour une greffe, alors elle a décidé d'offrir sa dépouille à la Faculté de médecine de l'Université Laval. Elle a eu neuf enfants, trois cancers, penses-y… c'est un cas.

J'ai grimacé en imaginant le corps de ma petite Mamie étendu comme celui d'une grenouille sur une planche de dissection. À bien y penser, c'était son genre. Sa générosité était de celles qui pouvaient continuer au-delà de la mort. Comme elle m'avait dit une fois, découragée par mon obstination à perdre un kilo de plus, il faut savoir s'aimer sans trop s'attacher à sa carcasse.

Nous sommes arrivés dans le Vieux-Québec par la porte Saint-Louis.

— Bienvenue à la maison ! a dit Olivier en tournant à gauche dans la rue Sainte-Ursule.

J'ai eu un petit tressaillement en apercevant les murs de pierre et les longues fenêtres au contour noir de mon loft. Contrairement à mes appréhensions, l'immeuble n'avait pas été dévoré par les flammes pendant mon absence. Olivier a garé la voiture devant l'entrée et je suis sortie la première. J'ai ouvert la portière de Sophie et je lui ai tendu la main pour l'aider à descendre.

—Ah, que c'est donc plaisant ! Depuis que mon bedon paraît, tout le monde est tellement galant ! Les hommes se jettent devant moi pour me tenir la porte, on m'a même offert de passer devant dans la file à l'épicerie.

— Profites-en !

— Tout le monde me parle, en plus. Les vieilles dames me sourient, les femmes me demandent à combien de semaines j'en suis. Si tu savais tout ce qu'on me raconte, il y a même une fille qui m'a décrit son épisiotomie sans aucune gêne, l'autre soir au cinéma, hein Olivier ?

— Dis-lui pour l'échographie...

— Ah oui. Le médecin m'a dit que mes bébés sont au plus haut centile de grosseur pour des jumeaux. J'étais tellement fière quand il m'a dit ça, Clarence ! Je suis sortie de la clinique en me pavanant comme si je venais de gagner la médaille d'or de l'échographie.

— Tiens, championne !

Olivier lui a lancé le trousseau de clés.

— Je vais aller au dépanneur chercher du café pour demain. Je reviens dans quinze minutes.

Au sommet de l'escalier, j'ai entrouvert la porte de mon appartement. Ça sentait le propre, tout était impeccable. Même les plantes avaient profité de mon absence pour pousser sans crainte. J'ai posé ma valise sur le paillasson et j'ai allumé la lampe sur pied.

— Sophie... où est Corneille ?

— Elle t'attend chez moi. Viens !

Je l'ai aperçue tout de suite, étendue de tout son long sur le bras du canapé, me regardant avec ses grands yeux jaunes. J'ai dû user de toute ma retenue pour ne pas me jeter sur elle et la couvrir d'amour excessif. J'ai retiré mes souliers, j'ai glissé vers le sofa et je me suis agenouillée sur le tapis. Avec deux doigts, je l'ai caressée sous le menton. Elle a bâillé, cligné des yeux et s'est mise à ronronner.

— Hé, toi... Ça fait longtemps qu'on ne s'est pas vues, hein ? Maman, elle s'est ennuyée de son gros poussin noir. Oui elle s'est ennuyée, maman... !

— Bon, la voilà repartie...

— Tu es une bonne mère, Soph, je te le confirme. Elle n'a pas l'air d'avoir souffert.

— J'espère ! Je l'ai traitée comme un chat sacré d'Égypte, ta Corneille !

Sur l'îlot de la cuisine, Sophie plaçait des rondelles de sushi dans une grande assiette.

— Vas-tu prendre du saké ?

— OK, un peu. Montre-moi donc ces fameux sushis-là ! ai-je dit en contournant l'îlot. Ils sont beaux…

— Ça, c'est ceux d'Olivier. Les miens sont dans le frigo. Ils sont bons, juste pas assez beaux pour la visite.

J'ai ouvert la porte du réfrigérateur.

— Ah, mais… ils ont de la personnalité ! ai-je ri en voyant les morceaux un peu moins ronds, avec des bouts de nori secs et des tiges de concombre qui dépassaient.

Olivier est entré avec un litre de lait et un sac de café de chez Tatum, les joues rouges.

— Je vous laisse manger et fêter entre filles ! J'espère que tu ne me trouveras pas trop plate, Clarence, mais il faut vraiment que je me couche avant onze heures.

— Il se lève à cinq heures pour travailler, a expliqué Sophie en haussant les sourcils.

— Mon Dieu, la librairie ouvre à quelle heure ?

— Ah, je ne travaille plus là. Sophie ne te l'avait pas dit ? Je me lève pour écrire. Mon éditeur m'a donné le feu vert pour la trilogie, étant donné que le premier tome se vend bien. Ce qui veut dire qu'il faut que j'écrive deux autres briques de cinq cents pages en trois ans.

— Ouch ! Ça ne te fait pas peur ?

— Pas du tout. C'est plus facile d'être inspiré maintenant que j'ai trouvé ma muse !

— À propos de muse… je t'ai rapporté une édition spéciale des nouvelles de Katherine Mansfield.

— *Cool !* As-tu pu visiter sa maison ?

— Comme promis. J'ai laissé ton livre sous un bosquet d'hydrangées. J'ai une photo pour toi.

— Merci, Clarence.

Il a entouré Sophie de ses bras, l'a embrassée dans le cou et sur les cheveux. Après avoir posé un rapide baiser sur ma joue, il nous a souhaité bonne nuit et s'est éclipsé. Sophie a mis de la musique en sourdine, tamisé l'éclairage du salon et s'est assise à côté de moi. Dans un minuscule gobelet en céramique, elle m'a versé un peu de saké. Dans le sien, il y avait déjà un liquide vert de consistance épaisse et grumeleuse.

— C'est quoi ça ? T'as mis un reptile dans le mélangeur ?

— Ben non, c'est un *green drink*.

— Je le vois bien que c'est un *green drink*! Mais il y a quoi dedans ?

— Ah, tu ne connais pas ? Le *green drink* du docteur Oz ?

— Non.

— Épinards, cresson, concombres, céleri, persil, pomme, gingembre, lime… dans la centrifugeuse tous les matins !

— Tes jumeaux peuvent bien être gros.

— À ton retour !

Elle a levé son verre.

— À ton bonheur !

La chaleur du saké m'a fait tourner la tête. J'ai pris un rouleau californien et je l'ai englouti d'un coup. Sophie me regardait, le sourire béat.

— Tu sais, quand tu m'as annoncé que tu allais guérir en voyage, je ne t'ai pas crue. Au contraire, j'avais un pressentiment que ça allait empirer en Nouvelle-Zélande. On a beau changer le paysage extérieur, on reste la même à l'intérieur, non ?

— Au début, ça a été épouvantable, Soph. Si tu savais… J'ai failli revenir après trois semaines.

— Mais t'as tenu le coup. Excuse-moi d'avoir douté de toi.

— Tu t'inquiétais pour de vrai?

— Oui. Le jour de ton départ, tu ressemblais à un bonhomme allumette.

— Merci.

— Pas de quoi. Essaie ceux-là.

Elle a désigné les nigiris aux pétoncles. Je ne me suis pas fait prier.

— Je te jure, c'est Isabelle qui a fait la différence. C'est quand même un hasard incroyable que je me sois retrouvée à travailler et à vivre avec une nutritionniste épicurienne et psychologue malgré elle.

— Ce n'est peut-être pas une coïncidence.

— Bon, une autre qui croit aux anges.

— Comme disait Einstein : «Le hasard, c'est Dieu qui se promène incognito.» Juste par curiosité, elle s'y est prise comment, ta Française?

— Avec une main de fer dans un gant de velours. Au début, j'ai trouvé ça insupportable, un vrai supplice, mais on avait un pacte de six mois. Ça en a pris trois pour que je commence à respirer par le nez. Après, c'est devenu plus facile de jour en jour. Je pense surtout que j'étais prête à passer à autre chose.

— Et maintenant, un cours de chef à Paris?

— Ouais. Je pars au mois d'août.

— J'en reviens pas.

— Moi non plus.

— *Cheers*, la petite!

On a trinqué de nouveau.

— Tu vas annoncer à ta grand-mère que tu acceptes le poste de PDG?

— Je la vois demain après-midi. PDG! J'arrive à peine à prononcer ces trois lettres-là.

J'ai pris une grosse gorgée de saké en retenant une envie de rire.

— PDG! Pfff!

— Ça t'angoisse?

— Absolument! Regarde-moi... est-ce vraiment l'image que tu te fais d'une chef d'entreprise?

— Quoi, il y a plein de gens qui se sont lancés en affaires dans la vingtaine! Tu ne devrais pas t'en faire. Cette entreprise-là est solide comme les pyramides et elle va le rester, compte sur moi.

— Tu disais avoir des idées de développement?

— Des idées? J'en rêve la nuit, Clarence! Comme je te l'ai dit l'autre jour dans mon courriel, le potentiel est incroyable, ce serait criminel de ne pas investir une partie des profits dans une nouvelle gamme de produits. Tout se vend tellement bien. L'entreprise n'a pas un sou de dettes, en plus. Sais-tu que c'est plutôt rare?

— Tu vois quoi, exactement?

Sophie s'est levée, a fait cinq pas vers la bibliothèque, est revenue avec une grosse pile de magazines. Il y avait *Gourmet, Bon Appétit, Donna Hay, Spice Magazine, Gourmet Traveller, Saveur, Martha Stewart,* et plein d'autres que je n'avais jamais vus avant.

— J'ai commencé à étudier les tendances.

— Wow! C'est pratiquement de la porno! me suis-je exclamée en prenant dans une main une photo de fondant au chocolat noir qui se répandait avec indécence sur un lit de crème et, dans l'autre, une élégante pavlova garnie de grenades luisantes et écarlates.

— On dira ce qu'on voudra, les Américains savent toujours à l'avance ce qui est sur le point de faire fureur.

— Et là, c'est quoi?

— On est en pleine folie des *cupcakes* et des macarons de luxe. La pâtisserie et les chocolats bio sont aussi très demandés. Et dernièrement, j'ai remarqué beaucoup d'épices exotiques dans les desserts. Pense à des truffes au cari, une tarte aux poires et au cumin, une croustade à la rhubarbe et à la cardamome, une…

— OK, arrête, Soph! Je vais avoir des convulsions!

— En tout cas, tu vois ce que je veux dire. On a une demande pour ça ici, c'est clair, mais je pense aussi à exporter.

— Hein? Où ça?

— Aux États-Unis! Bon, peut-être pas tout de suite, mais disons d'ici deux ans. Tu sais comment ils sont avec tout ce qui sonne un peu français. Si l'étiquette de ton petit pot dit *Strawberry Jam*, c'est une chose, mais si tu soignes la présentation et qu'en plus tu écris quelque chose du genre «Confiture de fraises de la Nouvelle-France», eh ben là, ça vaut pas mal plus, je te le jure!

— Tu penses que c'est si simple que ça de percer le marché?

— Non.

Elle m'a fait un sourire de gamine coupable.

— J'ai un contact.

— Mais évidemment! Où avais-je la tête? Bien sûr que Sophie a un contact!

— Écoute, écoute! Stacey et Tracey Kilburn…

— Ça me dit quelque chose.

— Les jumelles identiques qui ont ouvert les Pâtisseries Mimosa, à New York?

— Oui! Elles sont allées à Oprah l'hiver dernier?

— En plein ça. Imagine-toi donc qu'elles étaient à la London School of Economics en même temps que moi. On n'était pas très proches, mais on avait quelques amis communs. Quand je les ai vues à la télé, j'ai eu envie de leur écrire pour les féliciter, mais finalement ça m'a échappé et je n'ai jamais pris le temps de le faire. Mais, il y a six semaines, surprise ! Tracey a trouvé mon profil sur Facebook, où je dis que je suis gérante d'une entreprise de desserts. C'est elle qui m'a écrit et on est en contact depuis ce temps-là.

— Elles font dans la pâtisserie bio, non ?

— Oui, elles ont une chocolaterie aussi. Leur premier commerce a tellement bien marché à New York, qu'elles en ont ouvert un à Chicago et un à Boston l'été dernier. Il paraît que les gens font la file tous les jours.

— Et elles veulent des tartes au sucre bio ?

— Il faudrait créer toute une gamme de produits bio et, idéalement, donner un nouveau nom à la collection. Le Goût du Paradis, c'est un peu compliqué pour les Yankees.

— As-tu pensé à quelque chose ?

— C'est assez simple, mais je pensais appeler ça Rose Paradis, tout simplement.

— Rwose Parwadeeee, ai-je répété avec l'accent américain. C'est vrai que c'est joli.

— On pourrait commencer avec des confitures, des sauces au chocolat, des coulis. Il faut surtout trouver un concept à tout casser ! Sais-tu ce que j'aimerais que tu fasses ?

— Euh… non ?

— Quand tu seras à Paris, visite les pâtisseries, les chocolateries, les épiceries fines et prends des tonnes de photos. Les vitrines, les étalages, les étagères, les emballages. Moi, pendant ce temps-là, je vais travailler sur le plan d'affaires. Un jour, il va falloir engager quelqu'un pour créer les produits, mais pour l'instant, je…

— N'oublie quand même pas d'accoucher.

— Ah oui, c'est vrai. Mais tu sais, ce qui est *cool* depuis que je travaille pour ta grand-mère, c'est que je peux souvent travailler de la maison.

— Tu penses vraiment que ça va marcher?

Elle s'est penchée vers moi, l'air grave.

— Non, je ne pense pas que ça va marcher. Je sais que ça va marcher. Je le sens dans mes os, dans mon ventre, dans mes orteils, partout!

— Et avant que j'oublie… si jamais on a besoin d'un autre contact pour promouvoir nos produits, sais-tu qui est la belle-mère d'Isabelle?

Elle a haussé les épaules.

— Laura Gandolfini.

— Tu te paies ma tête!

— Pas du tout. Le père d'Isa est producteur pour le Cooking Channel.

— Je rêve! Ça va être un succès, Clarence, c'est écrit dans le ciel! On a tout, tout en notre faveur.

Je ne pouvais que la croire. Pas seulement parce qu'elle était futée et convaincante, mais parce que moi aussi, je le sentais. Je ne saurais expliquer ce qui s'est passé dans le salon de Sophie à cet instant, mais ce dont j'étais sûre, c'est que je n'avais jamais vécu ça avant. Soudain, je suis devenue consciente de tout autour de moi: les couleurs étaient plus brillantes, les sons plus aiguisés, l'air plus fluide. C'était un moment d'une intensité assez particulière qui, parce qu'il possédait déjà la qualité du souvenir idéalisé, nous donnait un avant-goût de ce qui allait suivre.

Sophie a sursauté et blêmi. La bouche ouverte, elle s'est levée d'un bond.

— Ils ont bougé, Clarence! C'est la première fois!

Elle a grimacé.

— Encore! Ayayaye, on dirait *Alien*! Touche!

Elle a tiré ma main vers son bas-ventre.

— Attends, attends, je pense que ça va recommencer. Là! Là!

— Oui ! Je l'ai senti !

— Olivier ! Olivier St-Pierre !

Sophie a disparu derrière la porte de sa chambre. J'ai pris Corneille qui dormait dans le panier de journaux et je l'ai embrassée sur le front. Elle sentait *Coco Mademoiselle*, le parfum de sa mère d'adoption.

— Viens-t'en, mon gros poussin, ce soir on dort chez nous. Viens, on va aller dire bonne nuit.

Chapitre 21

Il était presque midi quand le chauffeur de taxi m'a déposée devant l'église. Je voulais faire le reste du chemin à pied, comme si ce dernier kilomètre était nécessaire pour assimiler les 15 116 autres parcourus la veille. Le brouillard était dense, assez pour effacer complètement le clocher et m'empêcher de voir à plus de 50 mètres devant moi.

« Je suis à Québec. Je vais revoir Mamie dans quelques minutes », me répétais-je en marchant, mes yeux rivés sur les pompons de fourrure grise qui valsaient sur mes pieds. Mes orteils étaient sous le choc de la traversée. En une seule nuit, ils étaient passés du sable chaud à la neige lourde, des sandales aux grosses bottes en lapin.

Je me suis frotté les yeux en bâillant. Malgré le saké de Sophie et les courbatures du long voyage, je n'avais pas dormi de la nuit. D'après mes calculs, je tomberais de sommeil vers deux heures de l'après-midi.

En prenant le tournant, j'ai vu que Mamie était dehors. Avec de vigoureux coups de pelle, elle fendait la glace accumulée sur les marches de l'escalier. De loin, on aurait pu la prendre pour une enfant déguisée en grand-mère avec des lunettes de broche et une perruque saupoudrée de talc. Elle portait ses grosses bottines d'homme et son châle enroulé par-dessus son manteau. Je me suis arrêtée un peu pour la regarder. Mon cœur s'est mis à battre plus fort. J'avais beau avoir passé plus d'une heure au téléphone avec elle le matin même, j'étais nerveuse de la revoir.

— Maaaamie ! Hou-hou !

Elle s'est redressée et s'est tournée vers la route. En me voyant, elle a levé ses mains en l'air et laissé tomber sa pelle qui a fait un grand « clang » dans l'escalier. J'ai hâté le pas. Une fois arrivée, je l'ai soulevée pour la faire tournoyer dans mes bras. Sa légèreté m'a serré le cœur : ses os pointus étaient probablement plus cassants que les glaçons qui pendaient du toit. Henri VIII s'est mis à courir autour de nous en poussant des aboiements aigus et en nous fouettant avec sa queue. Sa corde s'est enroulée à mes chevilles et j'ai dû sautiller pour me libérer. J'ai déposé Mamie sur la deuxième marche de l'escalier pour qu'elle soit à ma hauteur. Elle a enlevé ses gants et collé le dos de ses mains chaudes sur mes joues.

— Tiens, tiens ! La fleur s'est transformée en fruit.

J'ai tout de suite voulu lui demander ce qu'elle entendait par là, si elle trouvait que j'avais arrondi tant que ça, si le fruit auquel elle faisait allusion était une petite pêche ou une grosse pastèque. Heureusement, j'ai réussi à me mordre les lèvres et à ravaler mes paroles.

— Merci ! Toi aussi, tu as l'air en forme !

J'étais sincère, elle avait réussi à prendre des couleurs. À part sa voix rocailleuse qui s'éteignait à la fin de ses phrases et son chignon qui avait perdu sa dernière mèche noire, je ne voyais pas de changement. Comme Mamie m'avait expliqué au téléphone, le médecin présageait une relative bonne santé jusqu'à ce que les métastases envahissent ses os. À partir de là, ce serait la chute libre et la pompe à morphine.

— Viens, on va aller se réchauffer. J'ai fait une soupe au poulet!

J'ai ramassé la pelle par terre et j'ai détaché Henri.

— Il peut venir avec nous?

— Oui, oui, il a des permissions spéciales depuis un bout de temps.

— En quel honneur?

— En l'honneur que je n'ai pas encore trouvé quelqu'un pour le prendre quand je serai partie. Je commence à envisager de le faire euthanasier après Noël.

Elle avait dit ça en chuchotant, comme pour éviter d'alarmer le chien.

— Je me sens tellement coupable, ça fait deux mois que je le nourris au bouilli de légumes et au pain de viande.

— C'est pour ça qu'il a épaissi?

— Tant que ça, tu trouves?

J'aurais voulu lui dire que j'allais le prendre, son chien. Mais un molosse élevé au grand air comme Henri VIII risquait de plutôt mal s'adapter à un studio du dix-septième arrondissement.

— Laisse-moi y penser, Mamie. Je suis certaine qu'on va trouver quelqu'un. Hein, mon gros pouf?

— Il a onze ans, mais il est en santé et c'est un vrai bon chien.

— Oui, c'est un bon chien, ai-je répété dans l'oreille d'Henri en serrant son gros cou entre mes mains.

Son odeur âcre de vieux cabot mouillé m'a paru étrangement rassurante.

Dans le vestibule, Mamie m'a donné une paire de pantoufles.

— Veux-tu un châle?

— OK.

Elle tricotait tous ses châles avec les restants de laine des pantoufles, et celui qu'elle a enroulé un peu trop serré autour de mes épaules, d'une laideur spectaculaire, se déclinait dans des tons d'orangé, de bleu pâle et de vert bouteille.

— Fais pas le saut en entrant dans le salon, mon ange.

Les trois sofas avaient été poussés contre les murs, et la télévision remplacée par un sapin beaucoup plus grand que celui des années précédentes. Au beau milieu de la pièce, sous un baldaquin en organdi blanc retenu aux coins par des rosettes en satin, il y avait un fauteuil neuf, festonné de dentelle et de volants en mousseline ivoire. On aurait dit un croisement entre un gâteau de mariage géant et la traîne nuptiale de Lady Di.

— Mais… c'est quoi, ça?

— C'est pour mes funérailles. La place d'honneur.

— Oh, Mamie…

Je ne savais pas si j'avais envie de rire ou de pleurer.

— C'est Dominique et Alexandre qui me l'ont bricolé, a-t-elle déclaré en montrant le ciel de lit. Pas si mal, hein?

Elle s'est penchée pour ramasser trois aiguilles tombées sous le sapin, a replacé une guirlande.

— C'est quoi exactement, l'idée?

— Viens t'asseoir dans la cuisine, je vais t'expliquer.

J'étais vraiment contente d'être revenue. J'ai presque été émue de revoir les radis découpés en fleurs, les oignons perle et les céleris frisés dans l'assiette de crudités sur la table, même s'ils avaient toujours été là, placés dans le même ordre. Pendant que Mamie remuait le contenu du chaudron avec une cuiller de bois, je suis allée déposer mon menton sur son épaule.

— Hummm, ça sent bon.

J'ai entouré Mamie de mes bras.

— Je me suis vraiment ennuyée.

— De moi ou de ma soupe?

— Franchement, Mamie. De ta soupe, voyons.

Henri tournoyait dans la cuisine comme un effréné, la langue pendante, le clic-clac de ses griffes résonnant sur le plancher.

— Qu'est-ce qui le démange, lui?

— Il a faim. Dans le frigo, sur la tablette du bas, il y a un grand sac de plastique avec les os du boucher dedans. Pas *les os du boucher* comme tel, a-t-elle cru nécessaire de préciser, je veux dire ceux qu'il me garde pour Henri, des jarrets de veau, je pense. Va donc lui en donner un beau dans la véranda pour qu'il nous laisse tranquilles.

Les os étaient répugnants, encore pleins de sang, de moelle et de bouts de cartilage. Je me suis bouché le nez d'une main et j'ai pris le plus gros entre deux doigts. En grimaçant, j'ai ouvert la porte et je l'ai jeté sur le vieux tapis.

— Bon appétit, Henri VIII.

Dans la véranda, j'ai remarqué que la mangeoire d'oiseaux suspendue sous le toit du balcon était presque vide.

— Veux-tu que je rajoute des graines pour les moineaux, Mamie?

— Tu serais fine! Le sac est dans l'armoire en coin.

Je me suis exécutée en vitesse pour ne pas prendre froid. Sous la mangeoire, une armée de moineaux avait fait du surplace, laissant leurs petits hiéroglyphes imprimés sur la neige. En versant le mélange dans le réservoir de plastique, je me suis demandé ce qui arriverait à la maison. La pensée qu'elle puisse être vendue à un étranger m'a donné un haut-le-cœur. Il fallait trouver quelqu'un qui l'aimerait autant que Mamie l'avait aimée, quelqu'un qui voudrait continuer à nourrir les oiseaux, à tailler les rosiers et à désherber les plates-bandes. Quelqu'un d'exceptionnel, qui le méritait!

Je me suis lavé les mains et je suis allée m'asseoir devant mon bol de soupe. Avant de poser la corbeille de pain sur la nappe en plastique jaune, Mamie m'a offert une tranche.

— Non, merci, ai-je dit en soufflant sur ma cuiller.

Elle m'a fait ses gros yeux.

— Quoi? Il faut que je me garde de la place pour le dessert!

Le sourire qui a éclairé son visage était tellement grand, j'ai eu peur que son dentier tombe dans sa soupe.

— Des funérailles vivantes, comme ça?

Elle a haussé les épaules en beurrant son morceau de pain.

— Ça se fait ailleurs dans le monde, tu sauras! Je n'ai jamais suivi l'Église au pied de la lettre, je ne vois pas pourquoi je commencerais maintenant. La mort, ça fait partie de la vie, un point c'est tout. Je me demande pourquoi on en fait tout un plat. D'abord, on ne peut jamais en parler sans mettre tout le monde mal à l'aise. Ensuite, quand ça arrive, parce qu'évidemment ça finit toujours par arriver, on s'arrange pour ne pas faire trop peur à ceux qui restent. Il faut continuer à leur faire croire que, peut-être, s'ils font vraiment attention, ils n'y passeront pas, eux autres aussi. Alors on embaume, on aseptise, on maquille, on expose entre six et dix heures, pif, paf, c'est fini! Pourtant, il y a eu des veillées aux morts ici même, dans le salon, il n'y a pas si longtemps.

— Ici?

— La maison date du Régime français. C'est comme ça que ça se passait, dans le temps. Même moi, je m'en souviens. Quand ma sœur Marguerite est morte à quatre ans, on l'a veillée dans le salon, chez mes parents, pendant deux jours. Il fallait toujours qu'il y ait quelqu'un en prière à son chevet, pour être certain que son âme ne se perde pas en chemin vers le ciel, alors on se relayait, ma mère, mes tantes, mes sœurs et moi. On appelait ça « garder la vigile ».

Elle est restée pensive un moment, les yeux dans sa soupe, comme si elle y revoyait flotter le petit corps de Marguerite, repêché dans le fleuve après sa noyade.

— Maintenant, la mort est devenue une *business* comme une autre.

— Mais toi, Mamie, quand on va te veiller dans le salon, tu vas être vivante. Ce n'est pas pareil.

— Tu trouves pas que c'est mieux comme ça ? Vous serez même pas obligés d'être tristes.

— Tu as décidé ça quand ?

— Tu sais que Fernande St-Hilaire est partie au mois d'août ?

— Oui, mon père me l'a dit.

Madame St-Hilaire était l'une de ses amies d'enfance qui avait passé trente ans chez les Ursulines. Elle en était sortie *subito presto* après ce que Mamie appelait un « scandale de mœurs ».

— Quand je l'ai vue au salon funéraire, je ne l'ai même pas reconnue ! Fernande ne s'est jamais maquillée, tu sais bien. Mais étant donné qu'elle est morte du foie, elle était plutôt jaune à la fin. Grise, même. L'embaumeur a voulu l'arranger du mieux qu'il pouvait, mais il a poussé un peu fort sur le pinceau. Elle avait l'air d'une catin ! Quand j'ai vu ça, je me suis dit : « Non madame ! » Si je suis exposée, ça va être dans mon salon chez nous, arrangée à mon goût.

— Et tu fais un cadeau à l'université, en plus ?

— C'est Sophie qui t'a dit ça ?

J'ai acquiescé.

— La médecine a été bonne pour moi, mon ange. Et ta grand-mère n'est pas une ingrate.

Elle a froncé les sourcils, l'air de préparer un aveu.

— Quand j'avais ton âge, je rêvais d'aller à l'université. Malheureusement, dans ce temps-là, c'était plus compliqué pour les femmes. Je n'aurai jamais mis les pieds dans une grande école de mon vivant, mais comme tu vois, il n'est jamais trop tard pour se reprendre, même si on y entre les pieds devant.

Une pointe de culpabilité m'a tenaillé le ventre. Mamie avait rêvé d'aller à l'université et n'en avait jamais eu la possibilité. Moi, j'avais eu tout cuit dans le bec et je m'étais sauvée en plein milieu d'un cours, probablement pour ne plus jamais y retourner. Pas besoin, puisque moi, Clarence Paradis, vingt ans et demi, j'allais étudier à Paris avec l'héritage de ma grand-mère. Moi, veinarde de la pire espèce, j'allais hériter de son bas de laine et dépenser l'argent auquel elle n'avait jamais touché sauf pour le strict nécessaire. Je me suis tortillée sur ma chaise en grignotant un céleri.

— Tu aurais étudié en quoi?

— En politique! a-t-elle répondu sans la moindre hésitation.

— C'est de toi qu'il tient, mon père?

— Possible!

Elle s'est levée pour débarrasser la table.

— Laisse faire ça, Mamie, je m'en occupe.

— Non, non, reste assise. Tu dois être fatiguée. Vas-tu prendre un peu de fricassée ou tu veux juste du dessert?

— C'est quoi?

— Un gâteau Reine-Élisabeth.

— Ah! Ça doit faire cinq ans que je n'en ai pas mangé!

— Au moins.

Avec sa mitaine, elle a tiré la grille du four. Sur le gâteau, la couche de noix de coco râpée, noyée dans le sucre d'érable, faisait au moins deux centimètres d'épaisseur. Elle a déposé le dessert sur un pied en porcelaine blanche.

— J'ai vu tes parents hier soir.

— Ah, ils sont arrivés ?

— Ils sont à l'auberge Le Vieux Presbytère. Ils sont juste passés me dire un petit bonjour. Ils allaient souper avec le couple suisse avec qui ils font l'échange de maison. Ils devaient discuter pour poursuivre l'entente une année de plus.

— Ils sont vraiment heureux en Suisse, hein ?

— Ça en a tout l'air ! Si tu voyais ta mère !

— Quoi ? Qu'est-ce qu'elle a, ma mère ?

— En fait, je suis incapable de te le dire. D'ailleurs, je me creuse la tête depuis hier soir. Elle a changé quelque chose, mais je n'ai pas encore trouvé quoi. Ça lui va bien, en tout cas ! C'est pas ses cheveux, c'est pas son…

— Pourquoi tu ne le lui as pas demandé ? l'ai-je interrompue.

— Je l'ai fait ! Mais tu connais Solange. Pas exactement la transparence incarnée, ta mère. Elle m'a juré qu'elle n'avait rien changé. Absolument rien. Je ne suis pas folle, pourtant !

D'instinct, j'ai pensé qu'elle était passée chez le chirurgien esthétique. La Suisse devait être l'endroit idéal pour ça, avec ses cliniques-hôtels cinq étoiles, refuges de *superstars* et de vieilles rentières déridées au scalpel. D'ailleurs, à en juger par les cartes postales collées sur le frigo de Mamie, on aurait cru que tout le pays avait été retouché par un chirurgien plastique : montagnes soigneusement découpées sur un ciel sans nuage, lac turquoise, arbres manucurés, fleurs impeccables.

Je me demandais ce que ma mère avait bien pu corriger ou remonter. J'ai soupiré. À quarante et un ans, elle était déjà à l'étape post-Botox. Si elle continuait, plus rien

433

ne bougerait sur son visage et elle finirait par ressembler à une madone en pierre.

Sur la table, Mamie a posé le dessert, deux assiettes et la pelle à gâteau.

— Tiens, coupe-nous-en donc deux beaux morceaux. Je vais faire bouillir l'eau pour le thé.

Ex-toxicomane devant trois parfaites lignes de cocaïne, ex-alcoolique devant un *six pack* de bière bien froide, Clarence Paradis devant un gâteau moelleux. C'était du pareil au même. Le glaçage doré chatoyait sous la lampe suspendue, comme pour me provoquer. J'ai été tentée de le racler d'un coup avec ma fourchette. Pas facile de calmer mon cœur et sa perpétuelle faim sans fond.

«Réalises-tu les grammes de glucides que tu es sur le point d'ingurgiter?» ai-je pensé en coupant ma première bouchée.

Mon monologue intérieur parlait encore des «glucides» comme d'autres auraient parlé d'arsenic ou de mort-aux-rats.

«Tu vois ta mère demain, non? Elle risque de te trouver un peu enrobée!»

J'ai serré les dents.

«La ferme, la ferme, j'ai dit!»

Dans un effort monumental, j'ai changé le point de mire de mon cerveau. J'ai fermé les yeux et je me suis mise à appeler le bon loup pour qu'il prenne ma défense. Je l'ai vu arriver sans trop se presser, comme si je le tirais de sa sieste. Il s'est arrêté près de mon oreille, s'est étiré avec un bâillement sonore et s'est assis. Il a posé sa patte sur mon épaule et a soupiré. Il me parlait toujours comme si j'étais une petite fille: «Allez, une bouchée pour le loup gentil. Voooilà!»

Isabelle m'avait prévenue. Ce n'est pas parce que j'avais gagné quelques batailles que la guerre était terminée. Il était même possible qu'elle dure longtemps, chaque matin renouvelée devant mon bol de céréales. Mais plus je nourrissais le bon loup, plus il prenait des forces. Cette petite légende d'Isabelle opérait des miracles.

— C'est donc agréable de te voir manger !

— Habitue-toi ! Je n'ai pas l'intention d'arrêter, ai-je dit la bouche pleine.

— Ah ! Velours sur mon vieux cœur ! Le bon Dieu a exaucé ma dernière prière, je peux mourir en paix.

Nous avons continué à discuter en prenant le thé dans le salon, parlé de la météo en Nouvelle-Zélande, du plafond de la chapelle Sixtine et de mon année à Paris. Je lui ai offert de lui présenter, après Noël, une projection sur écran de mes photos de voyage, à la façon des Grands Explorateurs où elle m'avait souvent emmenée quand j'étais petite. En prenant sa dernière bouchée de gâteau, elle m'a demandé ce que je pensais de mon frère qui prévoyait nous présenter son nouveau copain pendant ses vacances des fêtes.

— Mes parents l'ont trouvé gentil. J'ai hâte de le rencontrer.

Ma réponse était un peu sèche. Je n'avais pas envie de parler de Sébastien.

La vérité, c'est que ça m'énervait considérablement. Je voulais tellement qu'il me trouve *cool*, qu'il perçoive ma réaction comme étant la meilleure de toutes. C'est ce qui était bizarre entre mon frère et moi : il avait beau être de quinze mois mon cadet, je sentais toujours que c'était moi qui devais courir pour le rattraper. Il arrivait à obtenir de meilleures notes en ouvrant à peine ses cahiers pour étudier et, au primaire, il était passé directement de la première à la troisième année, se sauvant ainsi de l'infâme Gertrude, l'enseignante-terreur de l'école. Il excellait dans tous les sports, n'avait jamais eu besoin d'appareil dentaire ni de lunettes, avait la répartie facile et, surtout, un talent inné pour lancer des tendances mode. Au secondaire, il lui suffisait de porter sa chemise à l'envers pour que la moitié de la classe suive. Il avait aussi voyagé bien avant moi à cause des tournois de la Fédération d'escrime. Avant de pouvoir partir moi-même, c'est en piétinant ma jalousie que je l'avais regardé préparer ses valises pour aller jouer au mousquetaire en France, en Irlande et même en Turquie. Il me semblait que, dans les autres familles, c'était à l'aîné de tracer le chemin, d'être l'exemple, l'idole même ! J'aurais voulu être celle qui lui dicte son habillement pour lui éviter le rejet à l'école secondaire, j'aurais aimé lui apprendre à conduire, à rouler un joint et à mentir à nos parents. Ça ne s'était pas tout à fait passé comme ça. Quand il était entré au séminaire Sainte-Clotilde un an après moi, il n'avait fallu que quelques semaines pour que je devienne « Clarence, la sœur de Sébastien Paradis ». Sa popularité avait été instantanée, surtout auprès des filles qu'il savait complimenter comme le plus fin des vieux charmeurs.

Entre lui et moi, quelque chose s'était cassé le jour où, au début de sa deuxième secondaire, il s'était rallié au clan ennemi en m'appelant Muffin. Me défendre n'était pas possible. Au séminaire, personne ne semblait douter de l'orientation sexuelle de mon frère. Il s'était bricolé un masque pour cacher l'évidence, un *alter ego* qui sortait avec les filles les plus populaires et racontait ses exploits du week-end à ses copains dans le vestiaire le lundi matin. À la maison par contre, les soupçons planaient depuis sa maternelle. Pas un mot ne s'échangeait pourtant sur le sujet: c'était un secret de famille que chacun croyait être seul à garder. De mon côté, j'avais voulu confirmer mes intuitions en allant fouiller dans sa chambre. C'est son ordinateur portable qui avait fini par cracher le morceau. Il n'y avait rien de louche dans l'historique des sites visités, aucune page consacrée aux photos de Brad Pitt torse nu. C'est en m'apercevant qu'il ne s'était pas déconnecté de Facebook que j'avais eu ma réponse. Mon frère s'était créé un profil avec des photos de lui assez suggestives, son visage brouillé par Photoshop, au nom de Sebastian H. (H. pour Heaven?). Ses 137 amis étaient tous des garçons, certains si magnifiques que j'en avais eu des tiraillements dans le ventre. Morte de culpabilité, mais satisfaite de mon enquête, j'avais remis l'ordinateur dans le tiroir et j'étais retournée dans ma chambre.

J'aurais pu, pour assouvir la vengeance du Muffin, aller révéler le secret de mon frère à tout le monde. Mais juste en imaginant l'acte, mon cœur était tombé au fond de mon estomac. Après m'être créé un faux profil sur Facebook avec des photos volées à une inconnue du Wisconsin, je lui avais envoyé un courriel. Je m'étais présentée comme «une des bonnes amies de ta sœur» et l'avais prévenu qu'il avait intérêt à être gentil avec Clarence s'il ne voulait pas que la planète entière connaisse la vraie identité de Sebastian H. Vingt-quatre heures plus tard, le profil de mon frère avait été supprimé du site. Peu de temps après, il avait obtenu une bourse pour aller étudier à Montréal en se joignant à l'équipe provinciale d'escrime. Depuis, je ne l'avais vu qu'à Noël et aux autres réunions de famille, c'est-à-dire deux ou trois fois par année.

Et maintenant, déjà, il me faudrait rencontrer son David au réveillon. J'étais persuadée que le copain de Sébastien allait être plus beau que toutes les conquêtes masculines de mon tableau de chasse réunies. Il faut dire qu'il n'y en avait que trois, mais quand même. Comme je le connaissais, mon frère était capable de pousser l'affront jusqu'à se marier avant moi.

Mamie m'a versé une autre tasse de thé. Nous étions assises sur le long canapé, face au fauteuil enveloppé de tulle. Je bâillais trois fois à la minute.

— Pourquoi ne vas-tu pas te coucher dans la chambre mauve ? J'irai te réveiller à l'heure que tu veux.

— Non, je dois m'en aller bientôt, Isabelle arrive de Paris dans trois jours, il faut que je fasse du ménage !

J'ai pris un coussin, je l'ai placé sur les genoux de Mamie et j'y ai posé ma joue gauche en allongeant mes jambes.

— Si ça te prend trois jours pour nettoyer ton petit appartement, j'aurais peut-être encore quelques trucs de ménagère à t'expliquer avant de mourir.

— Je n'ai même pas encore défait ma valise, j'ai une montagne de lessive, il faut que j'aille acheter une tonne de bouffe au supermarché... Je veux faire un souper de filles avec Soph et Isabelle le 23.

— Ah ? Avez-vous quelque chose de spécial à célébrer ?

— Oui. Justement, ce serait brillant que je t'en parle en premier. C'est au sujet du Goût du Paradis.

— Ah oui ?

Je me suis retournée sur le dos et je l'ai regardée dans les yeux.

— J'accepte. Je vais prendre la relève.

Elle a éclaté de rire.

— Qu'est-ce qu'il y a de si drôle ?

— C'est incroyable quand même... Tout ce que j'ai demandé au bon Dieu depuis qu'il m'a envoyé mon billet de retour, je l'ai eu. On dirait qu'il m'en devait une, en haut !

— T'as même pas l'air surprise.

— Je m'en doutais, mon ange. Tu n'as pas voulu me dire ce que tu allais étudier pendant un an à Paris, mais je me doutais bien que ce n'était pas la mécanique automobile.

— Je n'ai jamais dit que je ne voulais pas te le dire...

Je lui avais fait croire que j'hésitais encore entre plusieurs domaines d'études.

— Je m'inscris à l'Académie d'Art Culinaire de Paris, Mamie. Te rends-tu compte ? Je vais apprendre des plus grands chefs !

— Bah, tu vas leur en montrer !

Sa voix s'éraillait de plus en plus. Elle a toussoté avant de poursuivre.

— Tu vas t'arranger avec Sophie pour qu'elle te verse un salaire pendant tes études ?

— Oui, après Noël on va regarder les chiffres ensemble.

J'ai alors décidé de tout lui dire, sans attendre.

— À propos de Sophie... je sais que j'ai encore beaucoup à apprendre sur le fonctionnement d'une entreprise, mais si tu es d'accord, j'aimerais vraiment qu'elle devienne mon associée. Elle a tellement de bonnes idées, il me semble qu'on devrait s'assurer qu'elle reste avec nous.

— Tu pourrais lui céder une petite partie de tes actions. Tu serais encore l'actionnaire principale et tu n'aurais qu'à la racheter si jamais ça ne fonctionnait pas. Voudrais-tu qu'on aille voir monsieur Goldstein, mon ancien comptable, la semaine prochaine ? Il serait meilleur que moi pour te guider dans tout ça.

— D'accord. Ça fait drôle, hein ?

— Ça fait chaud au cœur. Je rêve de ce moment-là depuis que tu as coupé le ruban à l'ouverture de la première pâtisserie.

— On pense créer une nouvelle gamme de produits bio, tu sais. Sophie connaît même quelqu'un qui pourrait nous aider à exporter aux États-Unis.

— Eh ben, eh ben. J'aurais jamais cru que ma tarte au sucre pouvait mener si loin.

— Je t'avais dit que c'était la meilleure au monde.

Elle s'est mise à me caresser les cheveux.

— Les Américains vont avoir du mal à prononcer Le Goût du Paradis sans faire un massacre linguistique, par contre. Ils ne sauront pas quoi faire avec l'accent circonflexe, ils vont prononcer le *t,* et tôt ou tard ce ne sera plus le goût, mais le *Gaoute dou Paradise.* Alors, Soph et moi, on a pensé appeler la nouvelle gamme Rose Paradis, tout simplement. C'est un beau nom, tu ne trouves pas?

— Pas mal mieux que Rose Cochon en tout cas!

— Ah, celui-là on le garde pour notre gamme de saucisses et de cretons!

Elle a ri, m'a tendu la main.

— Félicitations, mademoiselle Paradis! Vous venez de conclure une excellente affaire!

— Merci, madame Paradis! Un million de fois merci!

— Je vais toujours veiller sur toi, ne l'oublie pas.

— Merci, mais quand je serai avec mon amoureux, ne regarde pas à travers les portes fermées, OK?

— Inquiète-toi pas. J'ai jamais été une écornifleuse. Je vais m'en tenir à la cuisine.

Je me suis retournée vers le baldaquin.

— Donc, si je comprends bien, tu vas recevoir de la visite pendant trois jours?

— Ça commence lundi à six heures du soir avec le réveillon. On enterre ça le 27!

— Et c'est Sophie qui va coordonner tout ça?

— On engage bien des coordonnatrices de mariage! Elle a seulement à s'assurer qu'il y a assez de nourriture pour tout le monde, et elle a arrangé l'horaire des visites. Tu comprends bien que je n'aurai pas tout le clan Paradis au complet ici pendant trois jours. Avec les trois petits derniers, ça fait cinquante-neuf personnes. Après le réveillon, je vais passer du temps avec chacun de mes enfants et de mes petits-enfants, un à la suite de l'autre, dans l'ordre où ils sont nés. Ensuite, mes sœurs, mes amis et mes employés vont venir me voir. Ça prend de l'organisation !

Elle parlait de ça comme si c'était un bingo.

— Pourquoi tu n'es pas plus triste que ça, Mamie ?

— Je suis triste. Un peu.

Elle a fait une pause.

— Des fois.

— Il me semble que moi, si je savais que je passais mon dernier Noël…

Ma voix s'est étranglée.

— Je me trouve chanceuse ! Ton grand-père n'a jamais eu le temps de dire au revoir, lui. Remarque, c'est peut-être ce qu'il voulait. Il n'était pas jasant, ton Papi. Mais moi, mon ange, je suis contente d'avoir du temps pour me préparer à partir. Tu me connais, j'aime ça être organisée. Je vous évite un paquet de regrets, en plus. Quand Papi est mort, sais-tu combien de mes enfants m'ont dit qu'ils auraient aimé avoir la chance de lui dire un dernier « je t'aime », un dernier « merci » ? Tous !

— T'as pas peur ?

— De quoi ?

— Je ne sais pas… la douleur, l'inconnu…

— Non. J'ai eu une belle vie. C'est sûr qu'il y a plein de choses qui vont me manquer… prendre un thé avec ma petite-fille, dormir dans des draps qui viennent de sécher sur la corde, tricoter, écouter mes émissions de radio en regardant les oiseaux vider la mangeoire. C'est surtout les petits plaisirs simples qui vont être difficiles à quitter… Mais quand on n'a pas de regrets et qu'on a fait de son mieux pour en profiter, c'est plus facile de s'habituer à mourir.

J'ai essuyé une petite larme au coin de mon œil. S'habituer à mourir, c'était une chose, mais m'habituer à vivre sans elle…

— On s'habitue vraiment?

— Il le faut bien.

— Mais moi, Mamie, quand je voudrai aller te voir après, tu vas être où?

J'avais imaginé que les apprentis médecins de l'université, une fois qu'ils auraient fait assez de carpaccio avec les organes de ma grand-mère, la diviseraient dans divers bocaux de formol.

—Justement, je leur ai demandé ce qu'ils avaient l'intention de faire avec moi après. Ils offrent l'incinération. Je suppose que quelqu'un va bien vouloir aller récupérer mes cendres?

— Tu leur as donné une urne?

—Bah! Je leur ai dit de mettre ça dans un plat Tupperware!

— Ah, franchement! As-tu pensé à un endroit où tu aimerais que je les enterre ou les disperse?

—Jettes-en un peu dans le fleuve, un peu sur mes fleurs. Le reste, c'est comme tu veux.

— Mais si tu vends la maison et que le nouveau propriétaire n'a pas le pouce vert? Si jamais il ne me donne pas le droit d'aller voir tes fleurs?

Elle est restée silencieuse et le rythme de la caresse sur mes cheveux s'est accéléré. Juste à la légère tension de sa main, j'ai su qu'elle pleurait. Elle a pris un mouchoir sur la table.

— Je ne sais pas pourquoi, mais je suis incapable d'imaginer un étranger ici, m'a-t-elle dit après s'être mouchée.

Moi qui radote toujours à tout le monde qu'il ne faut pas s'attacher au matériel... J'ai l'air fin, hein?

— Non! Je me disais la même chose tantôt! Personne ne la veut?

— Personne ne s'est manifesté. C'est une vieille maison, elle a besoin de beaucoup d'entretien, elle coûte cher de chauffage, elle...

— Je la prendrais, moi. Mais pas tout de suite. Donne-moi quelques années. En attendant, je pourrais peut-être la louer?

— Tu voudrais vivre à l'île d'Orléans? Toi, la grande voyageuse?

— Un jour! Un pied-à-terre à New York et mon vrai chez-moi ici, pourquoi pas? Je me suis rendu compte, en voyageant, que ça me manquait plus souvent que je l'aurais cru. Ce serait bien de toujours revenir ici.

— Comme les outardes.

— Comme un oiseau de paradis. Un volatile un peu railleur, mais très fidèle à son écosystème, ai-je marmonné en bâillant.

Elle a continué à me passer la main dans les cheveux. Quelques minutes plus tard, je me suis endormie.

Chapitre 22

Ma nouvelle robe m'allait à merveille.

— On ne porte pas du rose pour Noël, et encore moins pour des funérailles, avais-je protesté deux jours plus tôt quand Isabelle l'avait dénichée au fond de la boutique arabe où nous étions entrées pour acheter de l'encens.

— Allez, espèce de ronchonneuse, essaie-la quand même ! Juste pour me faire plaisir !

Encore une fois, elle avait eu raison. Le rose tendre faisait ressortir les dernières lueurs de mon bronzage et les fleurs brodées autour de l'encolure donnaient à ma tenue un air festif, un peu bohème. Dans la même boutique, j'avais trouvé, pour un prix dérisoire, une paire de babouches roses incrustées de billes et de paillettes et un foulard de mousseline assorti pour nouer autour de mes cheveux. Je ne l'aurais avoué à personne, mais ce soir, j'aimais l'image renvoyée par le miroir de ma salle de bain. Une version blonde de Shéhérazade, des yeux bleus comme un ciel d'hiver, une robe assez trompe-l'œil pour créer l'illusion que j'avais des seins… mais surtout, surtout, un halo de santé et même de bien-être qui ne m'avait pas entourée depuis l'enfance. Dans le coin gauche du miroir, le bout cassé, que je n'avais jamais fait réparer, m'a rappelé à quel point ma vie avait changé depuis un an.

— Oui, tu reviens de loin, ma vieille, ai-je murmuré, une dernière épingle à cheveux coincée entre mes dents.

Quatre coups sur la porte ont interrompu ma rêverie.

— Hé! Oh! Tu fabriques quoi là-dedans? On va être en retard!

J'ai ouvert à Isabelle.

— Il est quelle heure?

— Cinq heures trente-cinq. Sophie et Olivier sont prêts, je suis prête, on n'attend que toi.

— Tu as sorti les desserts du frigo?

— Ils sont sur la table, enveloppés, empilés… et impatients! Allez, magne-toi!

Dès l'arrivée d'Isabelle, l'étage de notre immeuble s'était transformé en usine à pâtisseries. J'avais la nuque en compote et les mains courbaturées par tant d'efforts, mais le résultat en valait largement le coup. Nous avions travaillé comme des abeilles, laissant ma porte et celle de chez Sophie ouvertes du matin au soir pour passer aisément d'un appartement à l'autre avec nos plateaux et nos grands saladiers en inox. Sophie avait même réussi à convaincre monsieur Rousseau, notre voisin de palier, que nous avions toujours surnommé l'Homme invisible, de nous laisser utiliser son four pendant ses heures de bureau. Le défi était de taille: produire assez de desserts pour rassasier une centaine de convives, pendant les trois jours qu'allaient durer les célébrations. Il aurait été plus facile de donner un coup de fil au Goût du Paradis avec notre commande, mais j'avais eu envie de nous voir mettre la main à la pâte toutes les trois, d'abord pour impressionner Mamie, et peut-être aussi pour me prouver que l'efficacité de notre trio justifiait une association future plus officielle.

Chez Sophie, l'îlot de la cuisine avait servi à rouler les abaisses et à assembler les appareils des gâteaux. Chez moi, sur le comptoir, on avait coupé les fruits, préparé les ganaches et confectionné les garnitures en forme de boutons de rose qu'Isabelle nous avait appris à façonner avec du massepain. En admirant la table de la salle à manger, où nos créations étaient exposées au fur et à mesure qu'elles étaient prêtes, nous avions pu le confirmer : c'était du travail de professionnelles. Il faut dire que nos talents complémentaires avaient rendu l'expérience encore plus facile et agréable que prévu, chacune étant chargée de ce qu'elle préférait faire. Sophie coordonnait les temps de cuisson avec les alarmes musicales de son BlackBerry, elle veillait à l'inventaire des ingrédients et se précipitait chez l'épicier Moisan s'il nous manquait du sucre ou des gousses de vanille. Isabelle était la chef, chargée de mélanger les gâteaux et de pétrir à la perfection les pâtes sucrée, feuilletée et brisée. Moi, j'étais responsable du visuel ; je décorais, je glaçais, j'inventais de nouvelles façons de titiller les pupilles avant d'assouvir les papilles. En dessinant des grappes de gui avec des canneberges et en tressant les croisillons sur les tartes, mes derniers doutes avaient fini par s'envoler : j'étais bel et bien dans mon élément, avec ma douille étoilée, mes pochoirs et mes flacons de colorants. Pas une fois, dans ces périodes d'intense concentration, je n'avais eu la moindre envie d'être ailleurs.

Nous avions commencé par les classiques français : tartes Tatin, babas, saint-honoré, croquembouches, petits moelleux au cœur fondant, crèmes brûlées à la vanille de Madagascar, truffes au chocolat noir, macarons et petits fours. J'avais ajouté, en plus de l'incontournable tarte au sucre, une charlotte aux poires et au gingembre confit, une tourte champêtre aux bleuets pour faire plaisir à mon père et un gâteau des anges parfumé à la rose pour Mamie. Après avoir mis ses fameux brownies au four, Sophie avait décortiqué ses magazines et déclaré que Noël n'était pas Noël sans une bûche et que celle qui trônait en page couverture du *Cooks Illustrated* de décembre, aux marrons et au cognac, ferait parfaitement l'affaire. Olivier, chargé du mot de la fin, avait ramené une centaine de biscuits chinois du Buffet Yangtsé. Avec une pince à sourcils, il avait retiré tous les messages avant de les remplacer par d'autres, plus propices à l'occasion.

Je cherchais un sac dans mon placard pour y mettre mes chaussures, quand le capuchon gris d'Olivier s'est pointé dans l'entrebâillement de la porte.

— Clarence, si tu permets, je vais commencer à transporter les desserts dans la voiture. Je peux prendre les boîtes qui sont sur la table?

— Oui, oui!

Je l'ai entendu pouffer de rire dans la cuisine.

— C'est une Coccinelle qu'on a, pas un autobus! Ça ne rentrera jamais! Il y a déjà le sac de cadeaux qui prend la moitié du coffre…

— Et si on empilait les boîtes sur nos genoux et à nos pieds?

— Ouais… croise tes doigts. Ce serait le miracle de Noël.

Nous étions finalement prêts à partir, réunis tous les quatre sur le palier.

— On a tout, vous êtes certains? s'est inquiétée Sophie. As-tu pensé à laisser une tarte dans le frigo de monsieur Rousseau, Isabelle?

— Oui, oui, c'est fait! Je lui ai aussi laissé une crème brûlée et une carte de souhaits!

Emmitouflés, les bras chargés de boîtes, nous sommes descendus jusqu'au stationnement. J'étais reconnaissante pour la neige qui tombait depuis midi avec ses gros flocons collants et pour le vent enjoué qui soulevait la nappe blanche jetée sur la rue Sainte-Ursule. Isabelle se pâmait enfin devant le Vieux-Québec. La pauvre était arrivée trois jours plus tôt au point culminant d'une averse de pluie verglaçante, et elle était tombée à deux reprises en marchant jusqu'à la rue Saint-Jean. Heureusement, elle avait le sens de l'humour et, comme elle le déclarait sans l'ombre d'un complexe, assez de rembourrage dans la région du postérieur.

En nous serrant sur les sièges glacés, nous avons réussi à coincer toutes les boîtes sans mettre nos chefs-d'œuvre en péril. Olivier a mis le chauffage en marche, est sorti avec son balai pour enlever la neige sur l'auto, puis nous sommes partis. Rapidement, la voiture s'est réchauffée et s'est remplie de bonnes odeurs: pâte d'amandes, pommes caramélisées, chocolat noir.

— Si ça goûte ce que ça sent, les filles, vous êtes en *business*! s'est exclamé Olivier.

Les rues n'étaient qu'à moitié déblayées. Il nous a fallu dix minutes pour atteindre la rue Dauphine, où une file de voitures suivait le chasse-neige jusqu'à l'autoroute Dufferin. Olivier sacrait entre ses dents et Isabelle enrichissait son lexique.

— Quoi? Qu'est-ce qu'y dit?

— Isa, je me ferai un plaisir de t'enseigner tous les blasphèmes québécois, mais là, c'est Noël, tout le monde surveille son langage, hein Olivier? a dit Sophie en tournant le bouton de la radio. Tiens, je vais vous trouver des beaux rigodons!

— C'est quoi des rigadons?

Sophie s'est arrêtée sur la famille Dion, qui chantait *Promenade en traîneau*. En chœur, elle et Olivier ont entonné le premier couplet. *Au petit trot s'en va le cheval avec ses grelots...* Isabelle s'est mise à fredonner et j'ai fait la même chose.

Sophie nous a fait signe que le concert était apprécié par ses deux lutins, qui suivaient la cadence de leur mieux avec leur ballet aquatique.

Je souriais encore en pensant à ma soirée de la veille. Après toute une journée aux fourneaux, combinée au décalage horaire, une Isabelle parfaitement anesthésiée nous avait faussé compagnie pour se mettre au lit à six heures et demie. Pour la laisser se reposer en paix, j'avais invité Sophie dans un petit restaurant de la rue du Sault-au-Matelot où je voulais lui faire mon offre. Quand notre crème de morilles toute chaude nous a été servie, je me suis lancée.

— Sophie, je voudrais que tu deviennes mon associée.

Elle n'avait pas eu le temps d'ouvrir la bouche pour me répondre. Ses yeux s'étaient remplis de larmes.

— Champagne ! avait-elle scandé au serveur en reniflant, tamponnant ses paupières avec le coin de sa serviette de table.

— Soph, tu ne peux même pas boire !

— Ah oui, c'est vrai... bah, trois gorgées ! Des mini, je te le jure !

Au-dessus de la bougie, nous avons trinqué avec nos flûtes pleines de bulles folles.

— À une décision que tu ne regretteras jamais ! Merci, Clarence !

J'avais patienté jusqu'au dessert pour mettre ma deuxième offre sur la table.

— Prévois-tu déménager avant la naissance des jumeaux ?

Je voyais mal Sophie garder son loft encore longtemps, avec une seule chambre, pas de cour arrière et deux escaliers à se taper avec une poussette double à chaque sortie.

— On a l'intention de chercher autre chose après les fêtes.

— Te verrais-tu habiter à l'île ?

— Bien sûr. Ce serait génial pour les enfants.

— J'achète la maison de ma grand-mère.

Ses yeux s'étaient écarquillés. Lentement, elle avait avalé la dernière bouchée de sa génoise et posé sa fourchette.

— Elle doit valoir une fortune. Avec cette vue-là... et le jardin... Je parie qu'elle est protégée par le Patrimoine en plus !

— En effet. C'est pour ça qu'elle est sur la moitié des cartes postales de l'île.

— Tu emménages tout de suite ? Enfin, je veux dire, quand ta grand-mère...

— Mais non. Je m'en vais à Paris, Soph.

Son regard avait quémandé : Clarence, ma petite, arrête de tourner autour du pot.

— J'ai réfléchi ! Pour les cinq ou six prochaines années, franchement, je ne me vois pas habiter à Sainte-Famille. D'abord, la maison est trop grande pour une seule personne. Ensuite, comme j'ai l'intention de m'inscrire à un ou deux cours de gestion d'entreprise à mon retour de France, ce serait plus pratique pour moi de rester dans le Vieux-Québec. Tiens, je pourrais demander à mon père de me laisser ton loft...

J'avais pris une gorgée de thé avant de poursuivre.

— Enfin, si la maison de Mamie t'intéressait, je pourrais te la louer.

Aussitôt ces mots prononcés, Sophie s'était levée pour danser une petite gigue à côté de sa chaise, sous les regards réprobateurs des convives de la table voisine qui la croyaient probablement ivre.

— Attends, attends, il y a des conditions !

Elle s'était rassise, avait replacé ses cheveux ébouriffés.

— Je t'écoute.

— D'abord, il y a le chien. Il est vieux, il ne sent pas très bon, mais il obéit au doigt et à l'œil. En plus, il passe la plus grande partie de son temps dans sa niche. C'est un chien d'extérieur et un bon gardien.

Ce n'était pas tout à fait vrai. Plutôt du genre à renifler les poches des cambrioleurs en quête d'un ou deux Milk-Bone.

— Comment il s'appelle déjà ?

— Henri VIII. Quand Mamie l'a rescapé du chenil, il s'est jeté dans le panier de jouets en arrivant chez elle. Il s'est emparé de mes deux Barbie pour les décapiter, mais ça lui a passé, t'en fais pas.

— C'est Olivier qui va être content. Il est plus « chiens » que moi. Je suis beaucoup plus « chats ».

— Euh, bien, ça tombe bien parce qu'il y a Corneille…

— Une autre année en famille d'accueil ?

— En mère indigne que je suis.

— Ça va. Un chat, ça s'adapte.

— Elle oui, moi, c'est une autre histoire.

— T'inquiète pas… je la dorlote.

— Il y a aussi les moineaux et les mésanges à nourrir l'hiver, et le jardin à entretenir l'été.

— *Non c'è problema, bella mia !* Je suis nulle en cuisine, soyons franche, mais quand il s'agit de convaincre une graine de fleurir, j'ai les mains pleines de pouces verts !

— *Cool !*

— C'est tout ?

— Euh, non. Il reste une dernière chose.

— Ouiiiii ?

— Le dimanche, depuis les débuts de l'entreprise, Mamie va porter le surplus de desserts de la semaine dans

452

le quartier Saint-Roch, à la soupe populaire. J'ai l'impression qu'elle s'assure aussi de la quantité suffisante du surplus, si tu vois ce que je veux dire?

— Je vois.

— Pourrais-tu poursuivre la tradition? Au moins jusqu'à mon retour? Je pense que Mamie partirait en paix si elle savait que ses protégés continuent à manger des tartes le dimanche. Ils l'apprécient tellement, en plus.

— Ah, Clarence, Clarence, Clarence! Te rends-tu compte que tu demandes ça à la bonne personne? Si tu savais comme ça me fait plaisir d'accepter. Et quand les jumeaux seront assez grands, ils vont me suivre! Je viens justement d'écouter un discours du dalaï-lama, il insistait sur l'importance d'inculquer la compassion aux enfants dès le plus jeune âge.

Je n'avais aucun doute: Sophie était assurément la bonne personne. Je l'imaginais déjà envoyer ses gamins creuser des puits en Afrique pendant leurs vacances d'été.

— Marché conclu, alors?

— Euh... je dois consulter mon prince, très chère.

— Ah oui. Et s'il accepte?

— *It's a deal, dah-ling!*

Depuis, mon cœur flottait dans ma poitrine. Les choses s'étaient placées, une par une, comme si elles avaient obéi à un plan tracé depuis le début. Dans huit mois, je pourrais partir à Paris l'esprit tranquille, avec le sentiment d'avoir fait ce qu'il fallait. D'ici là, j'allais rester avec Mamie, chez elle, pour la traiter aux petits oignons jusqu'à la fin. Ce ne serait pas facile. L'idée de la perdre me semblait encore insultante et souvent tellement absurde que j'avais envie d'en rire. C'était pourtant la réalité. Une réalité infiniment triste même si j'arrivais, comme elle, à saisir la nature précieuse de ces derniers instants. En regardant Mamie apprivoiser la mort, je savais que j'allais apprendre une ou deux choses sur la vie.

— Où il va le soleil, quand on se cousse? m'avait demandé le petit Francis un soir, pendant que je le bordais chez Mamie.

J'étais allée chercher un pamplemousse et une lampe de poche pour lui expliquer que le soleil ne bougeait pas, que c'était seulement nous, sur le pamplemousse, qui changions de position pour la nuit.

— Le soleil s'en va zamais? s'était-il étonné avec l'émerveillement propre à ceux qui comptent encore leur âge sur les doigts d'une main. C'est zuste nous qui dort pas du même côté?

— Oui, mon Francis, c'est juste nous.

J'avais ensuite tenté de lui expliquer le principe de l'orbite, le pourquoi des saisons, des éclipses et de l'horizon. Ça avait été suffisant pour l'endormir, mais j'étais certaine qu'il avait au moins retenu une chose: le soleil et les étoiles n'arrêtaient jamais de briller.

Je me disais maintenant la même chose pour Mamie. Si l'étoile du Nord ne s'éteignait pas quand s'allumait la Croix du Sud, si le soleil rayonnait avec autant de force même au plus noir de la nuit et au plus froid de l'hiver, je ne voyais pas pourquoi Mamie, notre corps céleste attitré, devait cesser de nous transmettre sa lumière une fois passée de l'autre côté.

J'y croyais, maintenant. Le dernier arrêt ne pouvait pas être ici, sur le pamplemousse. Ma tête avait beau s'acharner à déconstruire ma nouvelle thèse avec sa litanie d'arguments scientifiques, mon cœur, lui, refusait d'envisager que Mamie puisse être éradiquée de l'Univers.

Devant la maison de pierre, quelques voitures étaient déjà garées à la queue leu leu. J'ai reconnu celle de mon cousin Alexandre et le 4 x 4 de mes parents. Dire que je n'avais pas encore eu le temps de les voir depuis leur arrivée. La première voiture portait une plaque de l'État de New York. C'était donc vrai, ma cousine Béatrice était venue passer Noël ici avec son mari évangéliste et ses enfants, après dix ans sans donner de nouvelles. La famille se trouvait donc au grand complet.

Nous avons déchargé le coffre et marché lentement vers la maison, nos dizaines de cartons à gâteaux en équilibre précaire dans les bras. Olivier était si chargé qu'on ne voyait même plus sa tête.

Le vestibule avait été décoré depuis ma dernière visite : des branches de sapin croisées en rameaux, des lampions rouges et dorés posés en rang au bord de la fenêtre, des pommes de pin dans un panier, une grappe de gui suspendue au-dessus de la porte.

— Hou! C'est joli tout ça, dites donc! s'est exclamée Isabelle.

— Merci, a répondu Sophie en se tournant pour laisser Olivier lui retirer son manteau.

— C'est toi qui as bricolé ça, Soph?

— Ce matin même. Olivier m'a aidée. La décoration faisait partie de ma tâche de croque-vie.

— Ta grand-mère nous a invités à visiter la maison, Clarence. Même le grenier! C'est là que je vais m'installer pour écrire.

Mon père est venu nous accueillir, tout guilleret, les joues déjà rougies par le vin. Sa moustache avait repoussé et elle commençait tout juste à tourner aux extrémités, comme avant. Avec son nouveau crâne rasé et luisant, il ressemblait à un dompteur de lions. Il portait encore le chandail que Mamie lui avait offert cinq ou six ans plus tôt, celui aux motifs de flocons que ma mère ne pouvait pas supporter. Moi, je l'aimais bien.

— Ah, ma grande fille !

Il m'a serrée tellement fort que mes vertèbres ont craqué.

— Tu m'as tellement manqué, m'a-t-il chuchoté à l'oreille.

— Toi aussi, papa.

Ce qui était bien avec mon père, c'est qu'il ne passait jamais de commentaires sur mon apparence. Si j'étais revenue de la Nouvelle-Zélande avec deux cents kilos en trop et les cheveux teints en vert lime, je crois qu'il n'aurait rien dit. Depuis longtemps, papa avait compris que toute remarque concernant mon physique, que ce soit « tu as embelli », « tu as l'air en pleine forme », « tu sembles reposée », ou « tu as pris du mieux », était souvent traduite en simultanée dans ma tête par « tu as grossi, grossi, grossi, grossi… ».

— Papa, je te présente mon amie Isabelle. Isabelle, mon père Marcel. Tu connais Sophie, et lui, c'est son copain Olivier. Olivier est l'auteur du roman historique *Le Lys à la boutonnière*.

— Oui, oui ! Mes félicitations, jeune homme ! Pour les jumeaux aussi ! Allez, les enfants, donnez-moi vos manteaux. Je suis préposé au vestiaire pour la soirée.

Une trentaine de bougies éclairaient le salon. Au milieu, adossée à un gros oreiller dans son fauteuil, une couverture sur les jambes et une coupe de vin blanc à la main, Mamie discutait avec Alexandre et Dominique. J'ai eu un choc en voyant qu'elle ne portait pas son chignon : ses cheveux, d'un gris brillant comme du mercure, tombaient en boucles souples jusqu'à sa taille. Pour moi qui avais toujours cru qu'elle dormait avec son chignon, prenait sa douche avec son chignon, j'ai eu l'impression que c'était toute une partie de sa vie qu'elle m'avait cachée dans cette chevelure épaisse et ondoyante. Elle portait sa blouse en coton blanc brodé par les religieuses, avec des manches bouffantes et un collet montant.

Il n'y avait pas de doute, c'était la plus belle mamie du monde ; sereine et lumineuse, déjà à moitié transformée en ange.

Quand elle nous a vus entrer, au lieu de se lever pour venir nous embrasser, Mamie a actionné le levier d'ajustement de son fauteuil et s'est retrouvée à l'horizontale. Elle a farfouillé sous sa couverture avant d'en sortir un chapelet noir. En un mouvement, elle l'a entortillé dans ses mains jointes et elle a fermé les yeux. D'un geste tendre, Dominique a arrangé ses cheveux. Le silence est tombé dans le salon. Isabelle m'a donné un léger coup de coude, comme pour m'indiquer qu'elle saisissait enfin ce que j'avais voulu dire par « grand-mère peu ordinaire ». Je lui ai souri et nous avons marché jusqu'au chevet de la prétendue défunte.

— Ils l'ont vraiment bien arrangée, vous ne trouvez pas ? a murmuré Alexandre, la tête inclinée vers la gauche.

— Je comprends ! Elle a rajeuni de dix ans ! a répondu Dominique. Les cheveux comme ça, c'est ce qu'elle aurait voulu !

Olivier a soupiré en tirant un mouchoir de sa poche.

— C'est toujours les meilleurs qui partent en premier !

La bouche de la morte a remué, souri, un œil s'est ouvert, puis l'autre. Nous avons éclaté de rire, soulagés de voir Mamie se redresser.

— Bon, la moribonde a soif ! Me resserviras-tu du vin, Alex mon chéri ?

J'ai enfin présenté Mamie à Isabelle.

— C'est un honneur de vous rencontrer, madame Paradis. J'ai beaucoup entendu parler de vous.

— Madame Paradis ! Appelle-moi donc Mamie Rose, ma belle enfant.

— Carence ! Carence !

Francis est entré dans le salon en courant et s'est jeté dans mes jambes comme un bélier de montagne.

— Carence ! T'es revenue de ton voyaze !

— Hé, mon champion ! T'as donc bien grandi !

— Oui, oui, z'ai grandi. Z'attasse mes souliers, regarde !

Il s'est exécuté, encore tout essoufflé, défaisant ses lacets pour les renouer aussitôt.

— Incroyable ! Qui t'a montré ça ?

— C'est Lili à la garderie, et un peu maman aussi. Tu sais moi Carence, plus tard z'vais santer une sanson de Noël pour Mamie avec Zustine. Maman m'a inventé des ailes d'anze avec des vraies plumes !

— Ah oui ? Justine va jouer du violon ?

— Oui, parce qu'elle est grande, elle... Moi aussi quand z'vais avoir neuf ans z'vais en zouer, du violon ! Bon, z'm'en vais deviner mes cadeaux !

Il a fait un sprint jusqu'au fond du salon, s'est laissé glisser sur ses pantoufles pour atterrir sous le sapin.

Sophie et Isabelle avaient déjà disparu, sans doute à la cuisine pour mettre les desserts au froid. Je suis allée dans la salle à manger pour me servir un verre du traditionnel punch aux canneberges.

Penchée devant le vaisselier, ma mère frottait une saucière en argent avec un linge. En me voyant, elle a eu l'air surprise, et quand elle m'a souri en venant vers moi, de fins soleils se sont dessinés autour de ses yeux. Ce n'était pas difficile de deviner ce qu'elle avait modifié dans son apparence : il y avait belle lurette que la surprise avait cessé de se lire sur son visage et ses pattes d'oies avaient été traquées bien avant de pouvoir prendre leur place, bien méritée après quarante ans de sourires.

Ma mère avait arrêté les injections. Ça, c'était clair. Ce qui l'était moins, c'était… pourquoi ? La Suisse n'avait quand même pas mené mes parents au bord de la faillite…

Elle s'est haussée sur la pointe des pieds pour m'embrasser. Elle a ensuite posé ses mains sur mes épaules, s'est reculée en hochant la tête.

— Je ne t'ai jamais vue aussi jolie !

Elle a replacé ma mèche rebelle derrière mon oreille.

— Voilà, comme ça, c'est parfait.

J'étais fascinée de voir son front bouger à nouveau. Je me suis souvenue qu'elle arrivait à hausser un sourcil à la fois. Petite, j'avais passé de longues minutes devant le miroir à me tortiller le front pour recréer cette expression que je lui enviais. Rien à faire.

J'ai eu envie de lui dire qu'elle avait embelli, elle aussi. Elle paraissait plus vivante, son visage était enfin complètement habité. Valait quand même mieux ne pas mentionner les injections. Ma mère avait toujours attribué son visage lisse et immobile aux mystérieuses crèmes des cliniques genevoises commandées par Internet.

« Ah, peu importe, me suis-je dit en buvant une grosse gorgée de punch. C'est ma mère, je lui dirai bien ce que je veux. »

— Toi aussi, tu resplendis. Ça te va beaucoup mieux sans Botox, maman.

Elle a saisi mon coude et m'a traînée dans la salle de bain. J'ai retenu mon souffle pendant qu'elle tournait la poignée pour verrouiller la porte.

J'ai posé ma coupe sur le comptoir et je me suis adossée au lavabo, les bras croisés, mes mains moites serrées en poings sous mes aisselles. Ma mère a baissé le couvercle de la toilette, s'est assise dessus et s'est mise à contempler ses escarpins dorés.

— C'est à cause des enfants.

— Les enfants ?

— Ceux de l'hôpital pédiatrique de Lausanne, où je vais avec les chiens le dimanche. Ce sont des enfants très malades, beaucoup ne se rendent pas à l'adolescence. Ça ne les empêche pourtant pas de croire aux miracles.

Elle a déchiré un carré de papier de toilette, s'est mise à le plier en accordéon sur ses genoux.

— Tu te souviens peut-être de la petite fille dont je t'ai parlé une fois par clavardage ? Estelle ?

— Oui, oui, je m'en souviens. Elle n'a pas survécu à sa greffe de rein.

— C'est ça. Un matin à l'hôpital, Sardine s'est endormie dans son lit, sa grosse tête sur le ventre d'Estelle, alors je suis restée dans sa chambre un peu plus longtemps que d'habitude. On a discuté. Je lui ai demandé quel était son plus grand rêve. Je m'attendais à ce qu'elle me dise qu'elle voulait adopter un chimpanzé ou aller à Disneyland Paris avec sa petite sœur. Non. Sais-tu ce qu'elle m'a confié ? Que son plus grand rêve, c'était de vivre jusqu'à cinquante ans ! Elle a dit ça avec des étoiles dans les yeux, comme si la vie ne pouvait pas lui offrir de plus beau cadeau.

— Elle avait quel âge ?

— Elle est morte à huit ans, un mois, douze jours.

Ma mère a jeté son bout de papier dans la poubelle, a posé son menton au creux de ses mains, peut-être pour l'empêcher de trembler.

— Je ne l'oublierai jamais. Ça aura pris une fillette pour me faire comprendre que vieillir est un privilège, pas une punition. Ils ne demandent pas mieux que d'avoir des rides un jour, ces enfants-là. Moi, je traitais les miennes comme une maladie honteuse. Je me suis sentie tellement ridicule devant elle. Tellement petite.

Je n'en croyais pas mes oreilles. Venant de ma mère, ces paroles étaient surréelles, ni plus ni moins. J'ai eu envie de lui dire que moi aussi, j'avais compris des choses importantes au cours des derniers mois, de grandes vérités qu'il m'avait fallu apprivoiser pour qu'elles ne m'échappent plus. Au lieu de ça, j'ai figé, incapable de former les mots, laissant bêtement un faible « wow » franchir mes lèvres.

Ma mère s'est levée, a lissé sa jupe et s'est plantée devant le miroir pour retoucher son maquillage.

— Je voulais que tu saches… je suis vraiment désolée pour Mamie, m'a-t-elle dit en traçant le contour de ses lèvres avec un crayon cannelle. Tu dois trouver ça très difficile. Elle a été une vraie mère pour toi.

— C'est toi, ma mère. Mamie, c'est Mamie.

— Oui, Mamie, c'est Mamie, a-t-elle soupiré. Elle va nous manquer, notre Rose. Elle a été un peu comme ma mère, à moi aussi. La mienne, je ne m'en souviens plus.

Elle a jeté son maquillage dans son sac, a tiré la fermeture éclair d'un mouvement brusque.

— Bon, ça suffit la mélancolie ! C'est Noël ! Y paraît que c'est toi qui as fait tous les desserts ?

— Il faut bien que je me refasse la main avant d'arriver à Paris…

— Tu viens nous visiter en Suisse dès que possible, d'accord ? Il est grand temps que tu connaisses tes origines. Allez, sortons d'ici avant qu'on nous cherche !

Ma mère s'est remise au polissage de l'argenterie et je suis retournée au salon voir Mamie.

À ses côtés, un biscuit chinois dans une main et un verre dans l'autre, se trouvait Sébastien.

— Hé, la sœur !

Toujours aussi beau, tiré à quatre épingles, portant une cravate blanche, des souliers en faux crocodile et une nouvelle coupe de cheveux originale sans doute sortie d'un salon ultra tendance du village gai de Montréal. Son David, que je n'avais pas encore vu, travaillait comme styliste sur un plateau de tournage de Radio-Canada. Son influence sur le style de Sébastien était évidente.

— Je disais justement à Mamie que j'étais content que tu achètes la maison mère. J'ai de très beaux souvenirs ici.

C'est vrai qu'on s'était bien amusés, lui et moi. Le vieux canapé vert nous avait déjà servi de radeau à la dérive, entouré de requins dans le triangle des Bermudes. Derrière la fenêtre du salon, il y avait eu un bonhomme de neige vêtu du chandail des Canadiens de Papi. Plus loin dehors, sur le tapis blanc qui s'épaississait rapidement, je nous ai revus attacher Henri VIII à notre traîne sauvage, pensant le convaincre d'honorer ses ancêtres inuits. Il n'avait jamais compris le principe.

— Et des moins beaux souvenirs aussi. Mais je te pardonne, Clarence.

— De quoi?

— Tu n'as quand même pas oublié mon *petit accident*?

— Huit points de suture, la mâchoire fracturée, les palettes cassées. Je ne pensais même pas qu'un enfant de cinq ans pouvait hurler aussi fort! a rappelé Mamie.

Lentement, j'ai avalé ma salive en regardant par terre. C'était bien vrai, j'avais failli tuer mon petit frère. Pour me venger d'une bagatelle dont je n'arrivais plus à me souvenir, j'étais allée saboter les roues d'apprentissage de sa nouvelle bicyclette.

— Je ne pensais jamais que ça allait finir comme ça, Seb. J'avais imaginé que tu tomberais dans l'herbe, pas que t'entrerais en collision frontale avec le tracteur-tondeuse de monsieur Tremblay.

— C'est correct. J'ai dit que je te pardonnais.

«On est quittes alors», ai-je pensé. Sauf que moi, je n'allais pas ressortir le Muffin de sous le tapis, le soir de Noël. J'étais mature, MOI.

— Ton copain n'est pas avec toi, Seb?

J'ai cru voir ses joues rosir.

— J'ai hâte de le rencontrer, maman dit que c'est le sosie de David Beckham.

Il a souri en détournant le regard.

— Il est à Mont-Laurier dans sa famille. Il va être ici demain soir.

Du bout des doigts, il a rompu son biscuit chinois pour en extraire la fine bande de papier. Son visage s'est éclairé.

— Écoute ça, Mamie : «Nous n'habitons pas des régions. Nous n'habitons même pas la Terre. Le cœur de ceux que nous aimons est notre vraie demeure.» C'est une citation de Christian Bobin.

— Jésus Marie, d'où ça vient ces biscuits-là?

— C'est Olivier qui a choisi les messages.

— S'ils sont tous beaux comme ça, tu m'en apporteras deux douzaines, mon ange.

Sébastien s'est penché pour embrasser Mamie sur la joue.

— Elle est belle notre grand-mère, non?

— Tu peux le dire. Je ne savais pas que tes cheveux étaient aussi longs, Mamie!

— Ils n'ont pas été coupés depuis mes derniers traitements de chimiothérapie. Six ans et demi… pense à tout ce que j'ai épargné en coiffeur!

Sophie est apparue à la porte du salon, une clochette à la main. Elle l'a secouée doucement.

— À table tout le monde!

Malgré les protestations de Mamie, Sébastien l'a soulevée dans ses bras pour la transporter jusqu'à sa place à la table.

— Croyez-moi, ce n'est pas facile de se faire servir, les enfants ! Mais bon, Sophie dit qu'elle n'hésitera pas à me menotter si jamais je lève le petit doigt…

La salle à manger était merveilleusement décorée, comme seule Sophie pouvait le faire. Quatre longues tables étaient disposées pour former un carré autour d'une table ronde, celle des enfants, où un sapin miniature trônait, orné de jujubes et de guirlandes en réglisse. La chaise de Mamie était couverte de tulle et enjolivée des mêmes rosettes que le fauteuil du salon.

Il nous a fallu vingt bonnes minutes pour nous installer, placer les bébés dans leurs chaises hautes et calmer les larmes de Justine, vexée de ne pas encore trouver sa place à la table des grands. Une fois tout le monde assis, Isabelle, Sophie et moi avons commencé à disposer les plats fumants sur les tables. Olivier a mis les trois perdrix dans un plateau devant mon père, qui, en tant qu'aîné de la famille, était chargé du découpage. Il avait l'habitude de porter un toast, toujours un peu trop long, avant de plonger la lame de son couteau dans la chair dorée et croustillante. Je m'attendais à ce que la tradition soit maintenue, mais à ma grande surprise, c'est ma cousine Béatrice qui s'est levée en toussotant. Son mari et elle ne buvaient pas une goutte d'alcool, et j'ai soupiré en comprenant qu'elle s'apprêtait à trinquer avec un verre d'eau. Ça porte malheur, non ?

Elle a toussé plus fort et le silence s'est fait.

— Je voulais vous dire à quel point je suis heureuse d'être ici ce soir. Ça fait exactement neuf ans que j'ai quitté Québec et je peux vous assurer que je n'ai pas l'intention de laisser autant de temps passer avant de revenir.

Elle a baissé les yeux vers son mari, un rouquin grassouillet qui ne comprenait pas un mot de français, et lui a souri avant de poursuivre :

— Je ne sais pas si d'autres s'en souviennent, mais quand on était petits, Mamie nous disait toujours que ceux qui s'appelaient Paradis avaient des permissions spéciales et un contact plus direct avec les anges…

— Oui, Mamie me l'a expliqué, à moi aussi ! s'est écriée Justine qui visiblement y croyait encore.

— Bon ! Parfait ! J'aimerais donc prendre quelques minutes pour que tous ensemble, nous utilisions notre pouvoir spécial. Du côté de mon mari, à chaque réunion de famille, avant de manger, on prend le temps d'inviter ceux qui ne sont plus parmi nous à se joindre au repas. C'est une tradition irlandaise. Je vous demanderais donc de prendre la main de votre voisin de droite.

J'ai essuyé ma paume sur ma robe. Les trucs comme ça me rendaient nerveuse. Isabelle allait penser que j'avais une famille de fous. J'ai pris sa main en lui faisant une moue gênée. À ma gauche, ma cousine Dominique m'a tendu sa main droite. Nous formions maintenant un grand cercle, avec un plus petit au milieu. Les enfants grouillaient sur leurs chaises et ne comprenaient pas trop à quoi rimait le nouveau jeu.

— Aimeriez-vous commencer, Mamie ?

Ma grand-mère avait l'air tout excitée.

— Est-ce que j'ai le droit d'inviter plusieurs personnes ?

— Autant que vous voulez !

— Bon, alors mon cher mari, que j'ai bien hâte de revoir, ma sœur Marguerite et mon amie Fernande !

Ça s'est poursuivi autour de la table. Sophie a invité son père, Isabelle a appelé sa sœur Odile. Ma mère, de sa voix timide, a convoqué ses parents. Quand mon tour est venu, j'ai dû admettre que je ne connaissais personne qui n'avait pas déjà été nommé, alors j'ai piteusement demandé si je pouvais inviter mon chien Plumeau pour tenir compagnie à Henri couché sous la table.

Ma demande a inspiré les enfants.

— Mon furet Sam, s'il vous plaît! a fait Justine.

— Oui, et ma perrusse aussi! a ajouté Francis.

L'atmosphère s'est alourdie un peu quand Béatrice, qui terminait le cercle, a appelé ses deux bébés qui ne s'étaient pas rendus à terme. Pour chasser le malaise, Mamie a invité Lady Di, et mon oncle André a insisté pour faire une place à Maurice Richard. Francis s'est hissé debout sur sa chaise, un bras en l'air.

— Z'appelle le Tyrannosaure Rex!

C'est là que mon père s'est levé et nous a priés de manger, avant que ça refroidisse ou que les dinosaures viennent tout rafler.

En regardant Mamie lisser sa serviette de table sur ses genoux, je me suis demandé si elle y avait pensé, elle aussi: l'année prochaine, ce serait à son tour d'être invitée. Ce qui séparait ce monde de l'éternité paraissait bien mince, tout à coup: un voile transparent entre les nouveaux bébés qui arrivaient d'un côté et Mamie qui sortait de l'autre. J'ai eu une toute petite pensée pour mon propre bébé, que j'ai chassée immédiatement en prenant une grosse bouchée de pain beurré. Parfois, manger ses émotions était la meilleure chose à faire.

— Tu as de la chance d'avoir une si belle famille! a dit Isabelle.

— Je sais.

— J'ai hâte de te présenter la mienne. Tu vas les aimer, je crois. On ira passer les vacances dans le Poitou, chez mon frère, l'an prochain.

Après le repas, c'était le spectacle des enfants. Francis est venu tirer sur ma manche.

— Maman est occupée avec le café, Carence, voudrais-tu venir m'aider à mettre mes ailes d'anze? Elles sont en haut!

— Avec plaisir!

Il a pris ma main en montant l'escalier.

— Tu vas chanter quoi, mon beau Francis?

— *Les anzes dans nos campagnes*, voyons! C'est pour ça, les ailes! m'a-t-il répondu comme si j'étais la dernière des tarées.

Le costume, étendu sur le lit de la chambre d'amis, comprenait une petite soutane blanche et une paire d'ailes à enfiler comme un sac à dos.

— Fais attention, Carence, les ailes sont fraziles, des fois il y a des 'tites plumes qui se décollent.

— Bouge pas, Francis, j'attache le cordon dans le dos.

— Tu sais, Carence, Mamie va mourir bientôt. C'est même elle qui me l'a dit.

— Ça te fait de la peine, mon loup?

Il a réfléchi un peu et s'est retourné vers moi, les yeux brouillés.

— C'est pas Mamie qui me rend triste. C'est Zustine!

— Hein, Justine? Peux-tu m'expliquer pourquoi?

La lippe tremblante, le nez qui coulait déjà, il a poursuivi.

— C'est que... Zu-u-stine, elle m'a dit... que moi...

Il luttait fort pour ne pas fondre en larmes, le pauvre petit. Trop tard. Il a étreint mon cou et, pendant que je tapotais ses épaules, j'ai senti ma robe s'imbiber de larmes et de morve.

— ... que moi z'allais oublier Mamiiiiiiiie! Parce que sui' trop petiiiiiiiiit!

— Viens, Francis, on va aller aux toilettes boire un grand verre d'eau. Après, je vais t'expliquer quelque chose.

Je l'ai assis sur le lavabo et j'ai éponge son nez et ma robe avec un mouchoir.

— T'as vraiment l'air d'un ange, mon grand.

— Maman dit un anze avec des 'tites cornes.

— Bon, écoute-moi bien, Francis. J'aimerais que tu réfléchisses très fort pour trouver trois choses qui te font penser à Mamie.

— Trois soses? Comme, n'importe quoi, là?

— N'importe quoi.

— OK. Bon. Euh, ben, les desserts! Surtout les tartes!

— Ensuite?

— Ben, les roses? Parce que c'est son nom?

— T'as raison.

— Aussi, il y a toi, Carence!

— Moi? Je te fais penser à Mamie, moi?

— Oui, parce que vous racontez les mêmes histoires le soir, avec les mêmes mots. Aussi, quand tu ris, on dirait Mamie.

— Francis, c'est un beau compliment que tu me fais là! Peut-être le plus beau que j'avais reçu dans ma vie.

— Bon, z'ai trouvé mes trois soses.

Il s'est croisé les bras, impatient.

— Ah oui, bon. Quand Mamie va être au ciel, tu vas faire quelque chose de spécial, et tu vas le faire toute ta vie, jusqu'à ce que tu sois un vieux monsieur.

— Avec une canne et des grosses lunettes? a-t-il demandé en fronçant le nez.

— Oui. Chaque fois que tu mangeras une tarte, que tu sentiras une rose ou que tu entendras rire ta grande cousine, tu prendras une petite minute pour penser à Mamie.

— OK, c'est facile ça !

— C'est facile, hein ? Si tu réussis à faire ça, je te promets que tu n'oublieras pas Mamie.

— Toi aussi, Carence, tu vas touzours penser à Mamie quand tu vas manzer une tarte ?

— C'est sûr !

— Zuré crassé ?

— Juré craché !

— Il faut qu'on crasse, là…

— Dans la toilette ?

— OK.

— Es-tu prêt pour ta chanson ?

— Mmmm… oui ! Les mots sont compliqués, t'sais ! Il faut dire « les anzes dans nos campagnes ont taponné Line des yeux, in excessif deyo » et plein d'autres mots savants ! Maman dit que toute la famille va santer avec moi si z'oublie un bout. Vas-tu santer avec moi, Carence ?

— Compte sur moi !

— Tu sais, moi des fois z'ai hâte que Mamie soit au ciel, Carence.

— Ah oui ?

— Oui, parce que souvent Mamie et maman me disent de demander des soses aux anzes dans le ciel, et de leur parler si z'ai une tristesse ou une peur. Mais tu sais, c'est un peu difficile, parce que moi les anzes, z'les connais pas. Quand Mamie va être au ciel, au moins z'vais avoir un anze que z'connais !

— Sais-tu que tu es intelligent, toi ?

— Ze l'sais !

Nous étions en haut de l'escalier.

— Attention de ne pas trébucher sur ta soutane.

— Ze l'sais ! Sui pas si p'tit que ça, Carence.

— C'est C-llllll-arence mon loup, pas Carence… essaie encore pour voir !

— Tlarence.

— Ah, c'est mieux. Est-ce que je t'ai déjà dit que je te trouvais intelligent?

— Tu viens zuste de me le dire!

Dans le salon, Justine faisait des gammes sur son violon pendant qu'on installait des chaises autour d'elle et du fauteuil de Mamie. Isabelle était sur le canapé, souriant dans son verre de vin. Derrière son dos, mes deux nouvelles cousines, un récent ajout à la famille à cause du remariage de mon oncle Roger, lui faisaient des tresses françaises: leurs petits ongles peints en rose Barbie entortillaient les mèches cuivrées avec une dextérité impressionnante.

J'ai rejoint Sophie à la cuisine.

— Tout va bien?

Elle préparait un plateau de petits fours et de truffes au chocolat pour accompagner le café. Les desserts seraient servis plus tard, entre le spectacle et l'arrivée du père Noël.

— Ça roule, ça roule!

— Je peux t'aider?

— Non, ça va! Ah, tu pourrais peut-être verser de la crème dans le pot à lait?

— C'est une soirée parfaite, je ne sais pas comment te remercier, Soph!

— Pas besoin, la petite, tu m'as déjà amplement gâtée. Je ne peux pas croire que je vais habiter ici avec mes enfants. Si ta famille est d'accord, je voudrais continuer à célébrer Noël avec eux, dans cette maison. Tant que je vivrai ici, le réveillon, ça sera mon affaire!

— C'est une bonne idée! Je me demandais justement comment ça se passerait quand Mamie ne sera plus là pour rassembler tout le monde.

— C'est ma chance, j'ai toujours rêvé d'une grande famille. Ma mère a juste une sœur et mon père un frère qui vit en Floride, alors tu peux imaginer le nombre d'invités à Noël... plutôt déprimant! Tiens, apporte donc ça dans le salon, s'il te plaît.

— Pauvre p'tit cœur, on t'adopte! lui ai-je annoncé en l'embrassant sur la joue, avant de partir avec le plateau de chocolats.

Justine était prête, les yeux sur son archet, l'air solennel dans sa robe en velours marine. Francis, nerveux, se mordait la lèvre en tirant sur le col de sa soutane. Tout le monde s'est tassé autour de Mamie: les tantes assises sur les genoux des oncles à cause du manque de chaises, les enfants assis sur le tapis ou dans l'escalier. J'ai posé ma fesse droite sur le bras du fauteuil de Mamie. À mes pieds, le bébé de ma cousine Paule dormait dans un panier, un filet de salive le reliant au coussin. Henri VIII est arrivé le dernier et s'est écroulé au milieu du salon, lourd de toutes les bouchées de perdrix et de pâté chapardées pendant le repas.

Aux premières notes du violon, j'ai senti la main de Mamie prendre la mienne, doucement d'abord, plus fort ensuite. Je l'ai regardée du coin de l'œil en souriant. Elle m'a fait un léger signe de tête avant de laisser son regard balayer le salon. Son petit monde était là, comme des planètes en orbite autour de leur centre de gravité. «Elle a le cœur assez grand pour tous ces gens-là», ai-je pensé.

Dans le mien aussi, il s'était créé de l'espace dernièrement. Assez d'espace pour d'autres amis, pour des pays entiers, pour des projets grandioses, pour l'amour, pour le bonheur. L'année qui se terminait resterait celle de mon *big bang* personnel, celle où le petit trou noir dans mon cœur s'était ouvert pour devenir un univers en expansion.

Pour une fois, je n'aurais rien changé à ma vie. Ni les cafouillages du passé, ni la peur du départ de Mamie, ni le risque de perdre l'équilibre à nouveau. Tout ça m'avait menée ici : prête à foncer, la tête haute, convaincue d'être bien équipée pour le voyage.

J'étais Clarence Paradis, la seule et unique. Intrépide bourlingueuse, chef d'entreprise, gourmande impénitente, chouchoute des anges, chasseuse de dragons et gagnante de guerres intérieures. Pas si mal après tout. J'ai allongé le bras pour saisir une truffe au chocolat. Lentement, en fermant les yeux, je l'ai laissée fondre sur ma langue.

Remerciements

À ma mère, pour m'avoir transmis l'amour des livres et appris à écouter. À mon père, pour m'avoir transmis le gène artistique et appris à regarder. À Diane Parisien, ma sage-femme littéraire, pour m'avoir donné conseils et confiance. À Andrew, pour sa foi inébranlable et pour m'avoir donné ce dont j'avais le plus besoin. À Lorie, pour s'être si généreusement occupé des chiffres pendant que je m'occupais des mots. À Lise, à Denise et à Guillaume, mon comité de lecture, pour avoir épargné mon amour-propre. À Raymond, pour son aide à la recherche. À toute l'équipe de la courte échelle, en particulier à Sophie Michaud pour sa rigueur et son enthousiasme. Et à Greg, qui rend tout possible et fait de chaque jour une histoire qui finit bien.

Julie Balian est née à Québec en 1975 et a grandi en Mauricie. Elle vit aujourd'hui dans le Midwest des États-Unis avec son mari, dans une maison remplie de livres et d'animaux. Avant de commencer *Le goût du paradis,* elle a tenu son journal intime pendant vingt-cinq ans. Quand elle n'a pas le nez dans un livre, elle fait de la course à pied ou du jardinage, elle cuisine, flâne dans les librairies et voyage le plus souvent possible. *Le goût du paradis* est son premier roman.

DATE DUE

2 9 MAR. 2012	
2 3 JUIN 2012	
2 7 AOUT 2013	